HET TEKEN VAN DE ROOS

D'Andrea G.L.

Het Teken van de Roos

Wonderkind

BOEK 2

WB*Fantasy

Vertaald uit het Italiaans door Esther Schiphorst

Omslagontwerp Bureau Beck
Omslagillustraties Shutterstock

Oorspronkelijke titel *Wunderkind, La rosa e i tre chiodi*
© 2010 D'Andrea G.L.
First published in Italy in 2010 by Arnoldo Mondadori S.p.A., Milano.
This edition published in agreement with PNLA/Piergiorgio Nicolazzini
Literary Agency
© 2011 Nederlandse vertaling Esther Schiphorst en
Uitgeverij Wereldbibliotheek bv
Spuistraat 283 · 1012 VR Amsterdam

www.wbfantasy.nl

ISBN 978 90 284 2431 9

'Bijna onmiddellijk zwichtte de realiteit op diverse vlakken. Het was duidelijk dat ze ernaar verlangde te zwichten.' – J.L. Borges

Daarom, gelijk door één mens de zonde de wereld is binnengekomen en door de zonde de dood, zo is ook de dood tot alle mensen doorgegaan, omdat allen gezondigd hebben. – Rom. 5:12

In het donker

Puinhopen. Zwartgeblakerde muren en de geur van verbrand plastic. Twee mannen die eruitzien als schimmen, maar toch wezens zijn van vlees en bloed, niet meer in staat het muzikale geklop van hun hart te horen. Ze zijn hun handen kwijtgeraakt en dragen daarvoor in de plaats nu ijzeren haken. Ze hebben een doffe blik in hun ogen.

Een van de mannen zakt op de grond in elkaar. Hij huilt. De ander, de meer robuuste van de twee, haalt moeizaam een sigaar uit zijn zak.

'Een jongen.'

'Hou op.'

Hij kan niet ophouden. Hij heeft zijn vrouw en zijn zoon zien sterven. Hij heeft de buurt waar hij geboren en getogen is, Dent de Nuit, zien veranderen in een slagveld. In hartje Parijs, langs straten die op geen enkele kaart staan aangegeven, is de hel losgebarsten.

Hij kan niet stoppen en jammert verder. 'Dit alles voor een jongetje.'

'Die jongen heeft een naam,' zegt de forse man mat, terwijl hij op zijn sigaar kauwt.

'Nee, die heeft hij niet,' gromt de ander, herhaalde malen zijn hoofd schuddend.

'Caius Strauss, het Wonderkind,' snauwt hij.

De man op de grond is afwisselend verdrietig en boos. Uit nijd balt hij zijn vuisten en huilt hij bittere tranen.

'En dan heb je nog Pilgrind en Buliwyf.'

'Buliwyf is een goede vent.'

'Hij is een Lykantroop.'

'Hij heeft je leven gered.'

Plotseling staat de man op en grijpt de robuuste man in zijn kraag. Zijn tragische lot heeft hem hard gemaakt. 'Ik had een familie, Louis. Ik had een vrouw en een zoon. Ik had een goed en rustig leventje, en deze buurt was...' Hij komt niet meer uit zijn woorden.

'Onzichtbaar.'

'En toen? Wat is er veranderd? Wat was je voordat de Verkoper dat jochie ontvoerde? Voor die bloederige scène bij de Kikkerfontein? Wat was je voordat Pilgrind en Buliwyf deze oorlog ontketenden?'

'Een Wisselaar, net als jij,' antwoordt de man terwijl hij zijn blik in die van de ander boort.

Er springt een vonk van de ijzeren haken. De forse man heeft een Wissel geproduceerd. De vonk wordt een vlam. De man houdt de vlam bij zijn sigaar, steekt hem aan en inhaleert. In ruil voor de vlam moest hij een herinnering opgeven. Zo werkt de Wissel. Een herinnering voor macht. Hij inhaleert nog eens, net zo lang tot hij zijn lippen brandt. Hij grijnst.

De ander slaat hem gade. Hij denkt aan hetzelfde. Een Wisselaar is iemand die een Wissel kan produceren. Een Wissel levert macht op, macht waar de Wisselaar niets aan heeft.

Hij spreekt zijn gedachten uit. 'Wat hebben we eraan gehad? De Verkoper heeft dat' – zijn stem begint te trillen – 'wezen opgeroepen en...'

'Dat wezen heeft een naam.'

'Metzgeray.'

'De Grote Blinde Slager.'

'Hij is zijn naam waardig. Hij heeft de handen van alle Wisselaars afgehakt.'

'Wees blij dat je nog leeft.'

'Dat ben ik ook, maar ik heb niets meer.' De agressieve ondertoon in zijn stem lijkt verdwenen. Hij buigt zijn hoofd en zet zijn handen in zijn zij.

'Het is allemaal de schuld van die jongen. Had jij ooit, voor zijn komst in Dent de Nuit, een Caghoulard gezien? Mijn vrouw is verslonden door zo'n... monster. Mijn zoon' – nog meer tranen – 'heeft moeten toekijken hoe ze haar lichaam uiteenscheuren. Pilgrind had Gus van Zant niet moeten tegenhouden toen hij Caius Strauss wilde doden.'

'Het is niet de schuld van die jongen dat die monsters hier rondlopen. Daar heeft Herr Spiegelmann voor gezorgd.'

'Dat kan wel zo zijn, maar Spiegelmann zit achter die jongen aan. Kijk eens om je heen. Vroeger was de Obsessie een leuke kroeg.'

'Ik kwam hier vaak een biertje drinken.'

'Volgens mij kunnen we deze oorlog niet winnen. Spiegelmann is de sterkste en machtigste Wisselaar die ik ooit heb gezien. Door hem is onze buurt veranderd in een hel. We kunnen de oorlog niet winnen.'

'Buliwyf denkt daar anders over.'

'Buliwyf is gek, en wij zijn nog gekker omdat we naar hem luisteren. Naar hem en naar Pilgrind. Zie je niet hoe bang hij is?'

'Ja, maar hij weet het.'

'Wat weet hij?'

'Waar die jongen toe in staat is. Je denkt toch niet dat Spiegelmann zoveel moeite voor dat kereltje had gedaan als hij niets waard was? Weet je wat er over de Verkoper gezegd wordt? Dat hij Caius eerst goedschiks heeft proberen te overtuigen en daarna pas kwaadschiks.'

'En dus?'

'Dat wil dus zeggen dat ook Spiegelmann bang voor de jongen is en weet waar hij toe in staat is. De Verkoper voert Caghoulards en andere vreselijke schepsels aan, vraagt helse demonen om hulp, maar is bang voor een jongetje. Die jongen is niet wat hij lijkt, als je het mij vraagt.'

'Spiegelmann heeft Caius Strauss gevangengenomen. Zijn we daarom niet hier? Moesten we die jongen niet opsporen van Buliwyf?'

'Ja.'

'En waarom houdt hij niet op? Waarom valt hij ons nog lastig?'

Nu is het de beurt aan de ander om kwaad te worden. Er vormt zich een diepe rimpel in het hoofd van de logge man. Hij gooit het sigarenstompje op de grond en vertrapt het nijdig. Hij heeft behoefte om te schreeuwen.

'Weet je wat ik deed voor... dit alles? Ik doodde Jagers. En weet je waarom? Omdat het schofterige lafbekken zijn!' Hij zet zijn haak tegen zijn borstkas. 'Spiegelmann is net als zij een lafbek en hij wil van ons ook lafbekken maken. Hoopjes ellende die beven van angst.'

Een korte pauze.

'Ik ben geen lafbek.'

Alleen de wind.

De nacht.

'Ik ben bang, Louis.'

'We zijn allemaal bang.'

'Ik wil dat het afgelopen is.'

'Dat hebben wij helaas niet in de hand.'

1

Zodra Caius het waagde het levenloos ogende lichaam aan te raken, begon het wezen te grommen. Het was ongeveer even groot en fragiel als hij, en verkeerde in precies dezelfde staat. De uiterlijke kenmerken van het schepsel waren overduidelijk die van een Caghoulard.

Het duister in de cel vervaagde de kleuren en bracht ze terug tot één fletse, asgrauwe tint grijs. Caius had geleerd geen acht te slaan op dit ontbreken van kleuren. Het donker was niet het ergste daar beneden in die cel.

De cel bevond zich ergens ver weg, op een naamloze plaats, waar hij op het duister en zijn slechte herinneringen was aangewezen. Herr Spiegelmann had hem daar beneden opgesloten.

2

De Jagers hadden hem weggehaald bij de Kikkerfontein. Hij had gesidderd van angst, was loom geweest en zo verward dat hij niet meer wist wie of waar hij was. Bovendien had hij niets meegekregen van de tocht die hij op hun schouders had gemaakt of van de blauwe plekken die ze hem hadden bezorgd.

Toen hij vervolgens in handen was gevallen van de Caghoulards, hadden deze naargeestige creaturen er alles aan gedaan om hem zo veel mogelijk te pijnigen. Ze hadden ervan genoten hem te krabben, te slaan en te schoppen, en hadden zich verkneukeld om ieder pijnscheutje en iedere snik.

Hij herinnerde zich nauwelijks iets van deze eerste paar dagen, en dat was maar goed ook. Hij wist bijvoorbeeld niets meer van het moment waarop ze hem hadden uitgekleed en een wijd hemd hadden aangetrokken, dat enorm prikte, en was vergeten hoe hard hij had geschreeuwd en hoeveel tranen hij had vergoten.

Hij schatte in dat hij, na de slachtpartij in Dent de Nuit, een paar dagen buiten westen was geweest. Al die dode lichamen en afgehakte handen rond de fontein, al dat leed. Hij schatte dat het om drie dagen ging, misschien iets meer. Caius Strauss had een zee van tijd voor zichzelf, maar was net zomin met de tijd bezig als met het gebrek aan licht.

De Caghoulards die zijn water en bocht brachten, kwamen telkens op andere tijden. Caius wist niet of ze gewoon stom waren of dat ze hem nog meer in de war wilden brengen dan hij al was.

Er waren geen ramen in de cel. Alleen lange muren. Muren waar Caius niet naar keek, bang als hij was zich er blind op te staren. Ze waren gehuld in een schimmelig schijnsel dat overduidelijk het resultaat was van een Wissel.

Naast de naargeestige muren waren er nog de klapperende deur en het lichaam. Caius raapte al zijn moed bij elkaar en liep op het wezen af. Ondanks het duister kon hij zijn verwondingen duidelijk onderscheiden. Eerst dacht hij dat zijn celgenoot dood was, maar toen hij hem aanraakte begon hij te grommen.

De magere jongen trok zich snel terug in zijn hoekje en begon hem te bestuderen. Het was een Caghoulard, net als de tirannen die hem gevangen hielden, daar was geen twijfel over mogelijk. Hij was gemarteld. Zijn gezicht was het ergst toegetakeld. Het leek wel weggevreten. Van zijn neus was slechts een uitstekend stuk kraakbeen over en op de plaats van zijn oren zaten twee uitstulpingen. Zelfs van zijn ogen was weinig over. Zijn wangen waren ingevallen en zijn oogkassen uitgerekt. Het was een hartverscheurend gezicht, maar het was en bleef een Caghoulard. En Caius wist maar al te goed waar deze schepsels toe in staat waren. Het waren verachtelijke wezens, die alleen voldoening vonden in het verwonden of doden van hun prooi; Spiegelmann gebruikte hen niet voor niets in zijn strijd.

Het deed pijn als hij zich dingen probeerde te herinneren. Iedere herinnering sneed door zijn ziel en maakte dat hij begon te bloeden.

Herinneringen. Gus van Zant en het raam van het appartement in rue des Dames dat stukvloog, met op de achtergrond pistoolschoten en het gesis van de Aanvreter. Geraas en gesis maakten dat hij het moment herleefde waarop hij de levenloze lichamen van zijn ouders zag.

Nee, Caius Strauss wilde zich niets herinneren. Zijn herinneringen deden pijn en zorgden ervoor dat de wond op zijn borst begon te bloeden. Iedere keer als de jongen terugdacht aan wat hij had meegemaakt, gutsten er rode druppels uit het gebrandmerkte teken op zijn borst, dat verborgen werd door het ruwe hemd dat hij droeg. Hij kon beter niet nadenken over wat er was gebeurd.

3

De Caghoulard had net als hij vreselijke nachtmerries. Hieruit concludeerde Caius dat zijn celgenoot geen echte bedreiging vormde.
Elke keer als de Caghoulard in slaap viel, bewoog hij onrustig en jankte hij.
Vaak schreeuwde en gromde hij ook nog. Als hij dit deed, probeerde Caius
zo ver mogelijk bij hem uit de buurt te blijven en klopte zijn hart in zijn keel.
Hoewel het wezen zwak en gewond was en Caius medelijden met hem had
als hij droomde, zag hij dat de Caghoulard wanhopig was. En Caius wist
maar al te goed dat wanhoop vaak samenging met agressiviteit. Dit had hij
zelf ondervonden. Daarom bedekte hij elke keer als de gemartelde Caghoulard in zijn slaap gromde zijn oren en sloot hij zijn ogen.

De jongen werd echter gek van eenzaamheid en besloot met het schepsel
te gaan praten. Zonder succes. De Caghoulard had geen oog voor zijn jonge
celgenoot en leek slechts één ding te verlangen: een snelle dood die een eind
maakte aan de martelingen en zijn gevangenschap.

Caius voelde zich steeds meer alleen. Zijn eenzaamheid werd zijn grootste
vijand. Hij was kortademig, smachtte ernaar met iemand te praten en pie-
kerde de hele dag. Deze keer probeerde hij, om er niet aan onderdoor te gaan,
contact te zoeken met de enige andere levende wezens in zijn cel: spinnen.

Er was er altijd wel een bij de hand. Caius leerde hoe hij ze kon africhten.
Een verborgen talent, zou zijn vader hebben gezegd. Het ging hem gemakkelijk af. Hij hoefde ze alleen te strelen of te laten schrikken, afhankelijk van
de spin.

Hoewel het een onsmakelijke bezigheid was de spinnen te dresseren, was
het een aardig tijdverdrijf, of in ieder geval een goede manier om even te vergeten in welke benarde situatie hij zich bevond. Hij voelde zich een tikje beter. Maar in zijn achterhoofd bleef het beeld van de jongen die hij vroeger
was rondspoken. Het beeld van de jongen die naar school ging, toen plotseling ziek werd en vervolgens op wonderbaarlijke wijze genas, met zijn
vriendjes grappen uithaalde en in zijn vrije tijd boeken verslond. Die Caius
bestond niet meer.

De nieuwe Caius, de magere jongen in de donkere cel, had er alles voor over, al was het maar voor even, om het ritselen van de pagina's van een roman te horen. Zelfs die van een slechte roman.

Caius zat op zijn hurken, door iedereen vergeten. Hij had wezens als de Caghoulards in actie gezien, met een Lykantroop gesproken en de dode lichamen van zijn ouders gezien, vermoord door een walgelijk schepsel van oud brood en vliegenvleugels, een Aanvreter. De kus van een Aanvreter betekende de dood.

Caius had te veel gezien en meegemaakt, en werd nu geteisterd door dromen en herinneringen die veel wreder waren dan Caghoulards. Niet de Aanvreter keerde terug in zijn nachtmerries, maar het kadaver van zijn moeder, dat hem probeerde te wurgen. Als Caius droomde dat de ijzige, dode handen van zijn moeder zich om zijn nek sloten, schreeuwde hij zo hard dat hij er wakker van werd en zag hij zodra hij zijn ogen opendeed meteen de misvormde snuit van de Caghoulard voor zich opdoemen. Geschrokken en op zijn hoede.

Ook de Caghoulard kende de subtiele grens die wanhoop scheidde van krankzinnigheid en krankzinnigheid van bloed, de karmijnrode vloeistof die, elke keer als de jongen ontwaakte, uit het teken op zijn borst gutste. Caius' dromen waren gebaseerd op zijn herinneringen en elke herinnering werd gevoed door zijn bloed.

Erger dan zijn nachtmerries waren zijn herinneringen en erger dan zijn herinneringen waren zijn handen.

Eerst had hij er geen aandacht aan besteed. Een kleine tinteling, niets meer dan dat. Het gevoel dat er heel fijn zand langs zijn vingers gleed. Zijn lichaam was bezaaid met blauwe plekken en krassen, en deed overal pijn. Een lichte tinteling had zeker geen prioriteit, maar het viel niet te ontkennen dat hij dit gevoel had.

Meestal ontstond het zodra hij schreeuwend opveerde uit zijn armzalige bed. Soms kreeg hij het terwijl hij opgerold in een hoekje lag te piekeren. Bijna nooit tijdens het dresseren van zijn spinnen.

Op een gegeven moment was het geprik erger geworden en wilde Caius weten wat de oorzaak ervan was. Het was geen door en door akelig gevoel en het deed ook geen pijn. Misschien zat het wel tussen zijn oren.

Hij dacht dat als hij niet zo met het gevoel bezig was het wel zou verdwijnen, maar de tinteling verdween niet. Die werd juist sterker en hield langer aan.

Soms stak het geprik de kop op als Caius de derrie die de Caghoulards hem voorschotelden naar binnen probeerde te werken, of juist als hij een nieuw trucje aan zijn spinnen wilde leren. Er was nog iets anders wat Caius irriteerde. Naast de tinteling in zijn vingers begonnen zijn vingertoppen steeds gevoeliger te worden.

Caius ontdekte dat hij het prettig vond met zijn handen langs de muren van de cel te gaan, alsof hij daardoor in contact kon komen met verborgen werelden. Zijn instinct schreeuwde het uit en beweerde dat er iets akeligs ging gebeuren. Caius' angst was verdwenen. Hij was nu alleen maar nieuwsgierig.

Voor een korte tijd was de prikkeling in zijn vingers een prettige vorm van afleiding. De Caghoulard zei niets, de spinnen waren vervallen in hun haatdragende gedrag en Herr Spiegelmann was in geen velden of wegen te bekennen. Caius sprak tegen zichzelf en ging alleen op onderzoek uit. De tijd schreed voorbij.

Met de komst van de kakkerlak veranderde alles.

4

De lange tentakels van de behoorlijk grote kakkerlak gleden langs Caius' enkel. Het beest was misselijkmakend, het had geen ogen of vacht. De jongen associeerde het lichte schuren met iemand die zijn aandacht probeerde te trekken. Hij moest denken aan het gejank van een jong hondje.

Hoewel Caius het vervelend vond troost te zoeken bij een kakkerlak, pakte hij het beestje dat zich naar hem uitstrekte als een ongeduldige puppy uiteindelijk op en begon het te aaien.

Zodra hij dit deed ontstond er een lichtexplosie. De muren begonnen te stralen. Het was alsof de schimmel die ze bedekte plotseling was veranderd in fosfor. De fosfor glinsterde. Tussen de kieren in de muur kwamen straaltjes licht tevoorschijn. Ook het vochtige plafond schitterde en de ruwe, smerige grond in de cel fonkelde. De enorme hoeveelheid licht deed pijn aan Caius' ogen, die gewend waren geraakt aan het duister.

Het licht veranderde in vuur. In het vuur ontstonden figuren. De figuren vormden gezichten, misvormde gezichten van zowel mannen als vrouwen; sommige leken angstaanjagend veel op die van demonen. Ze straalden troost, maar tegelijkertijd ook pijn en verdriet uit. Deze pijn veranderde vervolgens in nieuwe lichtstralen. Uiteindelijk explodeerde het licht.

Caius zette de kakkerlak terug op de grond. Toen was er slechts de pijn.

Uit het teken op Caius' borst stroomde bloed. Zijn borst maakte het geluid van wilde golven en Caius' slapen begonnen te kloppen. Daarna vatten zijn handen vlam. Ze absorbeerden al het licht, vormden een onverwachte, blauwe vlam en verblindden de jongen.

De vlam spatte uiteen en minuscule vonkjes raakten Caius' gezicht. Blauwige scherven schoten door de cel, botsend van de ene tegen de andere baksteen. Ze vertolkten het geschreeuw dat de vertrokken gezichten in het vuur produceerden.

Een nieuwe explosie. Deze keer van tentakels, poten en gekraak. De explosie ging gepaard met snerpende en doffe geluiden, een huiveringwekkend koor van stemmen dat zich op Caius dreigde te storten. Caius stapte achteruit, maar kon nergens heen. Hij werd omsingeld door stenen muren, kakkerlakken en een gigantische vlammenzee, en toch had hij nergens brandwonden. Het vuur had geen invloed op hem.

Het tintelende gevoel in zijn vingers was echter teruggekeerd. Deze keer was het honderd keer zo erg, waardoor hij het niet meer kon negeren. Caius schudde instinctief zijn hand heen en weer, maar het had geen zin. Het vuur doofde niet. Het snerpende geluid kwam steeds dichterbij. Caius bedekte zijn oren, maar het hielp niets.

Hij keek hoopvol naar de Caghoulard, alsof hij hulp van het schepsel verwachtte, en zag dat het ontzet terugkeek. Het was doodsbang voor hem. De Caghoulard had dezelfde blik in zijn ogen als Gus, voordat hij Caius probeerde neer te schieten. De jongen kreunde zachtjes. Hij vond het vreselijk om die angst in de ogen van zijn celgenoot te zien. Angst waar hij zelf de oorzaak van was.

Hij voelde opnieuw iets langs zijn enkel schuren. De kakkerlak aan zijn voeten leek hem iets te willen laten zien. Hij probeerde met zijn pootjes contact te maken met Caius' huid en boog zijn scherpe voelsprieten alsof hij hem iets wilde vertellen wat uitermate belangrijk was. De kakkerlak aan zijn voeten was niet meer de enige. Het wemelde nu van de zwarte figuurtjes in de cel. Ze krioelden over het plafond, de muren en de grond. Ze stonden stil en wachtten tot Caius begreep wat ze hem wilden zeggen.

'Ik begrijp niet...'

De eerste kakkerlak prikte hem nu hard in zijn enkel. Hij wilde opnieuw aangehaald worden. Caius klemde zijn kaken op elkaar en ging door zijn knieën. Hij raakte de voelsprieten van het beest aan en waande zich even terug in de Put, waar het water, onzichtbaar voor Gus, zijn mond en neus binnenliep. Deze keer liet Caius zich echter niet overmannen. De snerpende geluiden trokken aan. Zijn hoofd raakte vervuld van herinneringen. Duizenden herinneringen, doorgegeven door de kakkerlakken. Hoewel de kakkerlakken geen tong en stembanden hadden, spuugden ze de herinneringen op Caius' lippen.

'Luisterluisterluisternaarons.' Terwijl hij sprak vormden zijn woorden een verhaal en begon hij het te begrijpen. Hij dacht aan zijn school en aan hoe de herinneringen van de weeskinderen de Klootzak, de slaaf van Spiegelmann, gedood hadden.

'Wewarensamen...' Dit was hetzelfde. Spookachtige herinneringen die iets teweegbrachten in wat Caius tot voor kort nog als de realiteit had beschouwd.

'Niemandniemandniemand...' Het konden geen kakkerlakken zijn, en als ze het al waren, behoorden ze deels tot een andere wereld. Deels tot de harde wereld waarin Caius zich bevond, bloedend in zijn cel, en deels tot de vage, listige wereld van herinneringen. Caius was degene geweest die hen had opgeroepen en een ziel had gegeven. Als je al van een ziel kon spreken. En hij was degene geweest die de antieke muren van de cel had gestreeld en hierdoor oeroude, vergeten herinneringen had opgerakeld.

'Wezijnallemaaldoodallemaaldoodmaarwezijnallemaallevendallemaallevend.'

En deze herinneringen had hij doorgegeven aan de kakkerlakken.

'Agressievemannenenkettingenkettingen...'

Niets verging in Dent de Nuit, zelfs niet de meest antieke verhalen. En Caius, de jongen die met duizend verschillende stemmen sprak, begreep dat de kakkerlakken herauten waren.

'Vooraltijdvooraltijdvooraltijd.'

Herauten uit een verschrikkelijk en duister tijdperk, herauten van dode stemmen die zijn cel onveilig waren komen maken. Rue Félix, de straat met muurschilderingen. Nummer 89. Daar waar Paulus en de Cid waren gestorven. Een pijnlijke herinnering. Nog pijnlijker dan overvallen worden door een snerpend koor. Uit zijn mond klonken de stemmen van duizenden veroordeelden. Ze drongen zijn lichaam binnen, dat gespannen was en leek te zullen ontploffen.

'Nee...'

De pijn volgde de stroom van stemmen, de niet te stoppen stroom verhalen. Caius' spieren trokken krampachtig samen. Zijn huid vormde het papier waarop de herinneringen hun verhalen verlangden te schrijven. Zijn tong, gezwollen als een verzadigde bloedzuiger, was de hoofdweg die het koor dolgraag wilde innemen. Hij moest het koor het hoofd bieden, zich verzetten tegen de invasie.

Caius sloot zijn mond en klemde zijn kaken stevig op elkaar. Hij moest oppassen dat hij niet op zijn tong beet, omdat de stemmen van de ongeduldige kakkerlakken niet van plan waren op te geven.

Caius schreeuwde.

'Luisternaaronsluisternaarons.'

Hij vocht tegen zijn tranen.

'Nu is het genoeg!'

Ze gehoorzaamden.

De stilte was erger dan de schrille stemmen. Er ontstond een angstaanjagende spanning, die de emoties en pijn juist versterkte. De Caghoulard was degene die de spanning doorbrak.

Hij maakte een geluid met zijn keel, misschien een soort snik.

De Caghoulard huilde. Caius moest zich vastgrijpen om niet gek te worden.

'Waarom?' vroeg hij snikkend aan de kakkerlak voor zijn voeten. 'Waarom?' vroeg hij nogmaals, terwijl hij het antwoord al wist.

'Omdat jij het Wonderkind bent,' leek de kakkerlak te antwoorden. 'Dit alles is de schuld van wat Spiegelmann bij je heeft gedaan daar bij de Kikkerfontein. Wen er maar vast aan.'

Caius ging met zijn brandende vingertoppen langs het teken op zijn borst, dacht aan de kakkerlakken die volgezogen waren met herinneringen en aan het gevoel dat er zand langs zijn vingers sijpelde.

Hij sperde zijn ogen wijd open. Een laatste explosie. Zijn adem stokte. De laatste stuiptrekking van het koor. De droom die ze hem hardhandig hadden opgedrongen.

'Vluchtenvluchtenvluchtenhiervandaan.'

5

Caius wankelde en ging op de smerige, verrotte vloer zitten. Het was donker. Dikke, donkere druppels bloed dropen uit zijn neus, spatten sissend tegen de grond. De cel was doordrenkt van een kracht die sterker was dan die van een Wissel. Er doemde een naam in Caius' hoofd op: Ceterastradivari. De naam verdween weer en ook de kakkerlakken dropen af.

Caius knipperde met zijn ogen. De Caghoulard jankte.

'Ik smeek je...' Caius vocht tegen zijn tranen.

De Caghoulard slaakte een hartverscheurende kreet. Caius stak zijn hand uit in de hoop zijn celgenoot te kunnen troosten. De Caghoulard negeerde hem. Het wezen met het weggevreten gezicht, de kromme wervels en de gemene, angstige ogen was Caius' laatste hoop. Hij hoopte met de Caghoulard te bewijzen dat hij geen monster was en dat niet iedereen in zijn buurt hem vreesde. Hij hoopte weer het jongetje te worden dat hij vroeger was en de cel en de schaterlach van Spiegelmann te vergeten. Hier had hij meer behoefte aan dan aan het bloed dat door zijn lichaam stroomde.

Hij stak opnieuw zijn hand uit. Zijn vingers trilden. Hij had een droge keel en tranen in zijn ogen.

'Ik ben geen...'

Hij maakte zijn zin niet af. Slechterik, had hij willen zeggen. De deur van ijzer en hout slingerde open onder luid geschreeuw. Het was het geschreeuw van twee grijnzende Caghoulards. Ze wezen naar hem en brabbelden tegen elkaar.

Een van de twee, degene die waarschijnlijk het hoogst in rang was, aangezien hij meer littekens had en meer ijzeren voorwerpen in zijn lichaam had steken dan de ander, droeg een geïmproviseerd wapen, deed alsof hij Caius ging neersteken en proestte het uit toen de jongen zijn gezicht tegen de aanval beschermde.

Caius sprak de taal van de verachtelijke wezens niet, maar begreep meteen wat de twee van plan waren. Ze waren niet gekomen naar aanleiding van de vuurzee of het geschreeuw; daar hadden ze niets van meegekregen. Ze waren in de cel om zich te vermaken met zijn celgenoot. Ze wilden de tijd doden door met hem te dollen.

'Nee!' riep Caius.

Een van de twee Caghoulards draaide zich naar hem toe, met vervaarlijk trillende neusgaten en zijn ogen half toegeknepen. Hij brieste iets in zijn wrange taal en liet hem vervolgens een mes zien. Hij draaide het mes rond tussen zijn vingers en zette het uiteindelijk tegen de keel van Caius' mismaakte celgenoot.

Caius stond als aan de grond genageld. De Caghoulard gebood hem te gaan zitten. Caius haatte zichzelf, maar gehoorzaamde. Hij had al eerder gezien hoe Caghoulards te werk gingen. Hij wist dat de Zwartgekapten geen genade kenden. Caius bedekte snikkend zijn ogen. Hij wilde het niet zien, ook al vond hij zichzelf een lafaard. Hij durfde niet tussen de Caghoulards te komen.

Met ingehouden adem luisterde hij naar het gekerm, het geschreeuw en het gejammer. Hij voelde zich futloos, alsof de Caghoulards hém ernstig verwond hadden, in plaats van zijn celgenoot.

Toen de Caghoulards vertrokken waren, na eerst naar Caius te hebben gegromd en gegrijnsd, werd het weer stil in de cel. Caius raapte al zijn moed bijeen en opende zijn ogen. Hij kon niet anders dan zijn angst in bedwang proberen te houden en naar de hijgende Caghoulard schuifelen.

Overal lag donker, stroperig bloed, dat niet menselijk was, maar nog steeds bloed. Caius' neusgaten prikten en er vormde zich een zoute prop in zijn keel. Misschien waren het alleen maar tranen.

De Caghoulard zat gebroken, voorovergebogen op de grond. Hij had moeite met ademhalen en als hij het al deed, was hij gedwongen te knarsetanden met de laatste paar tanden die hij nog had. Het was een treurig tafereel. Caius boog zich naar de Caghoulard toe.

'Het spijt me, ik...'

Het wezen deinsde achteruit. Caius balde zijn vuisten en gaf nog niet op. Hij had zich als een lafaard gedragen. De prop in zijn keel voelde nu hard als beton.

Caius slikte moeizaam en stond op. Hij pakte de wateremmer en een van de twee gebroken nappen, vulde deze tot de rand en hield hem de Caghoulard voor.

'Voor jou.'

De Caghoulard dook opzij.

'Drink wat.'

De prop achter in de keel van het Wonderkind werd levend en bewoog zich als een slang. Het wezen had nagels en krabde en kraste.

Caius negeerde het en hield zich flink. Hij wilde de Caghoulard helpen. 'Het is maar water, niet bang zijn,' mompelde hij zachtjes.

De Zwartgekapte hief zijn armen om zich te beschermen.

Het ding prikte en krabde en bemoeilijkte het ademhalen. Het ging niet weg. Toch huilde Caius niet. Hij probeerde zelfverzekerd over te komen.

De Caghoulard schudde heftig zijn hoofd van rechts naar links. Hij wilde er niets van weten.

Het ding in zijn keel was zout en levendig. Het duwde tegen zijn oogkassen, omdat het naar Caius' tranen verlangde, maar Caius huilde niet.

De Caghoulard was uitgeput en protesteerde nog een laatste keer. Toen aaide Caius over zijn snuit, tilde deze moeiteloos op en hielp de Caghoulard zijn lippen tegen de nap te zetten. Het water was warm en smerig, en zeker niet het water dat de jongen gewend was thuis te drinken, maar leek de Caghoulard toch enigszins te helpen. Caius hoorde hoe hij het opslobberde en zag dat hij bleef bloeden uit zijn wonden. Een van zijn wonden in het bijzonder, in zijn borstkas, was erg diep.

'Doet het pijn?'

De Caghoulard gaf geen antwoord. Zijn ogen waren geel en bloeddoorlopen. Het rechteroog zat bijna helemaal dicht door een paarsige bloeduitstorting. In het linkeroog zag Caius angst en misschien een glimp van nieuwsgierigheid. De jongen besloot zich daarop te richten.

'Ik heet Caius,' zei hij, terwijl hij deze zin de afgelopen dagen al honderden keren eerder had gebruikt om de aandacht van de Caghoulard te trekken. 'Caius Strauss.'

Deze keer reageerde de Caghoulard. Hij stak zijn broodmagere arm omhoog en wees met wat er nog over was van zijn wijsvinger naar Caius. Hij wees naar de bloedvlek midden op zijn borst. Naar de plek waar het teken zat.

Caius lachte. 'Het doet geen pijn. Jij bent er erger aan toe.'

De Caghoulard schudde zijn hoofd. Dat bedoelde hij niet.

Caius hielp hem met drinken. 'Ik begrijp niet wat je bedoelt.'

De Caghoulard sprak geen mensentaal. De taal waarin hij zich uitdrukte was een naargeestig gekras. Hij kon met veel moeite zijn eenvoudige en brute klanken omvormen tot basiswoorden van de mensentaal, maar de grammatica beheerste hij niet; die was hij vergeten, zoals zoveel andere dingen. Zoals het zonlicht. Hij begreep niet dat er wezens bestonden die dol waren op de zon. Of op het geluid van de lente, dat hij walgelijk vond. Of op bemind worden, dat voor sommigen het toppunt was van geluk.

Dat wat zijn soortgenoten hem hadden aangedaan, had hem veranderd, en hij popelde om deze diversiteit te laten zien. Met pijn en moeite lukte het de Caghoulard een woord te produceren dat Caius begreep. De jongen verbleekte toen hij het hoorde.

'Wonda,' bromde de Caghoulard, terwijl hij nogmaals naar Caius' borst wees.

'Wonda,' herhaalde hij, twijfelend of de jongen begrepen had wat hij bedoelde.

Caius begreep het.

'Wonderkind,' fluisterde hij.

Zijn celgenoot opende zijn mond en liet Caius zijn kapotte tanden zien, even lang als mensenduimen. Hij lachte.

'Wonda.'

Hij stak zijn klauw uit. Caius reikte hem zijn hand. Er volgde een glinstering van het contact van huid op huid.

Het gebeurde allemaal razendsnel. Opnieuw de blauwe vlam uit Caius' vingertoppen en de pijn. Deze keer was die snijdend en hevig. Opeens wist Caius het, zonder dat hij het ooit van iemand had gehoord: de Caghoulard heette Bellis.

Hoe Caius dat wist was een raadsel. Net als de blauwe vlam uit zijn vingertoppen. Wat echter wel zonneklaar was, was het gevoel dat Caius op dat moment had: hij was doodsbang.

6

'W̃on...'
'Ik heet Caius... Strauss,' hijgde de jongen.
De Caghoulard staarde hem aan en wees opnieuw naar zijn borst. 'Wonda.'

Caius schudde zijn hoofd, terwijl er een straaltje bloed uit zijn neus spoot. 'Ik heet Caius Strauss.'

Het schepsel hield vol: 'Wonda,' zei hij, 'Wonda.' Caius vond het afgrijselijk om dit woord te horen; het herinnerde hem aan de gezichten en lichamen van iedereen die door zijn schuld was gestorven. Door de schuld van het vervloekte en dwaze Wonderkind.

'Ik weet verdomme niet wat dat betekent!' schreeuwde hij.

De Caghoulard zweeg. Het duister was teruggekeerd. Er heerste opnieuw een stilte. Niemand merkte het.

Caius wilde niet dat de Caghoulard bang voor hem was en zei met milde stem: 'Bellis, ik heet Caius Strauss en ik weet echt niet wat het woord "Wonderkind" betekent.'

Bellis.

De naam van de Caghoulard was uit het niets in zijn hoofd opgekomen. Het wezen schrok op en sperde zijn goede oog wijd open.

'Naam...' kreunde hij.

'Jij heet Bellis. Ik heb...' Caius' stem veranderde in een snik. 'Ik heb geen idee hoe ik dat weet, maar... jij heet Bellis, hè?'

De Caghoulard strompelde richting Caius. Het kostte hem veel moeite; zijn lichaam deed overal pijn.

'Bellis,' prevelde hij met zijn ruige stem. 'Bellis.'

Caius veegde zijn tranen weg. 'Zo heet je, hè? Spiegelmann heeft je je naam ontnomen, maar je heet Bellis.'

De Caghoulard stond op, zonder acht te slaan op zijn verwondingen en pijnscheuten. Hij liet bloedvlekken achter op de grond. Hij stond op alsof hij de hele wereld aankon, lachte zijn tanden bloot en omhelsde Caius.

'Jouw naam,' zei het wezen, terwijl het zijn hoofd zo dicht naar Caius toe boog dat het zijn nek raakte. 'Jouw naam. Wonda. Wonda.'

De Caghoulard miste veel tanden. Sommige waren gebroken, andere waren getrokken, maar toch bleef het een gevaarlijk wezen dat kon bijten. En desondanks gaf Caius zich over aan het contact dat hij had gemaakt met zijn celgenoot. Zoete tranen liepen over zijn wangen.

'Caius,' mompelde hij, 'ik heet...'

'Wonda,' zei de Caghoulard halsstarrig.

Caius glimlachte. 'Zoals je wilt, Bellis.' Vervolgens hielp hij het wezen toen het met zijn rug tegen de muur ging zitten en hield hij de nap water tegen zijn mond.

De Caghoulard negeerde de nap. Zijn ogen schitterden. Hij had intelligente ogen.

'Wonda.'

'Drink...'

'Naam.'

'Eerst...'

Bellis smeet de nap ongeduldig tegen de grond en stak zijn vinger in het Teken van de Roos.

'Wonda,' zei hij nogmaals, en daarna bracht hij zijn vinger naar zijn slaap en zei: 'Bellis.'

'Jij bent Bellis en ik het Wonderkind, oké, maar je bent gewond en je moet...'

Het wezen barstte uit in een geblaf dat de jongen deed verbleken. 'Jouw. Naam. Ik weet.'

'Natuurlijk, maar...'

'Gevonden.'

'Bellis,' – Caius probeerde duidelijk te articuleren – 'je kunt je naam niet ergens vinden, die moet iemand aan je geven. Jij heet Bellis en ik Caius.'

'Wonda.'

'Caius Strauss het Wonderkind.'

De Caghoulard spreidde zijn vingers en blies erop.

'De vlammen? Ik weet niet hoe ik dat...'

Bellis' goede oog stond wijd open, hij was zo blij als een kind. 'Ik weet niet. Wonda. Ik weet niet, ik weet niet!' Hij schreeuwde. Caius probeerde hem te kalmeren, maar dat had een averechts effect. Bellis begon steeds harder te brullen.

'Ik weet niet! Ik weet niet!'

'Doe eens wat zachter, ik...'

Caius ontwaarde iets venijnigs in Bellis' ogen. Alsof hij wist dat de bewakers kwamen toesnellen.

Toen de deur openvloog en de twee Caghoulards, de een met hetzelfde mes als daarvoor en de ander met een kort, dik, maar daarom niet minder scherp mes, luidruchtig hun entree maakten, begreep Caius dat Bellis, met of zonder naam, altijd een Caghoulard bleef. Wreed en genadeloos.

De eerste Caghoulard stierf voordat hij het zelf in de gaten had. Het verlangen naar bloed en de adrenaline die door zijn lijf gierde maakten Bellis onoverwinnelijk en onuitputtelijk. Hij ging de bewakers te lijf alsof hij niets mankeerde.

De tweede Caghoulard had niet eens de kans om zijn mes te gebruiken en zijn collega te verdedigen. Bellis greep de nek van de eerste bewaker en draaide deze meedogenloos om. Het weerzinwekkende geluid dat de nekwervel produceerde, weerklonk in Caius' hoofd. Het kadaver hing erbij als een zak zand en had een bijna menselijke uitdrukking van verbijstering op zijn spitse snuit.

De tweede Caghoulard deed een vergeefse poging Bellis aan te vallen en werd hiervoor bestraft met twee uitgestoken ogen. Dit gebeurde allemaal zo snel dat hij niet eens de tijd had om te schreeuwen.

Bellis greep het mes.

'Niet doen, Bellis...'

Bellis sneed en lachte. Het geluid dat het hoofd van zijn tiran maakte toen het op de grond viel, kwam in zijn beleving dicht in de buurt bij wat hij associeerde met schoonheid. Het lichaam viel op de grond.

Bellis gooide het hoofd aan de kant en wees naar de open deur. 'Ik weet niet. Weet. Ik weet niet. Weet.'

Caius ademde zwaar. De penetrante geur van bloed maakte hem misselijk.

'Bellis, ik...'

Bellis kwam dichterbij en pakte Caius' pols. Zijn hand was glibberig.

'Ik ben bang, Bellis.'

Bellis schudde zachtjes zijn hoofd en keek hem onverwacht liefdevol aan. 'Wonda. Ik weet.'

'Ik kan het niet.'

De wereld achter die deur was pikdonker.

Alles draaide om dat vervloekte woord: Wonderkind.

Bellis maakte deel uit van gebroed dat leefde voor geweld. Het woord 'liefde' kwam niet voor in zijn woordenboek. Gedreven door haat verkende hij de wereld en met geweld had Spiegelmann Bellis en zijn soortgenoten onder de duim gekregen. Maar deze magere jongen had hem bij zijn naam genoemd. En dat was genoeg.

'Wonda.'

'Ja.'

7

De lucht in de kelder van rue Félix 89 was dik, als die in een plantenkas. Caius baadde binnen een paar minuten in het zweet. Zijn hoofd tolde en hij moest herhaaldelijk zijn nieuwe vriend gebaren wat langzamer te lopen. Hij wankelde op zijn benen, alsof die het niet meer gewend waren hem te dragen. Naast zijn zwakke benen waren er meer factoren die Caius belemmerden.

Nummer 89, het monsterlijke labyrint van bakstenen en kalk, probeerde hem tegen te werken. Verder was Caius doodsbang om Dent de Nuit in te gaan, dat iemand zou merken dat ze op de vlucht waren, en dat ze zijn vrienden niet meer terug zouden vinden. Buliwyf. Pilgrind. De glimlach van Rochelle. Gus.

Bellis vuurde continu lage keelklanken en tonggeklak op Caius af. Hij liep naast hem en streelde hem met zijn nagels, alsof hij hem wilde verzekeren dat alles goed was. Hij boog tijdens het lopen zijn lichaam naar rechts om de pijnlijke, diepe wond in zijn zij, waar ook botten uitstaken, zo veel mogelijk te ontzien, maar struikelde geen enkele keer. Caius wel.

Het vergoten bloed had Bellis' levenslust aangewakkerd en het verlangen naar wraak was een goede pijnstiller.

Voor Bellis en Caius liep een tiental kakkerlakken. Ze waren ongeveer even groot en breed als de schoenen van de jongen en werden omringd door blauwe vlammen. Ze gaven aan wanneer Bellis en Caius hun pas moesten inhouden als ze met hun voelsprieten ontwaarden dat er Caghoulards in de buurt waren. Ze hadden de twee al een paar keer uit de klauwen van deze tirannen gered.

De twee celgenoten liepen vlak langs de muren en stoven op bij ieder geluid. Ze schrokken al van een dwarrelende dot stof, of van het gepiep van een muis.

Caius voelde dat hij tijdens het lopen wegzakte in een droomtoestand, waarin de gezichten van de Baardman en Buliwyf, de scherpe tanden van Bellis en de kakkerlakken langzaam vervaagden. Op dat moment trok Bellis hem aan zijn hemd en keerde hij weer terug naar de werkelijkheid. De werkelijkheid die bestond uit de muffe lucht van Spiegelmanns gevangenis, de prikkende voelsprieten van de kakkerlakken, de rustiger geworden ademhaling van Bellis en de angst te worden ontdekt. De werkelijkheid was een tweesprong.

De Caghoulard wees naar een grote, brede trap omhoog die de vorm had van een krul. De treden zaten onder de schimmel en waren bedekt met een laagje water, wat de trap nog mysterieuzer maakte. De kakkerlakken liepen echter de andere kant op.

'Nee, Bellis,' fluisterde Caius, 'hierheen.'

Bellis schudde zijn hoofd.

'Bellis, deze kant op.'

De Caghoulard grijnsde.

'De kakkerlakken...'

Ze raakten achter op de kakkerlakken. Misschien hadden de beestjes niet in de gaten dat de twee stilstonden.

'Wonda,' drong Bellis aan, terwijl hij naar de trap wees en vervolgens een gebaar maakte dat duidde op een enorme ruimte.

'Wonda.' Hij wees nogmaals naar de magere jongen.

'Daar boven?'

'Ik gezien. Ik weet.'

Caius schudde zijn hoofd. Er waren duizenden dingen die hij aan de Caghoulard wilde vragen. Dingen waar Bellis dagen voor nodig zou hebben om ze op te helderen, maar Caius had geen dagen de tijd en Bellis kende niet genoeg woorden om alles uit te leggen.

Uiteindelijk kwam Caius tot de conclusie dat het maar om één verschrikkelijke vraag draaide. Om de vraag die ook om de gewonde snuit van de Caghoulard speelde. Een vraag die Caius al eens eerder gesteld was.

Hij zuchtte en liep richting de trap.

'Geloof je het?' had Pilgrind hem ooit gevraagd.

En hij had het geloofd.

'Vertrouw je me?' vroegen de venijnige oogjes van Bellis.

Caius vertrouwde hem.

Ze bestegen de trap. Hoe hoger ze kwamen, hoe drukkender de lucht werd, alsof het een trilling betrof die door merg en been ging. Een noot, gespeeld door een orgel.

Een stap en nog een stap omhoog.

Uiteindelijk kwamen ze uit bij een valluik.

De Caghoulard gebaarde Caius stil te zijn. Bellis duwde, maar het luik gaf niet mee. Bellis mompelde iets in zijn Caghoulard-taal en wierp nogmaals een blik op de jongen. Toen deze naar voren stapte om hem te helpen, schudde Bellis zijn hoofd. Met z'n tweeën zouden ze elkaar alleen maar in de weg staan. Bellis ademde diep in en duwde opnieuw tegen het luik. Hij negeerde de kramp en de pijn die hij in zijn zij had.

Caius voelde iets in zijn gezicht spetteren. Het bleek donker en dik bloed. Nee, dacht hij, de Caghoulard zou hem niet bedriegen. Als hij al twijfels had over zijn goede bedoelingen, nam het bloed ze weg.

Spiegelmann was er, ondanks zijn macht, niet in geslaagd Bellis te dwingen loyaal en trouw te zijn, maar Caius had Bellis, door hem zijn naam terug te geven, voor zich gewonnen. De Caghoulard zou zijn leven voor hem geven om wat hij gedaan had, want een Caghoulard zonder naam was niemand. Voor een naam was Bellis zelfs bereid te worden gemarteld.

Hier boven aan de trap bewees Bellis zijn wederdienst. Hij wilde de jongen zijn naam teruggeven: Wonderkind.

De Caghoulard wist iets en wilde dit aan Caius laten zien. De roestige scharnieren van het luik kwamen in beweging en produceerden een hels gekraak. Na nog een laatste harde duw stond het luik zo ver open dat Bellis en Caius erdoorheen pasten. Bellis ging voor. Caius wachtte op een teken. Hij wilde weten wat Bellis hem wilde laten zien. Hij voelde enkele druppels bloed uit het teken op zijn borst sijpelen, maar had geen pijn. Verder merkte hij dat zijn vingertoppen weer begonnen te tintelen en zodra hij zich daar bewust van werd, doofden de blauwe vlammen die hij eerder had veroorzaakt. Caius besteedde er geen aandacht aan. De seconden tikten voorbij. Caius zweette. Opeens hoorde hij een plons. Hij stond klaar om te vluchten. Het ding achter in zijn keel vatte weer moed en begon te krabben en te krassen. Het wachten duurde eindeloos.

Uiteindelijk verscheen het gezicht van Bellis.

'Wonda.'

8

De kamer waar Bellis hem naartoe had geleid, leek veel op de opslagplaats van een voddenboer. Hij stond volgepropt met snuisterijen. Overal stonden kasten, waarvan sommige niet veel meer waren dan metalen skeletten beladen met boeken en papier.

Er hingen ijzeren boekenplanken waar grote hangsloten aan bungelden, er stonden kluizen vol waardeloze schatten en stenen piramides van een paar euro. Verder lagen er gipsen beelden en zwartgeblakerde, vernielde schilderijen.

'Waar heb je me heen gebracht, Bellis?'

'Wonda,' was het ongeduldige antwoord. De Caghoulard pakte Caius bij zijn hand en trok hem mee door de wirwar van spullen. De jongen hoopte dat Bellis' richtingsgevoel beter was dan dat van hem, want in zijn eentje zou hij de weg naar het luik niet kunnen vinden.

Het magazijn stonk naar zout, maar voelde frisser en minder drukkend aan dan de enorme trap. Er lagen bergen stof en er liep een aantal voetsporen. Voetsporen van Caghoulards, maar ook van mensen. Caius herkende huiverend de afdrukken van Jagerslaarzen.

Bellis ging behoedzaam voort en hield een hand tegen zijn oor. Caius luisterde. In de verte hoorde hij het geluid van kokend water.

De Caghoulard wees naar een mysterieus, koraalrood licht dat een soort altaar omhulde. Caius vermoedde dat het een altaar was, omdat de tafel omringd werd door een overvloed aan kaarsen en gouden voorwerpen.

'Is dit allemaal van Spiegelmann?' vroeg hij aan Bellis.

'Ja,' antwoordde Bellis, maar hij voegde daar toen een overtuigend 'nee' aan toe.

Caius maakte aanstalten om tegen hem in te gaan, maar Bellis snoerde hem met een kort gebaar de mond en sleepte hem naar het altaar.

Zodra de twee vlak bij het altaar stonden, vatten de kaarsen vlam. De vlammen waren te sterk voor gewone wassen kaarsen, bedacht Caius, dus moesten het wel verwisselde voorwerpen zijn. Gevaarlijke voorwerpen. Bellis was echter totaal niet geïnteresseerd in de kaarsen en wees naar een kristallen vitrinekast, een doorzichtige kubus in het midden van de kaarsen die een cirkel vormden.

Caius raakte de vitrinekast aan. Hij leek breekbaar. Hij durfde hem niet op te tillen. Hij wist nog goed wat de eigenaar van boekwinkel Beestachtige Literatuur hem had verteld. In Dent de Nuit werd gehandeld in zogenoemde Manufacten. Deze voorwerpen konden enorme macht verschaffen aan degene die ze bezat, omdat ze ook niet-Wisselaars de mogelijkheid gaven een Wissel te produceren. De eigenaar van deze macht moest het Manufact daarvoor wel betalen met zijn bloed.

Manufacten waren gevaarlijk en werkten verslavend. Daarom durfde Caius de kubus niet op te pakken. Het voorwerp in de vitrine was lelijk en leek nutteloos. De magere jongen had er in zijn leven heel wat gezien. Verroest en achtergelaten op bouwterreinen, in de gereedschapskist van zijn vader of vergeten op oude bouwsteigers en blootgesteld aan de elementen.

De vlammen flakkerden.

'Weet je het zeker, Bellis?'

'Ik weet.'

Caius analyseerde het schijnbaar onbelangrijke voorwerp met zijn ogen. Niets verraadde hoe machtig het was, maar Spiegelmann had het midden op een altaar gezet alsof het een kostbaar relikwie was. Bijzonder kostbaar. En wat belangrijk voor Spiegelmann was, dacht Caius terwijl hij al zijn moed bij elkaar raapte en uiteindelijk het kristal oppakte, moest hem worden ontnomen en worden vernietigd.

Er gebeurde niets. Geen openbaring. Caius bekeek de verroeste spijker in zijn handpalm aandachtig. Hij had een helse pijn verwacht en misschien een zoute lucht en een visioen. Maar er gebeurde niets.

Alleen de lucht was een beetje veranderd. Alsof de noot, de trilling die hij eerder had gevoeld, opeens vele octaven hoger was geworden, als een vleermuizenval. Caius zette de vitrinekast voorzichtig terug, stopte de spijker in zijn broekzak en veegde zijn handen af aan zijn hemd. Hij spoorde de Caghoulard aan hem naar buiten te leiden, Dent de Nuit in, toen de noot plots van register veranderde. Opeens begreep Caius het. Het was geen orgel en het was geen muziek, maar iets wat Bellis 'slecht' noemde en achter hen opborrelde.

'Nee. Wonda, nee!'

Op ongeveer tien meter afstand van Caius en Bellis stond een gigantische porseleinen badkuip. Wit, glimmend en op een enkele vlek na schoon.

Caius liep erheen.

33

'Nee!'

Caius maakte zich los uit de greep van de Caghoulard.

Hij was nu nog zes meter verwijderd van de badkuip. Hij werd overweldigd door de stank. Hij boog naar voren en gaf over. De Caghoulard greep hem vast, bang dat zijn beschermeling zou vallen. Zijn greep was ferm, maar toch lukte het Caius zich weer los te rukken. Dit moest hij alleen doen.

Hij was alleen.

Hijgend schuifelde hij richting de badkuip. Eén stap. Twee stappen.

Er lag bloed in het bad. Kokend bloed. Hoe harder het kookte, hoe hardnekkiger de trilling in zijn hoofd werd. De toon werd opnieuw hoger en begon te lijken op het snerpende koor dat hem eerder die nacht in zijn cel had overrompeld. Daarna werd de toon weer lager. Heel even maar. Als een doffe donder, vergeten door de bliksem. Vervolgens veranderde hij in het geklets van metaal tegen metaal. Dit geluid was niet het valse gezang van lijdende schimmen die herinneringen ophaalden. Het leek niet op de woede van de droevige zielen in zijn cel. Het was een duister, kwaadaardig geluid.

De jongen wankelde op zijn benen.

'Wonda...'

Caius leek gehypnotiseerd. Hij wilde het zien. Hij moest het zien. Hij zette nog een stap dichterbij.

De badkuip beantwoordde zijn blik met een explosie van opborrelende bellen aan de rode oppervlakte. De bellen knapten en lieten zoute dauw achter.

Het was niet alleen bloed dat in de badkuip pruttelde. Dat kon niet. De vloeistof was stroperig en zag eruit alsof hij bestond uit liters vitaal vocht, van duizend-en-één soorten wezens. Niet alleen van mensen.

'Wonda. Weg. Wonda.'

Bellis klonk nu droevig, maar Caius besloot niet naar hem te luisteren. Hij wilde antwoorden. Zijn hart ging wild tekeer, de misselijkheid kwam en ging in golven en hij had onbewust zijn mond vertrokken tot een beestachtige grijns. Hij merkte opnieuw dat zijn vingertoppen begonnen te tintelen, maar negeerde het. Alles draaide nu om hem en de met bloed gevulde badkuip. De rode vloeistof beantwoordde zijn versteende blik. Het bloed veranderde in honing en toen in suiker. Het stak de draak met Caius.

De Caghoulard snikte: 'Wonda. Nee. Wonda.'

Het bloed kookte. Het spatte steeds hoger op en baande zich een weg door de zoute lucht in de kelder.

Toen Caius minder dan drie meter van de badkuip verwijderd was en inmiddels de grootste bellen in al hun glorie kon onderscheiden, dacht hij een wezen, een soort aal, in de smerige rode brij te zien zwemmen. Precies op dat moment bedacht Caius dat, als het waar was wat hij dacht te zien, hij zou gaan schreeuwen en niet meer zou kunnen stoppen, en sprak de Caghoulard dat ene woord uit dat hij eerder had geweigerd te zeggen: 'Caius...'

Het had een kalmerend effect op de jongen. Hij knikte en samen vluchtten ze weg.

9

De Caghoulard en het Wonderkind waren niet naïef. Zodra ze het eerste vleugje buitenlucht opsnoven, wisten ze dat er in hun afwezigheid iets was veranderd. Terwijl rue Félix eerst bewoond werd door idioten, verslaafden en einzelgängers, was de straat nu een spiegel van de zieke geest van Herr Spiegelmann.

De ochtendzon, verborgen achter betonkleurige wolken, probeerde zijn kleurrijke stralen op de huizen met gesloten ramen en verbrande deuren te laten vallen en wat vreugde te schenken aan het Parijs dat er al maanden uitzag als een vagevuur.

Het had geen zin. Overal lagen stapels puin en vuiligheid. Het leek wel alsof er tijdens hun gevangenschap een oorlog in Dent de Nuit had gewoed. Een heimelijke, maar daarom niet minder hardvochtige oorlog. Geluidloze gevechten en hinderlagen waarbij gebruik werd gemaakt van Wissels, nagels en messen, maar slechts weinig werd geschoten. Toch wilde het ontbreken van geluid niet zeggen dat er geen slachtoffers waren gevallen. Dit was overal aan te merken.

Het ijs dat de ruiten, de rolluiken en het asfalt als was bedekte, benadrukte de gruwel van de oorlog.

Caius en Bellis ontdekten een muur die was aangetast door een witte steekvlam en zo erg was verwoest dat hij wel onder handen leek te zijn genomen door een heel leger. Daartegenover zagen ze het karkas van een auto waar scherpe ijzeren platen uit staken. De auto had veel weg van de *Hemelvogel* van Magritte. Alles was bedekt met ijs en straalde wanhoop en verschrikking uit. Een oneindig duister vormde een tegenwicht voor het fonkelende ijs. Al het licht in de straat werd in de kiem gesmoord. Overal heerste het duister, op een ijl zonnetje na dat aanstalten maakte op te komen.

De twee celgenoten hadden geen moeite zich aan hun nieuwe omgeving aan te passen. In hun cel was het immers ook donker. Ze bevonden zich nu in een tweede gevangenis. Een nog indrukwekkendere en killere: Dent de Nuit. Doordat hun ogen goed aan het duister gewend waren, ontging hun geen enkel detail van de ravage.

Het was alsof de hele wijk een immens geheim was geworden. Er was nergens een teken van leven te bekennen, behalve een enkele vervaagde voetafdruk van iemand die op de vlucht was.

Tijdens het lopen merkte Caius de talloze stapels ratten op op de hoeken van de vele naamloze vertakkingen van rue Félix. Het was alsof er in het riool iets gebeurd was dat zo verschrikkelijk was dat de ratten liever doodvroren dan dat ze terugkeerden naar die ondergrondse nachtmerrie.

Verder zag de jongen overal vlekken. Op sommige plekken waren die geabsorbeerd door de sneeuw, maar op de meeste plaatsen accentueerde het ijs het rood en maakte het levendiger en opvallender dan ooit tevoren. Hier een karmijnrode streep, daar een vlek naast een door een onbekende neergelegde bos rozen. Ook die rozen, verwelkt door de ijzige kou, die nu ook de twee vluchtelingen begon te kwellen, vormden een waarschuwingsteken voor degene die erlangs liep. Ze raadden aan te vluchten. Ver weg van Dent de Nuit en van de oorlog.

'Wat is er gebeurd, Bellis?'

Hij gaf geen antwoord, maar wierp een schuine blik naar Caius. Zelfs de Caghoulard, heer en meester in het bloedvergieten, leek aangedaan door deze puinhoop. Terwijl Dent de Nuit voor de bewoners angst en wanhoop betekende, vormde de buurt voor de Caghoulards een ideaal jachtterrein. De rooftochten van de Caghoulards stonden in menig geheugen gegrift, maar waren niets vergeleken met wat hier kortgeleden had plaatsgevonden. Pasgeborenen waren ontvoerd, er waren branden gesticht en moorden gepleegd.

Zelfs de Caghoulard, die naast het Wonderkind liep dat hem zijn naam en daarmee zijn leven had teruggegeven, voelde iets wat hij nooit gedacht had te zullen voelen hier in Dent de Nuit: angst. Hij was doodsbang. Vooral voor het vuur dat de gebouwen en de mensen had verbrand. Hij begreep niet wie dit had aangestoken en waarom. Hij dacht dat het vuur misschien ontstaan was doordat mensen behoefte hadden aan warmte en daarom kleine vuurtjes hadden gestookt, maar begreep niet waarom niemand het in de gaten had gehouden. Normaal wemelde het in Dent de Nuit van de zwervers en de schuilende verslaafden. Nu waren die in geen velden of wegen te bekennen en zag hij slechts ijs, bloed en muurschilderingen.

De Caghoulard stond stil en klemde zijn kaken op elkaar. 'Wonda...' jammerde hij zachtjes.

Caius volgde Bellis' blik en zag dat hij naar de muurschilderingen staarde. Die vormden de schreeuw van de doden en de stervenden, de smeekbeden van de gewonden, de verwensingen van de gevangenen en de stilte van iedereen die in zijn slaap was vermoord of plotseling krankzinnig was geworden en geen tijd of kracht had gehad om zich tot de hemel te richten.

Yena Metzgeray, de zwart-rood gevlekte helse koning, was grijnzend afgebeeld. Verder ontwaarden Caius en Bellis handen die op een kikker klommen. En Herr Spiegelmann. Doordat de kunstenaar gebruik had gemaakt van een spel van spiegelingen, keek de Verkoper hen vanuit alle hoeken aan. De pinguïnachtige man met het bizarre cilindervormige hoedje grijnsde triomfantelijk naar hen.

10

Caius probeerde zich los te maken van de schilderingen. 'Bellis...' Hij zei het vooral voor zichzelf. Het had geen zin. De afbeeldingen vertelden hun verhaal. Het was net als met de herinneringen van de doden die het Wonderkind in zijn cel had opgeroepen en gevangen in de donkere kakkerlakschilden. De muurschilderingen wilden gehoord worden.

Ze schreeuwden om aandacht, braken ijs, stootten muren om en lieten de gebouwen in de straat schudden op hun grondvesten. Ze verhaalden over Spiegelmann en de oorlog. Caius kneep zijn ogen dicht. Hij wilde het niet zien. Hij greep Bellis bij zijn arm en trok er zachtjes aan.

'We moeten een veilige schuilplaats vinden. Straks bevriezen we nog.'

Bellis gaf geen krimp. Al zijn aandacht werd opgeslokt door het gelach, het geschreeuw, de vertrokken gezichten en de schedels op de muur in rue Félix.

'Bellis!'

Caius' stem botste van de ene tegen de andere muur en galmde na.

Bellis liet zijn tanden zien. 'Nee.'

'We moeten mijn vrienden zoeken.'

De Caghoulard fronste zijn wenkbrauwen.

'Vrienden?'

'Pilgrind, Buliwyf en...'

Bij het horen van de laatste naam trok Bellis zijn arm terug. Hij zou er aandoenlijk uit hebben gezien met zijn verwondingen, gebogen rug en rillende lijf, als hij geen moordlustige glinstering in zijn ogen had gehad.

'Bellis...'

De Caghoulard hield zich in en deed niets.

Het zou snel dag worden. Dat betekende dat ze snel zichtbaar zouden zijn. Ze moesten zich haasten.

'We moeten een veilige schuilplaats vinden.'

De Caghoulard wees naar hem. 'Lykantroop.'

'Buliwyf, ja. Lykantroop. Hij is mijn vriend, Bellis, mijn...'

Maar Bellis deinsde achteruit. 'Nee.'

'Hij zal je niets doen, hij is niet...'

De Caghoulard blies. Hij maakte een geluid als dat van een reptiel, waardoor Caius' hart in zijn keel begon te kloppen.

Bellis was niet meer aandoenlijk. Hij leek nu niet meer breekbaar, ondanks zijn gebroken botten. Hij had de blik van een roofdier in zijn ogen.

'Rustig maar, Bellis, rustig...'

'Lykantroop.'

Hij sprak het woord uit alsof het Buliwyfs doodvonnis betrof, of erger nog: een oorlogsverklaring. Van een oorlog die pas zou eindigen met de dood van een van de partijen.

Bellis was bang voor de Lykantroop. Bellis was een Caghoulard. Buliwyf zei altijd: 'Wat de ziel verbergt, onthult het bloed.'

'Nee,' zei de jongen, terwijl hij verwoed zijn hoofd schudde. 'Jij bent niet slecht, Bellis. Jij hebt me geholpen. Jij...'

De Caghoulard sprong op Caius af en won in korte tijd het terrein dat hij verloren had weer terug. Hij stopte vlak voor de breekbare jongen.

Caius was zich nog niet eerder zo bewust geweest van Bellis' tanden en kracht. Ondanks zijn vertrouwen in Bellis' goede wil en zijn overtuiging dat Buliwyf Bellis nooit een haar zou krenken, begon Caius te trillen.

'Geloof me, Bellis.'

'Jij!' bulderde de Caghoulard terwijl hij hem bij zijn elleboog pakte. Hij trok hem naar zich toe. Caius probeerde zich deze keer niet uit zijn greep los te maken.

Hoewel Bellis' gezicht zijn angst en nijd verried, het een voortvloeiend uit het ander, had de Caghoulard Caius slechts zachtjes vast. Hij wilde de jongen iets laten zien en trok hem door een aantal steegjes, langs bergen rattenlijkjes en het lichaam van een donkergeklede man met maar één arm en een grimas op zijn gezicht. Caius sloot zijn ogen en liet zich door Bellis leiden.

De zintuigen van de Caghoulard waren scherper dan die van de jongen. Hij bezat net als alle andere denkende wezens een geheugen en daaruit haalde hij aanwijzingen voor de toekomst. Zijn geheugen was als een verborgen kaart en zijn vlijmscherpe zintuigen waren als een kompas.

Aangezien hij weinig zag door het blinkende ijs en de rode vlekken, en alleen het hijgen van Caius naast zich hoorde, was de Caghoulard aangewezen op zijn reukvermogen.

Hij rook de Lykantroop en het bloedspoor dat hij achterliet. Bellis kende niet alle woorden uit het menselijke vocabulaire, zoals 'vriendschap' en 'horror'. Caius kende die wel en daarom wees de Caghoulard, nadat ze nog een loggia gepasseerd waren, de jongen op wat hij hem duidelijk had willen maken. Caius slaakte een kreet, en viel huilend op zijn knieën op het ijs.

'Nee...'

Zijn tranen prikten als zuur in zijn ogen en bemoeilijkten zijn zicht. Het was zelfs zo erg dat hij zich omdraaide en naar de daken van de gebouwen in Parijs keek. Maar Caius bleef het Wonderkind.

Het ding in Caius' keel vermaakte zich uitstekend. 'Niet hij, niet...'

'Afschuw' was een woord dat in de talen van beide vluchtelingen voorkwam. Afschuwelijk was voor Bellis dat waar hij niet naar durfde te kijken en dat wat hij de jongen wilde laten zien. Buliwyf belichaamde het woord 'afschuw'.

De straat waar de Caghoulard Caius naartoe had geleid door de penetrante geur van bloed te volgen, was een van de vele zijstraatjes van rue Félix. Het marmeren naambordje was niet meer leesbaar, maar de straat heette rue Besançon. Wel goed zichtbaar waren de schilderingen die de muren bedekten als een plaag luie insecten. Hoewel de afbeeldingen niet leken op die in rue Félix, waren ze niet minder huiveringwekkend. Er stonden zingende skeletten op en konijnen die aan vrouwenrompen knabbelden. Het waren liefdes- en wraakverklaringen.

Toch waren het niet de schilderingen die de gruwel uitstraalden waar Bellis Caius op wilde wijzen, maar de kruizen ernaast.

Caius knarsetandde zachtjes.

Ze waren met kromme metalen punten direct op de bakstenen vastgespijkerd, als een waar kunstwerk. Drie grote Caniden die bloed schuimbekten en huilden naar de hemel.

Caius kreeg braakneigingen.

De Caniden waren krankzinnig geworden. In hun woeste ogen lag slechts één verlangen: om zo snel mogelijk te sterven.

Caius sloeg zijn hand voor zijn mond. Niet omdat de Caniden levend waren gekruisigd of omdat de beul die dit had gedaan hen tot waanzin had gedreven, maar vanwege de furie die van het tafereel af straalde. De woede die de Lykantroop op de Caniden had gebotvierd stond op Caius' netvlies gebrand.

Hij had al eerder eenzelfde soort furie meegemaakt, toen de wolf in Buliwyf huilde, op de begraafplaats waar de Lykantroop en Gus hem hadden gered.

Caius snikte. 'Nee, dit kan Buliwyf niet hebben gedaan. Nee...'

Een van de Caniden draaide zijn hoofd naar de jongen en keek hem door-dringend aan. Hij begreep waar Caius aan dacht. Hij had niet meer de kracht om naar de jongen te reutelen, laat staan om te blaffen of te grommen, dus boog hij zijn kop, sperde zijn bek open, huilde nog eenmaal geluidloos en blies zijn laatste adem uit.

Caius boog voorover en gaf over. Hij probeerde omhoog te komen, strui-kelde en viel. Hij schreeuwde en schreeuwde.

11

Ze waren daar, bij hem. In hem. De straat maakte nu deel uit van Caius, alsof het zijn wervelkolom betrof. Hij kon zich niet van hen losmaken. Ze stonden op zijn netvlies gebrand. Hij zag steeds voor zich hoe ze hem aanstaarden, schuimbekten, pijn leden en hun laatste adem uitbliezen.

De jongen werd meegesleept door de Caghoulard. Hij liep en hij ademde, maar de drie Caniden waren geen moment uit zijn gedachten. Zijn lichaam reageerde op het geruk van Bellis. Hij had moeite met ademen en slikken, omdat de kou zijn spieren verstijfde. Hij was volkomen van de wereld. Verscheurd en afwezig. Hij liep, maar bleef in rue Bedançon.

Er werd in zijn hoofd een oorlog uitgevochten. Een oorlog tussen wrede beelden en herinneringen. Grappige, warme herinneringen, maar ook sombere. Alles liep door elkaar.

Er schoten woorden door zijn hoofd, zoveel dat ze hun betekenis verloren. Caius werd bijna jaloers op het beestachtige brein van de Caghoulard, dat de pijn die hij nu voelde zou kunnen negeren.

Dent de Nuit gleed aan hem voorbij als een kartonnen decor. De Caghoulard die hem aanspoorde was slechts een groene vlek, bedekt met littekens, niets meer en niets minder. Zelfs de angst voor de Jagers en de andere dienaren van Spiegelmann was naar de achtergrond verdwenen, weggedrukt door de wirwar van beelden, duistere herinneringen en een slecht voorgevoel.

Hij kon alleen maar aan Buliwyf denken. Hij had hem al eerder in actie gezien en wist waartoe hij in staat was zodra hij overmand werd door woede. Hij wist hoe Buliwyf genoot van het moment waarop zijn mes zijn prooi doorboorde. En toch vond hij dat de tentoongespreide wreedheid in rue Besançon meer hoorde bij Spiegelmann dan bij de Lykantroop, die hij geleerd had te respecteren en waarderen.

Rochelles gezicht was al herhaalde malen in zijn hoofd opgedoken, toen de Caghoulard hem aanspoorde zijn pas te versnellen. De dageraad had al zijn moed bij elkaar geraapt en maakte aanstalten Dent de Nuit te verlichten en zo hun grootste vijand te worden.

Lieve Rochelle. De Splendide met haar oogverblindende glimlach. Een wezen als zij, zo prachtig, kon geen liefde voelen voor de Lykantroop. Niet voor de Lykantroop die zoveel kwaad had aangericht. Misschien hield ze van de strijder in Buliwyf, meende Caius. Dat zou hij nog kunnen begrijpen. Maar als ze daadwerkelijk de moordenaar in hem liefhad, zou hij haar een stuk minder mooi vinden.

En Rochelle was niet zomaar mooi. Ze was verpletterend mooi.

'Wonda.'

Het eerste wat Caius voelde was warmte. Vergeleken met het ijs dat hen omringde en zijn lichaam deed verstijven, voelde de warmte in het hol waar Bellis hem naartoe had geleid aan als een helse hitte. Hij keerde meteen terug naar de werkelijkheid en kon voor een paar seconden de kruizen en de bij hem opkomende vragen vergeten.

Hij keek om zich heen. Hij zag dat Bellis rondrende als een jong hondje dat na een lange tijd zijn baas weer terugzag en concludeerde dat dit hol de geheime plek van de Caghoulard was. Alles in Bellis' schuilplaats was verrot, kapot of gebroken door overmatig gebruik of verwaarlozing.

'Bellis.'

Caius glimlachte – deze keer hoefde hij niet te doen alsof – en stak zijn hand uit.

De Caghoulard keek hem vertwijfeld aan en begreep niet wat hij met dit gebaar bedoelde. Eerst keek hij naar Caius' hand, toen naar zijn glimlach.

'Dank je, Bellis.'

Bellis' gezicht lichtte op en de Caghoulard schudde zijn hand. Daarna keerde hij snel terug naar zijn viezigheid en vuilnis.

Bellis' hol was niet meer dan een kelder, die ze alleen konden betreden via een smal raampje, dat Bellis had afgedekt met een stuk karton, dat vochtig was, maar nog wel bruikbaar. Het was minder groot dan de cel waar ze Joost mag weten hoe lang in gezeten hadden, maar de lucht was er aangenaam.

De Caghoulard wees Caius op een berg mottige dekens. De jongen zuchtte diep en maakte het zich gemakkelijk. Het hemd dat de tirannen in de gevangenis hem hadden aangetrokken prikte. Bovendien had Caius het warm door de enorme pijpleidingen aan het plafond, die hitte uitstraalden, en was daarom gedwongen het hemd uit te doen. Zodra hij het in een hoek had gesmeten voelde hij zich beter. De Caghoulard bleef, zelfs terwijl hij deed alsof hij druk was met pannen verplaatsen en hutkoffers doorwroeten, gevuld met onbekende schatten, naar het teken op de bleke borstkas van de jongen loeren.

Caius maakte zijn vingers zo goed en zo kwaad als het ging schoon aan zijn verschoten spijkerbroek en raakte het teken voorzichtig aan. Het deed pijn. Niet zoveel dat hij ervan moest schreeuwen, maar wel genoeg om te gaan tandenknarsen.

Er bleef een laagje bloed op zijn vingertoppen achter. Hij werd draaierig. Caius maakte zijn handen schoon en keek omhoog. Hij zag dat er spinnenwebben hingen, maar kon geen spin vinden. Die gedachte stelde hem gerust. Op de een of andere manier voelde hij zich lichter en vrijer. Dit was de eerste keer dat hij zich realiseerde dat hij vrij was. Vrij. Buiten. Ver weg van Spiegelmann.

'Bellis,' zei hij, alsof hij het niet kon geloven, 'we zijn ontsnapt. We zijn vrij.'

'Vrij. Nee.'

'Natuurlijk zijn we wel vrij. We zijn in jouw huis,' probeerde het Wonderkind uit te leggen. 'Dit is toch jouw huis? Het is... mooi.'

De Caghoulard liet zijn tanden zien.

'Huis.'

'Huis, precies. Jouw huis is buiten de gevangenis.'

Maar Bellis schudde zijn hoofd. Hij tekende met zijn vingers een cirkel in de lucht, zo groot als de spanwijdte van zijn lange, dunne armen. De jongen begreep meteen wat hij bedoelde.

'Dent de Nuit is de gevangenis, hè?'

De Caghoulard knikte. Hij gaf hem een bord. Het schoonste dat hij had, zag Caius. Vervolgens boog hij voorover naar iets wat rook naar hondenvoer. Hoewel Caius altijd een kieskeurige jongen was geweest, klaagde hij niet. Na de blubber die ze in de gevangenis voorgeschoteld hadden gekregen, was dit hondenvoer een ware luxe. Hij at met zijn handen. Het was heerlijk.

'En jij dan?'

De Caghoulard trok een droevig gezicht. 'Pijn.'

'Krijg je er buikpijn van? Nee toch? Kijk, het is heerlijk...'

'Pijn,' herhaalde Bellis, terwijl hij naar de grond keek om Caius' blik niet te hoeven ontmoeten. 'Pijn. Pijn.'

'Waarom heb je het dan in huis gehaald als je er buikpijn van krijgt?'

De Caghoulard haalde zijn schouders op. Het was een duidelijk antwoord: gewoon, omdat zijn oog erop was gevallen. Als iets zijn aandacht trok, nam hij het mee naar huis.

'En wat eet jij?'

De Caghoulard schudde zijn hoofd. 'Nee.'

'Bellis, je bent gewond. Je moet...'

Bellis hief zijn hoofd en wees naar het plafond. Caius volgde hem en zag tussen de twee buizen die warmte uitstraalden een kier van een halve meter breed, ook afgesloten met een stuk karton.

'Wat is daarachter?'

Bellis brabbelde iets onverstaanbaars. Gefrustreerd dat het hem niet lukte duidelijk te maken wat hij bedoelde, blies hij door zijn neus en bracht een vinger naar zijn oor. Naar wat over was van zijn oor, bedacht Caius, terwijl hij zijn adem inhield om Bellis goed te kunnen verstaan. Een aanhoudend, vlug geklos. Caius had veel geleerd van zijn gevangenschap. Vertrouw nooit je gevoel voor tijd. Geloof nooit dat je veilig bent. Kijk nooit naar wat je eet of drinkt.

Muizengetrippel.

'Eet je muizen?'

'Muizen!' piepte de Caghoulard.

'Ze zijn vast heel lekker.'

Bellis liet zijn tanden zien. 'Va... Va...'

Hij kon beter niet op onderzoek uitgaan. Het was overduidelijk dat Bellis niet van plan was hem met rust te laten. Al Bellis' bewegingen verraadden dat hij nerveus was en daarom besloot Caius uiteindelijk te vragen: 'Wat wil je me zeggen, Bellis?'

De Caghoulard krabde aan zijn kin. Het was zo'n menselijk gebaar dat Caius moest glimlachen. Het was hetzelfde gebaar als mevrouw Torrance maakte, zijn lerares, als ze twijfelde over het cijfer dat ze haar leerlingen zou geven. Maar mevrouw Torrance hoorde bij een ander leven.

'Bellis?' drong Caius aan, vooral om de herinneringen weg te jagen die hem begonnen te bedelven als een lawine.

'Roos.'

'Deze roos?'

Caius wees naar het teken op zijn borst.

'Ja.'

'Weet jij iets over deze roos?'

'Nee.'

Caius mompelde: 'Ik begrijp het niet.'

'Jij Bellis. Ik Wonda.'

Caius beet op de binnenkant van zijn wangen. 'Wil je dat we wisselen van naam?'

'Nee. Jij Bellis mij. Ik Wonda jij.'

Caius waagde nog een poging. 'Ik heb jou Bellis genoemd en jij mij Wonderkind, toch?'

'IJzer.'

'IJzer?'

De Caghoulard liep naar Caius toe en tikte op zijn broekzak.

'De spijker?'

'IJzer.'

De spijker. Ontvreemd van Spiegelmanns altaar.

Bellis herhaalde nu, vervormd maar duidelijk, Caius' naam. Wonderkind.

De spijker was belangrijk voor Caius, niet voor Spiegelmann.

Wonderkind.

Die kromme spijker, op het eerste gezicht zo onbelangrijk, was het enige wat hem kon helpen dat nare woord te begrijpen.

Er sijpelde bloed uit het Teken van de Roos. Bellis sprong naar achteren.

'Het is niets,' glimlachte Caius. 'En het ijzer, Bellis, stelt ook niets voor. Het is maar een spijker. Misschien zou Pilgrind weten wat er zo bijzonder aan is. Voor mij is het gewoon een verroeste spijker.'

Hij haalde de spijker uit zijn zak om de Caghoulard gerust te stellen. 'Zie je wel?'

Hij hield het metaal tussen duim en wijsvinger en er ontstond een blauwig vlammetje.

'Niet...'

Eerst de geur. Een bittere geur, die maar een paar seconden bleef hangen.

Toen de zee. Een eindeloze, uitgestrekte, vlakke zee. Caius hield hem uit zijn ooghoek in de gaten, terwijl hij zijn mond opensperde om te schreeuwen.

'Bellis!'

Op dat moment werd de magere jongen naar een wereld van vuur en as geslingerd, naar een beestachtige plek met vele namen.

De bekendste: de hel.

12

De spijker beet in zijn vlees. Caius schreeuwde het uit. Het vlammetje ontpopte zich tot een grote vlam.
De spijker greep de schreeuw van Caius en kegelde deze weg. De blauwe vlam knetterde.

Hij bevond zich in een rokerige stad. In een verre tijd. De vlam doofde.
Hij bevond zich in het verleden.

13

I edere sterveling in de in rook gehulde stad hunkerde ernaar uit zijn lijden verlost te worden en te sterven. Alleen de manier waarop ze dit wilden was verschillend.

Gevangen in een lichaam, gedwongen elke neurose en angstaanval te ondergaan, richtten ze hun gebeden tot de hemel of de hel, totdat het duister
overwon en een einde maakte aan hun pijn.

Niet alleen de rook, maar ook het oorverdovende gedaver van het wapengeschut, de stank van de verbrande, vermolmde lichamen, de nachtmerries
waarin deze toegetakelde lichamen terugkeerden en de voortdurend terug-
kerende smaak van bloed in de regen benadrukten dat te midden van de doden en de vlammenzee alles zinloos was. Toen de jongen naar boven keek,
werd meteen duidelijk hoe krankzinnig iedereen was.

Hier speelden dronken soldaten met de hoofden van hun vermoorde vijanden alsof het bowlingballen waren en daar werden kinderen geruild voor
conservenblikjes.

Er was een onverschillige, kille slachtpartij gaande en er werden mensen
opgegeten door dikke vliegen. Er klonken verwensingen. Lood overwon
goud. Omgekeerde alchemie.

Waar kunstwerken uit de grond gestampt werden, lag puin. Waar ruïnes
ontstonden, bevonden zich demonen.

De schimmen grepen zich vast aan de demonen om de volgende minuut
door te komen, de volgende seconde.

Velen in de in rook en as gehulde stad pleegden zelfmoord. Maar niet iedereen had de kracht een einde te maken aan zijn leven.

De simpele zielen verdronken zich in een zee van goedkope grappa, een
borreltje gemengd met benzine en motorolie, vloeibaar vuur waar ze hees,
blind en uiteindelijk waanzinnig van werden. Ze waren dolgelukkig met de
effecten van hun drankje.

Schimmen die zich minder aangetrokken voelden tot zelfdestructie
richtten zelf een bloedbad aan om zich beter te voelen. Ze schoten op dieren,
mensen en kinderen, zonder onderscheid te maken. Het bloed dat ze vergo-

ten maakte hen dol als honden en deze dolheid verlichtte hun pijn. Al was het maar voor even.

Dan waren er nog de zieke geesten. Die waren slecht te beduvelen. Zij werden het ergst gemarteld. Ze hunkerden naar het niets en zogen zich hierin vast alsof het niets bestond uit lucht en honing, en vreesden het moment waarop het niets, net als de seizoenen, zou veranderen in iets nieuws. In wederopbouw, misschien, of waarschijnlijker: in wanhoop. Voor deze schimmen zat er niets anders op dan hun heil te zoeken in het oudste medicijn ter wereld: het spel.

Ze speelden overal, om het even voor welke inleg. Zelfs tussen wapengeschut en tijdens aardbevingen.

Ze kaartten met gemengde kaartspellen zonder plaatjes en getallen. Ze dobbelden of speelden poppenkast, of als ze geen dobbelstenen konden vinden met een tol, en ze hielden weddenschappen. Ze wedden over de windkracht, over de richting waarin een hongerige rat rende, of over wie als eerste gedood zou worden door een mijn of een bom.

Ze wedden om geld. Ze hadden veel geld. Roebels en marken. Geld dat niets waard was in die hel van stof en vernietiging.

Ze wedden om goud dat ze uit de mond van gevangenen hadden gebikt, of gevonden hadden in door mitrailleurs doorzeefde keukenkastjes. Ze wedden om haarlokken, munitie, medailles, tabak, bruinbrood, koffie, stof, dode ratten of om niets. Ze wedden om verder te kunnen spelen. En nog eens.

Ze speelden om niet aan de pijn te hoeven denken. Om hun zinnen te verzetten. Om de illusie te creëren dat ze het eeuwige leven hadden. Ze speelden om te kunnen opscheppen over hun eindeloze potjes kaarten, over het geluk dat sommigen hadden en anderen niet, en over degenen die altijd wonnen omdat ze de bewegingen of zetten van hun tegenstanders aan zagen komen. Demonen. Het waren allemaal demonen. En de beruchtste demon van de in as en rook gehulde stad, waar graag tot in de vroege uurtjes over gepraat werd, was de demon met de aanlokkelijke naam de Bloemenman.

De Bloemenman had eeuwig geluk. Hij kon met zijn vingertoppen zijn kaarten in de beste veranderen, hij kon dwars door zijn tegenstanders heen kijken en hun zwakke plek doorgronden, maar bovenal stelde hij prijzen ter beschikking die de duivel zelf zouden doen verbleken. De Bloemenman speelde namelijk niet voor blikjes ranzige koffie en sigarendozen. Wie tegen de Bloemenman speelde, deed dit omdat hij niets meer te verliezen had en zette zijn miezerige leven op het spel.

Niemand scheen te weten wie of wat de Bloemenman was. Er was geen soldaat of korporaal die niet van zijn naam gehoord had en geen officier die niet opschepte dat hij hem kende.

Allemaal leugens natuurlijk, net als de optimistische berichten die de lage onderofficier onder de troepen liet circuleren. Niemand had hem daadwerkelijk ontmoet. Sommigen zeiden dat hij Russisch was, anderen dat hij Duits was, of Oostenrijks.

Of hij nu van Franse, Italiaanse, Boeren- of Spaanse komaf was, waar waanzin heerste, klonk zijn naam: de Bloemenman. De man van het spel. De Man van het Laatste Spel.

Het was niet vreemd dat daar waar de dagen ten einde liepen het geroddel over het bestaan van een elegante hedonist, die als enige wist te genieten van vernietiging alsof het een zalige wijn betrof, zo erg werd dat men eraan twijfelde of de roddels geen onderdeel waren van een gemene list van een vijand. Maar van welke vijand? In de stad van rook en as was iedereen elkaars vijand.

En Caius Strauss, het Wonderkind, bevond zich in deze stad.

14

'**B**ellis! Pilgrind!' riep hij.
Niets. Het enige wat hij zag was de in vlammen en as gehulde stad.
En demonen. De veertienjarige jongen die naar een zinloze plek was gelanceerd, stond doodsangsten uit.

De stad die in vuur en vlam stond en Caius Strauss, ver weg van Dent de Nuit. Ver weg in de tijd. Tussen het puin, in de vuile sneeuw. Onzichtbaar, maar werkelijk.

In een wereld die haakte naar de dood en levens eiste. Gevangen. Als een spook.

Als een herinnering.

15

E en jongen hoorde een Duitse soldaat die naar rottend vlees stonk ver-tellen over de Bloemenman. De man heette Hoss. Het jongetje Wolfi. Het was natuurlijk niet de eerste keer dat Wolfi iemand over de Bloemenman hoorde praten. Hij was een bijdehante jongen, die voortdurend zijn oren spitste in de hoop iets interessants op te vangen.

De stinkende Duitse soldaat was de eerste die hem over de Bloemenman, spoken en de enige belangrijke regel in het leven had verteld. Alleen hij had hem eraan laten ruiken.

Liggend onder een kapot raamwerk van een kerk, in een schuilplaats die ontstaan was door de bombardementen, krabde de Duitser aan zijn gewonde been. Er dropen bloed en gelige pus uit zijn verband.

Hij had grote, donkere ogen en op de plekken waar hij niet verbrand was een lichte, gladde huid. Hij beweerde veel aanbidsters te hebben gehad voor de oorlog, lang voordat hij gewond was geraakt. Soldaten hadden het altijd over hun verleden, wist de jongen.

De gelaatstrekken van soldaat Hoss waren weggevaagd door het vuur en konden zijn verhalen over vroeger niet bevestigen.

Mensen zouden hem vast en zeker een monster hebben genoemd als het geen oorlog was geweest. Misschien zou iemand in vredestijd wel medelijden met hem hebben gehad, dacht de jongen.

Niet tijdens de oorlog. Niet hier. Niet tussen de brandende hakenkruizen. Niet in de stad van vuur en as.

De jongen beschouwde Hoss bijvoorbeeld niet als vreemd en opvallend, maar als een van de vele gewonde soldaten. De fosfor had menig lichaam aangetast. Sommigen waren er zelfs erger aan toe dan Hoss.

Wolfi keurde hem geen blik waardig, maar dat kwam ook doordat Hoss hem al twee weken gevangen hield. De jongen moest hem meester noemen.

Wolfi had op verschillende manieren geprobeerd te ontsnappen, maar de verroeste ketting die de soldaat om zijn enkel en om zijn polsen had gebonden hield hem tegen. Hij zat al twee weken gevangen en had al vier dagen niet gegeten. Hij had om hulp kunnen smeken, maar in die tijd en in die stad, zelfs al had hij geschreeuwd, had niemand zelfs maar een wenkbrauw opgetrokken. En als ze hem al hadden geholpen, hadden ze waarschijnlijk om een torenhoge beloning gevraagd.

Een meester is sterk en succesvol. Hoss daarentegen was gewond en half blind.

Dit bood perspectieven. De jongen was zwak en had honger, maar was mentaal sterk. Het feit dat zijn moeder hem had afgestaan om een paar uur slaap te kunnen pakken kon hem weinig schelen. Zo werkte het nu eenmaal. In haar plaats had hij hetzelfde gedaan.

Maar niemand wilde een uitgemergelde jongen hebben met gebarsten lippen, uitstekende botten en oncontroleerbaar trillende armen. Ze vonden dat hij eruitzag als een lijk. Hoss vond dat hij er zo uitzag. Hij had hem gekregen als slaaf en reageerde zich graag op hem af. Vandaar de blauwe plekken en het gereutel dat de jongen produceerde zodra hij voorzichtig door zijn gebroken neus probeerde te ademen.

De wond aan het been van de soldaat werd aangetast door koudvuur. De koorts maakte de man lusteloos. Af en toe probeerde Hoss op te staan en brieste hij orders tegen de wind. Orders die nergens op sloegen. Of hij jammerde iets tegen zijn zus Greet of zijn Duitse herder die hij in Beieren had achtergelaten. De jongen hoopte vurig dat Greet gevangen was genomen door de Russen en door de goddeloze bolsjewieken werd gedwongen Hoss' hond rauw op te eten, nadat ze hem met haar blote handen gewurgd had. Hijzelf zou de herder zonder klagen soldaat maken. Hij was niet zo kieskeurig; hij had honger als een paard.

Zijn buik deed inmiddels geen pijn meer, en dat was een slecht teken. Een heel slecht teken zelfs, had Wolfi gezien. Honger was, na een kogel in het lichaam, doodsoorzaak nummer twee. De jongen had zeker tientallen mensen door honger zien sterven, maar wist zeker dat hijzelf niet van de honger zou omkomen. Verder wist hij dat hij niet zou sterven door Hoss, hoewel de soldaat af en toe zijn modderige Luger tegen zijn hoofd zette. Nee, hij was op de wereld gezet om grootse dingen te doen. In deze twee weken had hij alle tijd gehad om deze fantasie uit te werken tot een magnifiek plan waarin hij zijn toevlucht kon zoeken als hij het even niet meer zag zitten. Hij wist nog niet hoe of wanneer, maar hij wist zeker dat zijn fantasie zou uitkomen. Hij was ervan overtuigd dat hij gemaakt was om zijn dromen uit te laten komen, maar bovenal wist hij dat hij speciaal was.

De andere mensen, die hij zag sneuvelen door granaten of machinegeweren, bestonden eigenlijk niet. Dat waren alleen maar schaduwen. Sterker nog: minder dan schaduwen; schaduwen hoorden bij bestaande lichamen en waren niet echt, dacht hij glimlachend.

'Wat valt er te lachen, slaaf?' gromde Hoss.

De jongen schrok. Hoss had een blik in zijn ogen die weinig goeds beloofde. Wolfi vond het asgrauwe gezicht van zijn beul te vrolijk voor iemand die met één been in het graf stond. Spoedig zou Hoss weer wegzakken in een toestand van lusteloosheid en waanzin. Tot die tijd kon hij beter alert blijven. Hoss zou hem niet doden. Hij kon niet sterven door de hand van een schaduw. Maar Hoss kon hem wel veel en lang laten lijden.

'Niets...'

'Niets?'

'Niets, meester.'

De geduchte klap bleef uit. De soldaat beperkte zich ertoe de knoestige stok te strelen die hij iedere keer als de jongen zijn orders niet opvolgde gebruikte om hem mee te straffen. En dat gebeurde vaak.

'Waar dacht je aan, kameraad?'

'Aan eten,' loog hij.

'Pikante salami en een glas grappa zouden er inderdaad wel in gaan, kameraad.'

'Biefstuk en appelsap.'

'O ja, biefstuk, lekker mals en sappig. Mijn Greet kan dat als de beste klaarmaken.'

'En appelsap. Niet te zoet.'

'Hou je niet van zoet? Ik wel hoor, al vallen m'n tanden ervan uit!'

Wolfi lachte geforceerd mee met Hoss.

'Heb je honger?'

De jongen voelde hoe zijn nekhaartjes overeind gingen staan. De ogen van Hoss boorden zich in de zijne. De rotzak was weer bij zinnen.

'Ja.'

'Heb je veel honger, klein rotventje?'

De jongen begon ondanks zichzelf te likkebaarden. Door over eten te praten was zijn buikpijn weer terug. Hij merkte dat hij nu begon te kwijlen, tot groot genoegen van de soldaat, die opnieuw in lachen uitbarstte. Hoss bleef hem doordringend aankijken.

'Ja, meester.'

'Zou je een kippetje lusten?'

Vlak bij de jongen stond een klein kistje met kippetjes en conservenblikken.

'Ja, meester.'

Hoss bewoog. Zijn adem stonk naar dood en verderf. 'Je hebt een walgelijk brede kop,' zei hij triomfantelijk. 'Ik heb altijd een hekel gehad aan mensen met een brede kop.'

'Vergeef me, meester.'

Hoss leek met het idee te spelen hem af te ranselen, maar voerde het niet uit. Hij ging tegen een vochtige muur zitten. In de verte denderden tanks door de nacht.

'Het is jouw schuld. Zeg het.'

'Het is mijn schuld, meester.'

'Je bent te dik. Veel te dik. Nog één dag wachten en dan...'

Zoals vaak gebeurde, vooral in de afgelopen vierentwintig uur, maakte Hoss zijn zin niet af. Hij sloot zijn ogen, stootte zijn hoofd tegen wat bakstenen en ademde langzaam en onregelmatig. Kleine slijmsliertjes dropen uit zijn mondhoeken.

Nog een paar dagen en je bent dood, dacht de jongen, met zijn ogen toegeknepen en zijn nagels in zijn handpalmen gedrukt. Hij dwong zichzelf zijn hand te openen. Hij had er niet bij stilgestaan dat de ademhaling van Hoss hem zoveel angst inboezemde, tot hij zag dat bloed zich mengde met het vuil op zijn handen.

Hij probeerde zijn kalmte te herwinnen. Hij kon niet sterven. Het had geen zin om bang te zijn. Maar de knoop in zijn buik verdween niet.

Hij probeerde zijn toevlucht te nemen tot zijn heimelijke fantasieën, maar ook dat was geen succes. De betovering was verbroken en de beelden van zijn triomf leken opeens vaag en onwerkelijk. Bovendien wilde Wolfi zijn fantasieën niet bederven, want dat betekende een grote overwinning voor zijn gevangenbewaarder. Daarom besloot hij zijn gedachten op andere dingen te richten. Bijvoorbeeld op een ontsnappingsplan. Zoals altijd als Hoss buiten bewustzijn was – hij sliep niet meer gewoon – stak de jongen zijn arm uit naar de grijze sokken van de soldaat, waar als het goed was de sleutels zaten verstopt waarmee hij zichzelf zou kunnen bevrijden.

Hij kon er niet bij. De jongen sloeg zijn ogen ten hemel. Hoss draaide zich om.

'Klein wonderkind...' noemde hij hem.

16

Hij verstijfde toen hij de stem van Hoss hoorde.

'Klein wonderkind,' herhaalde de soldaat met zijn ogen half dicht. Wolfi hield zijn adem in. Als Hoss merkte dat hij op zijn sleutels uit was, zou hij hem vast en zeker flink afranselen. Alleen het koudvuur zou hem nu nog kunnen tegenwerken.

De kille gedachte aan de dood dook in zijn hoofd op.

'Weet je wat je moeder zei toen ze me jou overhandigde?' Hoss spuugde een klont slijm en bloed uit. 'Ze zei letterlijk: "Hoss, als jij me twee uurtjes laat slapen, geef ik jou mijn kleine wonderkind." Twee uur, zei ze. En ik antwoordde: "Wat moet ik met zo'n jochie?"'

Even was het stil. Toen rochelde Hoss.

'En weet je wat ze toen zei?'

Wolfi wist het wel, maar zweeg.

'"Doe met hem wat je niet laten kunt, als je mij maar twee uur slaap laat pakken."'

Hoss lachte, alsof hij zojuist een meesterlijke mop getapt had. Daarna vervolgde hij: 'Ik heb haar toen drie uur laten slapen en zelf een oogje in het zeil gehouden. Drie in plaats van twee.' Hij zei het alsof hij er trots op was.

'Toen ze wakker werd, heb ik haar gevraagd waarom ze je zo'n vreemd koosnaampje had gegeven.'

'Ik heet Wolfgang, niet...'

'Weet je wat ze toen antwoordde?'

Dat wist hij maar al te goed, maar hij zei niets.

'"Omdat hij voorbestemd is om grootse dingen te doen,"' blafte Hoss.

'En weet je wat mijn Greet altijd zei? Zij zei dat moeders altijd gelijk hebben. Altijd. Omdat de Führer immers ook een moeder had. Snap je?'

'Ja...'

Hoss vertelde verder en besteedde geen aandacht aan het antwoord van de jongen. 'Ze zeggen dat zelfs Stalin een moeder had en dat ook die altijd gelijk had...' zuchtte hij. 'Vannacht is Günther bij me langs geweest.'

Hij zei het alsof het de normaalste zaak van de wereld was. Alsof het totaal niet vreemd was om bezoek te krijgen van een dode.

Wolfi voelde zijn maag zich samentrekken, maar was niet bang, want Hoss was slechts een schim. Een schim in de nacht. En schimmen konden hem geen kwaad doen.

En wat was Günther? Een geest – minder nog. En wat had hij te vrezen van een geest?

'Hij bracht me op een idee. Hij vertelde me hoe ik jouw immense krachten zou kunnen gebruiken.'

De jongen zuchtte. 'Wat moet ik doen, meester?'

Hij was klaar om het zoveelste pak slaag te ondergaan. Hij was echter niet voorbereid op wat Hoss hem vervolgens toefluisterde.

'Ik ben stervende, kameraad.'

De jongen kon zich haast niet beheersen. Er heerste in de rokerige stad zo weinig vreugde dat wat hij voelde hem overweldigde.

'Günther is ook dood,' riep hij bijna uit. 'Gestorven aan koudvuur. Die idioot is met zijn neus in het prikkeldraad gevallen omdat hij te dronken was om op zijn benen te blijven staan. En gestorven! En nu ben jij ook stervende.'

Verbaasd over zijn eigen lef bereidde hij zich voor op een pak rammel. Maar dat bleef uit.

'Ik weet het. Denk je dat ik achterlijk ben, Wolfi?'

'Nee.'

'Gek dan?'

'Ja, gek wel.'

Hoss knikte, alsof de jongen hem zojuist ergens op had gewezen waar hij zich al lange tijd het hoofd over had gebroken en nu tot dezelfde conclusie kwam. Hij knikte langzaam en zei toen: 'Ja, ik ben gek. We zijn allemaal gek hier. Maar ik ben niet achterlijk en jij ook niet. Geloof jij in spoken?'

Waarom zou hij liegen? 'Nee.'

'Ik wel. Wist je dat Greet geloofde in van die spoken uit tekenfilms? Compleet met laken en ketting? Elke avond dwong ze me een gebed op te zeggen in de hoop dat de spoken en geesten haar rustig zouden laten slapen.'

'En? Hielp het?'

'Meestal wel, maar soms, als Greet een nachtmerrie had, kroop ze bij mij in bed. Dan troostte ik haar, wachtte ik tot ze weer sliep en bracht ik haar naar haar bed. Als ze dan de volgende ochtend wakker werd, herinnerde ze zich niets. Nee, dat soort spoken bestaat niet. Maar Günther' – hij krabde even op zijn voorhoofd – 'was anders. Die ging daar zitten.' Hij wees naar een hoop puin naast de uitgang van de schuilplaats, alsof dat bewees dat zijn waanbeeld geen waan, maar realiteit was. 'En stak een sigaret aan.'

Een pauze.

'Geesten roken niet, toch?'

'Niet dat ik weet.'

'Maar jij gelooft niet in geesten, toch?'

'Nee, meester.'

Hoss glimlachte en even leek de jongen een glimp op te vangen van de knappe jongen die de soldaat ooit geweest was. Vroeger.

'Dan ben je dus niet zo'n betrouwbare bron.'

'Dat klopt ook.'

Hoss keek hem een lange tijd aan en knikte toen. 'Ik weet dat je niet stom bent, maar luister toch even. Günther ging zitten en praatte tegen me. Hij sprak langzaam, alsof het hem veel moeite kostte. Hij opende en sloot zijn mond als een vis, maar sprak net als toen hij nog leefde. Weet je nog hoe zijn r klonk? Hij leek wel een homofiele Fransman.' Hij gniffelde.

'Hij vertelde me dat het daar beneden koud is, omdat daar de hel is. En de hel is niet warm, maar koud, zei hij. Een eeuwige winter. Je weet toch dat wij allemaal naar de hel gaan, Wolfi?'

'Ja.'

'Goed zo, Wolfi, goed zo. Ik heb niets aan je als slaaf, maar daar boven heb je ze prima op een rijtje. Toen zei ik hem dus dat ik dat niet eerlijk vond, om-dat ik deze oorlog niet ontketend heb en ik tenslotte niet degene was die de Führer tegen de Russen heeft opgezet. Er zijn een miljard van die klerelijers. Met de Polen is niets mis. Ik heb altijd al een hekel gehad aan de Fransen, maar de Russen spannen werkelijk de kroon. Dat zijn idioten. Vind jij het terecht als iemand naar de hel gaat door de schuld van iemand anders?'

De jongen schudde zijn hoofd.

'Nee, dat lijkt me niet eerlijk.'

'Dat zei ik dus ook tegen Günther. Hij spreidde toen zijn armen en zei dat hij er ook niets aan kon doen en dat hij de regels niet gemaakt had. Het is ook altijd hetzelfde liedje. Een of andere lapzwans verzint wat regeltjes en wij zijn er de dupe van.'

Een explosie zorgde ervoor dat het stof regende.

Een rat piepte.

De rust keerde terug en Hoss hervatte zijn verhaal. 'Toen lachte Günther naar me en moest ik bijna huilen, weet je. Hij... Ik weet niet. Hij zei dat ik mijn straf nog even kon uitstellen voordat ik naar de hel moest.'

'Daar beneden,' voegde de jongen toe.

'Precies jongen, daar beneden. Hij beweerde dus dat als ik een pilletje of een goede bottenzaag kon bemachtigen, ik een paar jaartjes van mijn straf af kon snoepen. Dat vond ik natuurlijk een belachelijk verhaal, dus vroeg ik of hij gek was geworden door de dood.'

Nog een explosie. Deze keer doffer.

Hoss keek twijfelachtig. 'Je mag tegen de doden niet liegen, toch?' De soldaat had een waas voor zijn ogen, alsof hij de hallucinatie herbeleefde. 'En waar zou ik het geld vandaan moeten halen voor medicijnen of dat soort apparatuur? Waar vind je hier een arts?' De soldaat sloeg op zijn etterende been en klemde zijn kaken op elkaar. Ondanks alles glimlachte hij.

'En wat zei hij toen?'

'Weet jij hoe er op de markt gehandeld wordt?'

De jongen begreep hem niet goed. 'Nee...' hakkelde hij. 'Op de zwarte markt, bedoel je? Daar ben ik wel eens geweest, maar...'

'Nee, niet op de zwarte markt, kameraad. Ken je de regels van de markt, in het algemeen? Zat je niet op school?'

'Het was oorlog, mijn moeder heeft me leren lezen en schrijven, maar...'

'De hoofdregel van de markt is: alles is te verkopen, je hoeft alleen maar iemand te vinden die het wil hebben.'

'Oké. Alles is te verkopen.'

Dit was een openbaring voor de jongen. Hij werd meteen warm vanbinnen. Alles is te verkopen – dat was de gulden regel, het geheim.

De adrenaline gierde door zijn lichaam en was zelfs zo sterk dat Wolfi niet meer dacht aan zijn honger, aan de pijn die de kettingen aan zijn polsen teweegbrachten, aan zijn gezwollen gezicht en aan zijn gebroken neus. Hij leek zelfs even beter te zien en te horen, alsof die paar woorden zijn zintuigen versterkten. Hij zag nu alles zo helder dat zijn netvlies er bijna pijn van deed. Iedere spleet in het beton zag eruit als een enorme afgrond. Ieder geluid werd versterkt. Het geritsel van de ratten klonk als een cavaleriecharge. Hij zag alles glashelder. Geweldig. Schitterend.

'Alles is te verkopen,' mompelde hij.

'Heel goed, Wolfi. Inderdaad.'

Achteraf gezien, dacht de jongen opeens, terwijl de soldaat hem nauwlettend in de gaten hield, had zijn moeder hem toch íéts geleerd. Had hij niet altijd gedacht dat er een regel moest bestaan die alles wat hij in zijn korte leven had meegemaakt zou verklaren? Een regel die zo simpel en duidelijk was dat hij heel voor de hand liggend leek?

'Alles is te verkopen.'

'Dat is wat Günther zei. En toen dacht ik... Dan kan ik de jongen misschien wel verkopen. Ik kan hem verkopen en er een slaatje uit slaan. Maar wat heb ik aan dat geld? Je kunt de mark gebruiken om je kont mee af te vegen, zo weinig is-ie waard, kameraad. Misschien zou ik je kunnen ruilen voor eten. Maar hoeveel eten zou ik krijgen voor een jongen met een brede kop als jij? Misschien een stuk oud brood. Nee, Günther bedoelde niet dat ik jou moest verkopen, maar mezelf.'

'Jezelf?'

'Kijk niet zo raar. Dat alles te verkopen is wil zeggen dat alles een waarde en een prijs heeft. En tot het tegendeel bewezen is, kameraad, hoor ik ook bij "alles". Alles, snap je? Zelfs het leven van een zwerver. Je hoeft alleen maar iemand te vinden die zo gek is om het te kopen. Of,' voegde hij er venijnig aan toe, 'iemand die zo gek is dat hij wil wedden wanneer de zwerver het loodje legt.'

Wolfi schudde zijn hoofd. Even had hij gedacht dat er een kern van waarheid in het geraaskal van Hoss zat, maar hij had zich vergist. 'Je bent belazerd,' liet hij zich ontglippen.

Hoss greep zijn stok.

'Wat weet jij daar nou van?'

De jongen bloosde. Hij voelde zich beledigd door Hoss' opmerking. Het kon hem niet schelen dat hij later de tol moest betalen. Hoss had alles verpest. Alles. Hij was opgewonden geweest, hoopvol, dat er in deze enorme chaos nog iets was wat zin had. Dat er naast het puin en de doden een regel bestond.

Nu was zijn hoop weggevaagd. Wolfi was razend. 'Genoeg om te kunnen zeggen dat jij gek bent. De Bloemenman bestaat niet. Net zomin als spoken. Günther is dood en jij binnenkort ook, stuk verdriet. Sterker nog: je bént al dood.'

De eerste klap kwam terecht in het midden van zijn voorhoofd. De jongen hoorde eerst de doffe dreun en voelde daarna pas de pijn. Het werd zwart voor zijn ogen. Toen trok het zwart toch weer weg en doemde het gezicht van de kwijlende soldaat op. Bij de tweede slag stokte zijn adem. Bij de derde braken zijn ribben.

Hoss was nog niet klaar. 'Hij bestaat,' gromde hij, 'en ik weet waar hij is, miezerig ventje! Dat heeft Günther me verteld. Hij wist waar de Bloemenman was toen hij doodging, maar had nooit de moed gehad hem op te zoeken. Ik wel, en ik ga niet dood, Wolfi. Ik ga niet dood!' Hij sloeg de jongen opnieuw. 'Ik ga' – en nog eens – 'niet dood! Ik ga met hem wedden en ik ga winnen! En als prijs vraag ik of hij me wil genezen.'

Hij sloeg hem opnieuw. 'En daarna zal ik op jouw doodskist dansen, kleine, irritante wijsneus die je bent.'

De jongen voelde tranen opkomen, maar dwong zichzelf ze te bedwingen. Hij gaf zelfs geen kik, hoewel Hoss hem nog nooit eerder zo hard had geslagen. Hij raakte hem rechts en links, boven en beneden.

Wolfi vergde het uiterste van zichzelf en bleef continu in beweging om de klappen te ontwijken, maar omdat hij vastgebonden zat kreeg de soldaat hem toch steeds te pakken.

'Ik vermoord je!' tierde Hoss. 'Ik sla je dood, mormel...'

Hij hield op met slaan en reutelde.

De jongen opende zijn ogen. De soldaat greep naar zijn borst en liet de stok vallen. Vervolgens wankelde hij twee stappen naar voren en toen twee naar achter, alsof hij danste. De jongen krulde zijn lippen en glimlachte.

'Mormel...' was het laatste woord van de soldaat.

Er restte slechts een stilte.

17

Het kadaver van de soldaat zakte boven op de jongen in elkaar en verstikte hem bijna. Hoss was zwaar en de jongen fragiel. Hij probeerde zich te bewegen en zich onder het lichaam vandaan te wurmen, maar kon geen kant op.

Hij was moe en uitgehongerd, en had geen energie meer. De lichaamsgeur van Hoss drong zijn neus vol stof en slijm binnen. Hoewel hij tijdens de oorlog gewend was geraakt aan dood en verderf, begon hij misselijk te worden. Hij wachtte tot het zakte. Hij had immers alle tijd van de wereld, bleef hij tegen zichzelf zeggen, in de hoop zijn maag te kalmeren. Zodra zijn misselijkheid wegtrok, probeerde hij het lichaam te verplaatsen. Hij kreunde, terwijl hij zijn armen zo ver mogelijk spreidde.

Hoss was zwaar. Maar hij was dood. Hij vormde geen gevaar meer. Wolfi had de tijd. Hij besloot even te wachten. Het was een veilige schuilplaats daar onder Hoss, waar hij niet bang hoefde te zijn voor nieuwe meesters en kon uitrusten. Hij nam een paar minuutjes om te wennen aan het gewicht van het nog warme lijk en de afschuw die hij voelde.

Na een tijdje zou hij zich wel in een betere houding kunnen draaien, dacht hij. Daarna zou hij zich afzetten, als hij niet genoeg kracht had in zijn armen; vervolgens zou hij Hoss omkeren en de sleutels pakken. Dan zou hij vrij zijn.

Op dat moment zag hij de rode kleur. Toen de hongerige, dolle ogen, en daarna rook hij de geur van bloed, gemengd met die van rottend vlees en van honger.

Uiteindelijk zag hij hem; ineens tikte de tijd weer snel en onverbiddelijk. Een reusachtige zwarte hond.

'Ga weg,' stamelde hij. 'Ga weg.'

De hond bleef staan waar hij stond. Hij boog zijn kop en begon laag en boosaardig te grommen.

'Weg...'

Het leek alsof de hond grijnsde. Behoedzaam liep hij op Wolfi en Hoss af. De jongen voelde zich verstijven.

De hond blafte. In de verte beantwoordde een andere hond zijn geblaf. De jongen sperde zijn ogen wijd open en kronkelde heen en weer. De hond gromde nogmaals, zette zijn tanden in de hiel van Hoss en sprong toen achteruit. Geen reactie. Voldaan blafte hij nog een keer. Het klonk als geschater.

De jongen spartelde.

'Ga weg...'

De hond beet nu in Hoss' kuit en scheurde hem aan stukken. Het geluid was ondraaglijk.

Toen zette de hond zijn kaken weer op elkaar en gromde.

'Wegwezen!' brulde de jongen. 'Ga weg, alsjeblieft...'

De hond boog zijn kop en staarde in de leegte. Het was niet moeilijk te bedenken waar hij aan dacht. De jongen en het dier dachten aan hetzelfde. Dit was geen nieuw fenomeen in de stad omringd door vlammen en as. De hond dacht: mmm, lekker, vers vlees. De jongen dacht: ik ben vers vlees. Mager, droog, maar gezond vlees. Hij had geen koudvuur of andere ziekte.

Het dier en de jongen kwamen tot dezelfde conclusie. De hond liet zijn tanden zien. Hij dacht niet meer na. Hij wilde maar één ding: de jongen bijten, uiteenrukken en opeten.

Wolfi snikte. Hij probeerde te schelden, zoals hij menig soldaat had zien doen die de dood in de ogen keek. Het lukte hem niet. Hij had er de kracht niet voor. Hij werd opgeslokt door de angstaanjagende blik van het dier.

Op dat moment voegde een tweede hond zich bij de eerste. En daarna een derde. Alle drie zagen ze er uitgemergeld en huiveringwekkend uit. De jongen vluchtte opnieuw in zijn fantasieën. Hij dacht aan de spoken en de geesten waar hij met Hoss over had gepraat en dat niets om hem heen echt bestond. Hij dacht dat er maar één waarheid bestond, de zonneklare waarheid waarmee Hoss hem had laten kennismaken. Alles had een prijs, alles kon verkocht worden. Hij vond dat de woorden in zijn hoofd poëtisch klonken en voelde zich alsof hij de sleutel van het hele universum in zijn hand had. Hij bedacht dat hij, als hij de woorden overtuigend genoeg zou uitspreken en erop zou vertrouwen – 'vertrouwen' was een woord dat zijn moeder vaak gebruikte toen de Russen nog niet gearriveerd waren, daarna niet meer –, dat de honden dan misschien wel weg zouden gaan.

Hij had pijn. Hij was weer teruggekeerd in de werkelijkheid. De hond had hem gebeten. Wolfi schreeuwde het uit. De hond sprong van schrik naar achteren.

'Alles heeft een waarde!' krijste de jongen. 'Ga weg! Alles heeft een waarde! Alles is te verkopen!'

Het had geen zin. De hond begreep hem niet. Hij maakte zich klaar voor een nieuwe aanval en liet zijn tanden zien. Deze keer was zijn beet overtuigender. Hij beet door tot op het bot. De pijnscheuten waren zo hevig dat het zwart werd voor Wolfi's ogen. De jongen brulde de longen uit zijn lijf. Het was niet alleen fysieke pijn die hij voelde, de hond had niet alleen zijn zenuwen en vlees aangetast, maar er ook voor gezorgd dat zijn illusies aan gruzelementen lagen. Veranderd in rotzooi die net zo onbruikbaar was als de puinhopen waartussen hij was opgegroeid. Zijn hoofd leek te ontploffen. Wolfi werd woedend.

Zijn razernij bracht iets teweeg wat hij niet meteen begreep. Zijn hart begon te branden. Hij voelde dat het zware lichaam van Hoss door een onzichtbare en reusachtige hand werd verplaatst en hoorde dat zijn botten braken als luciferstokjes en tegen de muur schoten. Hij hoorde de honden janken van verbijstering en de kettingen openspringen. Het versplinterde metaal schoot tegen de stenen en knetterde als een kogel.

Er ontstond een explosie van licht, gelijk aan duizend zonnen en fosforbommen. Wolfi rook de geur van vuur en geroosterd vlees. Door de vlammen verschroeiden zijn haren en blakerde zijn gezicht zwart. De vlammen waren wit en vernietigend.

De ogen van de honden sprongen uit hun kassen. Wolfi lachte. Hij was speciaal. Hij was daadwerkelijk speciaal. Hij had dit gedaan. Hij was een wonderkind, precies zoals zijn moeder altijd had gezegd. Hij was voorbestemd om immense dingen te verrichten, omdat hij het enige werkelijk levende wezen in het universum was, waar alles – de doden, de kinderen en zelfs zwartgeblakerd vlees – te verkopen was.

Toen er van de honden niet meer dan botten en as over waren, ging Wolfi rechtop zitten. Hij staarde naar zijn handen. Het warme gevoel was verdwenen, maar het gevoel van kracht en macht niet.

Ik ben een klein wonderkind, dacht hij verbaasd. Hij wist niet meer wie hem deze vreemde bijnaam gegeven had. Er was iets veranderd in zijn hoofd. Er was iets verdwenen.

Misschien was het zijn moeder wel geweest die hem zo noemde. Hoe zag zijn moeder er ook alweer uit? Hij wist het niet meer. De jongen begon zich, niet wetend dat hij zojuist zijn eerste Wissel had geproduceerd, zo vol te proppen met kippen dat hij er bijna van moest braken.

Er stak iets uit Hoss' zak. Een speelkaart. De Bloemenkoning. De jongen pakte hem. Als alles te verkopen was en honden brandden, dacht hij, bestonden er misschien ook wonderen, onthulden roddels waarheden en raadsels koninkrijken.

Alles was te verkopen, want schoonheid en waarde waren niet altijd met het blote oog te zien.

Hij stopte de kaart in de enige zak van zijn miserabele pak die niet stuk was, vulde een versleten broodzak met Hoss' laatste kippetjes en maakte zich meester van zijn pistool. Totdat hij zijn nieuwe krachten onder controle had, moest hij een ander wapen hebben om zich te kunnen verdedigen. Een pistool leek hem hiervoor uitermate geschikt. Het paste in Wolfi's hand alsof het speciaal voor hem gemaakt was. Het wapen betekende zijn vrijheid en zijn kracht. Het gaf hem de vrijheid de chaotische stad te verkennen die nu zoveel nieuwe mogelijkheden bood. Het gaf hem een doel: de Bloemenman vinden, hem uitdagen en hem verslaan met kaarten. En daarna?

Ach, dacht hij, de mogelijkheden waren eindeloos.

18

De jongen doolde rond tussen de puinhopen en bevroren slootjes, op zoek naar de Bloemenman. Hij glipte langs blokkades en ontweek patrouilles. Hij zocht hem op plekken waar soldaten bij elkaar kwamen om verhalen uit te wisselen, overlevenden te tellen of te rouwen om hun medesoldaten die eeuwige rust hadden gevonden. De rust waar zij juist heimelijk naar op zoek waren.

De jongen zocht hem daar waar de militairen heen gingen om zich te bezatten.

Hij ontmoette mannen en vrouwen die door de oorlog haast geen mens meer te noemen waren. Door hun angst en verwondingen waren ze verworden tot beesten.

Hij zocht de Bloemenman in geïmproviseerde gokholen, waar hij bijna doodgeschopt werd door een eenogige sergeant, in kapotte bunkers, tussen de bergen bakstenen en kalk die het verslagen leger symboliseerden en in de geheime verlangens van de soldaten. Want als alles een prijs had, betekende dit dat overal wel iemand was, man of vrouw (voor de jongen maakte dit geen verschil), die een slang aan zijn borst koesterde. Ieder verlangen had een prijs en alles was te verkopen.

Hij zou al deze wensen in vervulling laten gaan en zo ieders wens kennen. Het verwonderde hem. Hij vond een stuk papier en een steen bij de mensen die nog hoop hadden op een dag terug te keren naar hun dierbaren en speelkaarten daar waar hij de meeste kans had mensen te spreken die informatie hadden over de Bloemenman. Ook vond hij religieuze boeken met illustraties.

Hij leerde hoe hij meer boeken kon opsporen en aan wie hij ze kon verkopen. Hij was niet bang. De gehavende wereld waarin hij zich bevond was van hem.

'Jij bent toch die jongen die Je-weet-wel zoekt?'

'En wie mag jij dan wel zijn?'

De man zonder benen gaf geen antwoord. In het duister leek het alsof hij geen gezicht had.

'Ik hou je al een tijdje in de gaten, jongen.'

'Ik bezit niets.'

Dat was waar.

'Je leeft nog.'

'Wat krijgen we nou?' bracht de jongen verbaasd uit. 'Wil je me vermoorden?'

De man kwam dichterbij. 'Nee,' zei hij, terwijl hij hem een veldfles water aanbood. 'Ik ben alleen nieuwsgierig.'

De jongen dronk gulzig.

'Nu sta je bij me in het krijt.' De man lachte. 'Wat ben je naïef. Ik kan nu met je doen wat ik wil.'

'Waarom?'

'Omdat je bij me in het krijt staat.'

'Wat wil je van me?'

'Ik wil dat je een einde aan mijn leven maakt.'

Deze keer was het de beurt aan de jongen om te lachen. 'We bevinden ons hier in een oorlogsgebied en jij vraagt aan mij je te doden?'

De man bleef ernstig kijken; hij was bloedserieus.

'Je hoeft me alleen naar het midden van het plein te slepen en te schreeuwen om een granaat. Mijn lichaam kan weinig meer verdragen en mijn eigen pogingen om mezelf te doden hebben me alleen maar tot de larve gemaakt die ik nu ben. Ik wil sterven, maar op een eervolle manier. Ik ben moe. Ik wil een snelle en volmaakte dood. Ik wil sterven door een kogel recht door mijn hart.'

Wolfi nam de man op en liet zijn blik rusten op zijn verminkte benen. 'Kun je het zelf niet doen?'

'Dat is tegen mijn principes in. Geloof jij nergens in?'

'Natuurlijk wel. Ik geloof dat alles een prijs heeft.'

'Ga je er een eind aan maken voor me?'

'Ik sta dan misschien wel bij je in het krijt, maar dat is niet genoeg.'

De beenloze man bekeek de jongen in stilte. Kwam het door de oorlog dat deze jongen zo begerig en cynisch was geworden? Dat was nog eens een goede reden om niet meer verder te willen leven.

'Wat wil je van me?' vroeg hij kil.

'Als je me al zo lang in de gaten houdt, weet je dat best.'

'De Bloemenman? Degene die wedt met speelkaarten?'

De jongen ging erbij zitten. 'Is dat erbij inbegrepen?'

'Ik ben alleen nieuwsgierig. Waarom ben je op zoek naar hem?'

'Ik wil alles.'

De man schudde zijn hoofd. Er vormde zich een ongelovige, bittere glim-lach op zijn gezicht.

'Ik dacht al zoiets. En je bent ervan overtuigd dat Je-weet-wel je hierbij kan helpen?'

'In ieder geval bij het begin. Dat is alles wat ik nodig heb.'

'Ze zeggen dat hij een soort cadeau verwacht van degene die hem uitdaagt. Misschien dekt het woord "cadeau" de lading niet. Laten we zeggen dat de Bloemenman een offer wil zien.'

De man reikte Wolfi een pistool aan. In de hand van de jongen leek het immens. Wolfi legde het op zijn knieën. Het voelde koud en woog niet veel. Hij vond het prachtig.

'Weet je waar ik hem kan vinden?'

'Nee, maar ik kan je wel wat anders geven. Een goed advies.'

'Wat bedoel je?'

'Jij hebt iets in je ogen. Je straalt hetzelfde uit als mijn pistool. Gebruik dat en ze zullen je geen pijn meer doen. Mensen willen immers niet hun wen-sen vervuld zien worden, maar steeds grotere wensen hebben. Ze worden er gelukkig en dol van om wensen te hebben.' Hij keek de jongen aan met een vreemde uitdrukking op zijn gezicht.

'Jij hebt macht. Een sterke macht, die je niet voor dit soort situaties moet gebruiken. Je hebt niets aan mensen. Ze zijn nutteloos, net als mijn benen. Ik heb ze zien verrotten, weet je dat? Alles houdt op met bestaan, zelfs jouw macht.'

De jongen boog voorover, tot hij het gezicht van zijn gesprekspartner bij-na raakte.

'Wat weet jij daarvan?'

'Ik weet alleen dat het een Wissel heet.'

'Wat is het?'

De man gebaarde, op zoek naar het juiste antwoord. 'Een soort magie.'

'Weet jij hoe je die moet gebruiken?'

'Zie ik eruit als iemand die zoiets zou kunnen?'

De jongen dacht na. De ijzige lucht hielp hem zich te concentreren. Wis-sel. Een vreemd, maar treffend woord. Alles had een prijs. Was dat niet waar het om draaide? Hij knikte mompelend.

'Ik doe het.'

De jongen stond op en stak een heel stuk boven de man zonder benen uit.

'En het pistool?'

Wolfi ontweek zijn blik, maar antwoordde: 'Dat heb ik niet nodig.'

19

Gus van Zant had de smaak van de dood in zijn mond. De smaak was wrang, als van tranen van verlies. Gus dacht dat hij dood was. Hij had dood moeten zijn, maar was hier. Levend. Of was hij toch in de hel beland? Hij bad tot God dat hij ernaast zat. Voor zich zag hij de zee.

De Hidiraczee.

De lucht was wit en oneindig. De hemel drukte als een aambeeld op zijn schedel. Hij had pijn, maar kon er toch zijn ogen niet vanaf houden.

Al dat wit. Dat oneindige wit.

Gus sloot zijn ogen. De hemel verblindde hem.

De zee fluisterde iets tegen hem. De golven raadden hem aan te gaan zitten en te wachten tot het vloed werd. Ze raadden hem aan te luisteren naar het geklots, te wachten tot zijn broek nat werd en hij uiteindelijk geheel overspoeld werd. Hij zou niet verdrinken, beloofden de golven hem. De zee zou hem transformeren, want dat was wat de zee deed. Ze doodde niet, dat had ze nog nooit gedaan. De dood zou de immensheid van de zee onmogelijk maken, want de dood maakte een eind aan veranderingen en transformaties, en dat was nu juist wat de golven in beweging hield.

Gus schudde zijn hoofd.

Na jaren te hebben gestreden tegen Spiegelmann en te hebben bedacht hoe hij hem zou gaan uitschakelen, dacht hij wel onderscheid te kunnen maken tussen fictie en realiteit. Hier op het oneindige strand was realiteit alleen een bedrieglijk woord, dacht hij, terwijl hij zand tussen zijn vuist door liet glijden. Toen zijn hand leeg was, vulde hij hem opnieuw. Hij was niet levend, maar ook niet dood. Hij was niet het monster dat zijn uiterlijk deed vermoeden.

'Wat is er van me geworden?' mompelde hij. Hij schrok op, omdat dit de eerste keer was dat hij zijn stem hoorde, nadat hij wakker was geworden op het strand. Hij voelde zich afschuwelijk alleen. Hij had het nooit erg gevonden om alleen te zijn, maar nu had hij er alles voor over om even zijn hart bij iemand te kunnen luchten. Terwijl hij naar een rots liep, die bij elke stap juist steeds verder leek te liggen, gingen zijn gedachten uit naar Mathis, de tatoeëerster.

Hij had haar nooit verteld wat hij voor haar voelde en zij had net zomin haar hart uitgestort. Dit was ook niet nodig geweest. Het was overduidelijk dat Gus' gezicht oplichtte zodra hij haar zag als hij, soms gewond, soms dronken, de tattooshop binnenkwam. Zelfs een blinde zou het merken.

Gus had zijn gevoelens voor zichzelf gehouden, omdat hij simpelweg nooit had gedacht dat het mogelijk zou zijn iets met Mathis te beginnen. Zij was een kunstenares. Iemand die de huid van haar klanten versierde. Klanten van vlees en bloed. En dat was hij nu niet meer, dacht hij. Vroeger wel. Vóór Spiegelmann. Vóór het Wonderkind.

Er ontging hem iets.

Hij stond op en probeerde zich te oriënteren. Daar was de zee. Ze was oneindig en daar viel niets aan te veranderen. Hij wist dat er in de loop der tijd profeten en Wisselaars waren geweest die tevergeefs de stranden hadden proberen te bereiken. Dwaas om zo hun levens te vergooien. Er was hier niets interessants te bekennen.

Zand.

Wind.

Lucht.

Iets wat voortdurend terugkeerde.

Gus sloeg zichzelf hard. Hij was woedend.

'Ik heb hem gezien!'

Hij had Caius gezien. Vluchtig weliswaar, maar hij wist zeker dat hij het was. Hij wist niet of hij hier te maken had met een visioen of met een droom, maar hij wist dat hij hem gezien had, verzwolgen door de zee. Het beeld van Caius Strauss stuiterend en heen en weer slingerend op de golven van de Hidiraczee, had hem wakker geschud. De Hidiraczee was slechts een herinnering. Een nachtmerrie.

'Caius...'

Gus sloot zijn ogen. Er was nog iets anders wat van belang was in die droom, in dat visioen. Een detail, iets specifieks...

Hij probeerde het precieze moment waarop de jongen in zijn blikveld verscheen terug te halen. De jongen met ontbloot bovenlijf. Gus wist het nog goed. Hij schreeuwde. Ook dát herinnerde hij zich nu. Net zoals hij zich herinnerde een glimp te hebben opgevangen van het teken. Dat vervloekte Teken van de Roos. Het zat er nog, dacht hij gerustgesteld. Hij zuchtte.

Een geur. Hij herkende hem: de bittere geur die gepaard ging met het visioen van Caius en dan wegzweefde op de wind. De geur die hij net zo goed kende als die van bloed. Cordiet. Kruit.

Op dat moment herinnerde hij zich weer hoe hij zijn pistool op Caius had gericht, in de nacht waarin de Verkoper Yena Metzgeray had opgeroepen en hijzelf was veranderd in een zeekat.

Er liep geen adrenaline door zijn slappe, niet dode, maar ook niet levende lijf. Misschien ook wel geen bloed.

Als hij niet levend was, maar ook niet dood, kon er dan bloed door zijn aderen stromen?

Hij trok een verdwaasde grijns. Hij zou moeten proberen te begrijpen wat Caius doormaakte om hem te kunnen helpen, maar werd overweldigd door herinneringen. Hij bevond zich in een gang met achter elke deur een herinnering.

Zijn lippen werden overladen met kussen, de geur van de vrouwen met wie hij naar bed was geweest prikkelde zijn neusgaten. Het leek alsof hij de moedermelk die hij als baby had gedronken kon proeven, totdat de deuren in de gang veranderden in grote, zware, gepantserde deuren en hij hijgend besefte dat hij in de gang vast zou blijven zitten als hij niet snel iets ondernam. Op dat moment dacht hij het gelach van Faust, de duivel, te horen. Maar het was de duivel niet; het was het geschater van de zee die Gus probeerde tegen te houden en te beheksen. De gepantserde deuren – en dat waren de meeste – belichaamden slechte herinneringen.

Hij zat gevangen en kon alleen ontsnappen door de gepantserde deuren open te breken, het ijzer te slopen en de strijd aan te gaan met de monsters die zich erachter verscholen.

Gus voelde zich alsof zijn verraden geliefde of zijn grootste vijand hem in zijn gezicht had gespuugd. Hij werd verblind door een klap en was gedwongen zijn ogen te sluiten. Hij hoorde de verwensingen en beledigingen die hij naar hartenlust had uitgedeeld tijdens zijn omzwervingen. Hij had er geen spijt van.

'Caius,' stamelde hij.

De zee bewoog van voor naar achter.

Van voor naar achter.

De Baardman.

De eerste herinnering aan de Baardman. Het moment waarop ze elkaar hadden ontmoet. Jaren geleden. Het was Pilgrind geweest die hém had opgezocht. Hij had hem verteld dat hij hem lang genoeg had geobserveerd om te weten wat hij aan hem had en hoe sterk zijn wil was. Lang genoeg om te weten dat Gus van Zant, de man met de dreigende blik, het pistool altijd duidelijk in het zicht en twee kruizen in zijn nek getatoeëerd, een getalenteerde

Wisselaar was. Het was hem vooral opgevallen, had hij gezegd terwijl hij Gus' hand in de zijne had genomen, dat hij ondanks alles wat hij gezien en gedaan had – en dat was zelfs toen al behoorlijk wat –, nog steeds een heldere blik had en een zuiver hart.

Gus had hem gezegd op te hoepelen.

Dat was een typerende reactie: hij was bang. Paranoïde als hij was, kon hij het niet verkroppen dat iemand hem had geschaduwd en lang had bestudeerd, en dat hij het niet had gemerkt. En toch was het precies zo gegaan. Pilgrind had tegen hem gesproken alsof hij zijn gedachten kon lezen. Gus had zich naakt gevoeld en had daarom kwaad gereageerd. Maar Gus zou geen goede Wisselaar zijn geworden als hij naast opvliegend ook niet nieuwsgierig was. Een paar dagen na de ontmoeting met Pilgrind was hij op onderzoek uitgegaan.

Uiteindelijk hadden ze elkaar de hand geschud. Dat moment had het leven van Gus totaal veranderd. Er was een oorlog aan de gang en hij was gevraagd deze te beëindigen.

Een smerige oorlog. In Dent de Nuit en in de rest van de wereld. Een die gebaseerd was op listen en leugens.

Het Wonderkind.

Gus snoof de geur op.

Cordiet. Oorlog. Dood.

Hij voelde dat zijn gezicht nat werd. Verbaasd voelde hij aan zijn wang. Hij huilde.

'Caius...'

Waar hij ook was, hij had hem nodig.

20

De Blumenstraße kon vanwege de huizen en de bloemen geen werkelijke straat zijn. Er was daar geen enkel spoor van de bombardementen die hadden plaatsgevonden. Nergens waren kraters te zien, nergens lagen dode lichamen. De voorgevels van de huizen waren versierd met fresco's en de avondzon weerkaatste in de ramen. Op de balkons stonden prachtige rode geraniums. De straat werd omgeven door bloeiende rozenstruiken. Om nog maar niet te spreken van de idyllische bloemenperken die de suikerhuisjes omringden en het gras dat geurde naar de lente.

Wolfi haalde diep adem. Hij kon het niet geloven. Hij deed zijn rugzak af en trok aan de sluiting. Hij ademde diep in en zette toen zijn gift in het midden van de rijweg, waar een roze, granieten fontein het uitzicht op de horizon onderbrak.

De fontein had een bizarre vorm. Het was een kikker met een tutu aan. De kinderlijke kant van de jongen kon erom lachen, maar de andere kant maakte zich zorgen. De jongen schraapte zijn keel. Hij voelde zich niet prettig bij de aanblik van die kikker en had een slecht voorgevoel.

'Ik ben hier!' schreeuwde hij in de wind.

Er heerste een totale stilte.

'Ik wil tegen je spelen!' riep hij nogmaals. 'Ik heb een cadeau voor je meegebracht!'

Zijn woorden werden opgeslokt door de stilte. De huisjes van suiker waren te perfect. Alsof ze spotten met degene die hen bekeek. De rozen leken te sissen als slangen en de karmijnrode geraniums maakten dat Wolfi pijn in zijn hoofd en ogen kreeg. De jongen stapte achteruit. Hij was duizelig. Er was iets aan het veranderen. De geur in de Blumenstraße werd zo intens dat hij een mist vormde en Wolfi benauwde. Hij was nu niet alleen maar duizelig, maar kreeg ook krampen. Overal had hij pijn. In zijn kuiten, zijn maag, zijn rug. Hij ging op de grond liggen in de foetushouding, dubbelgevouwen.

'Waarom?' riep hij met het laatste beetje energie dat hij nog in zich had. 'Waarom doe je me dit aan?'

En vreemd genoeg antwoordde een stem: 'Omdat het geen spelletje is.'

'Wie zei dat? Waar ben je?'

'Ik ben Degene van het Laatste Spel. Degene die jij zocht.'

De geurenmist – rozen, blauweregens, gentianen, sleutelbloemen, alles stond in de Blumenstraße – verstikte hem.

'Ken je de regels?' vroeg de stem.

'Nee,' gaf Wolfi toe.

De lucht werd donkerder.

'En toch wil je spelen.' Geen vraag maar een constatering. En weer antwoordde de jongen: 'Ja, dat wil ik.'

De mist drukte op zijn keel en borst, maar de jongen was sterk. Dit was wat hij met heel zijn hart en ziel wilde: spelen. En winnen.

'Weet je wat de prijs is?'

Waarom liegen? 'Nee.'

Een bulderlach. Vermoeidheid.

'Wat wil je?'

De jongen maakte zijn lippen nat. Ondanks de pijn stond hij op. De krampen werden erger, de mist voelde als een steen die hem haast belette te ademen, maar hij was sterker. Hij moest aan zijn tegenstander laten zien dat hij sterker was.

'Ik wil alles.'

'Alles?' echode de stem minachtend. 'Wat bedoel je met alles?'

Wolfi voelde zich in het nauw gedreven en twijfelde. 'Ik wil de wereld.'

Nu was het donker en geurden de bloemen minder sterk. Minder wreed. Minder pijnlijk.

'Alleen de wereld? Deze wereld? Zie je niet dat die alleen bestaat uit ruïnes en puinhopen?'

'Jawel.'

De stem klonk nu harder en spottender. 'En de andere werelden? Vind je die niet interessant?'

'Andere werelden?'

Zelfs in zijn stoutste dromen had Wolfi niet gedacht dat er meer werelden bestonden. Opeens leken zijn wensen schraal en beperkt. De man zonder benen had gelijk gehad. Wat de Bloemenman kon, ging ieders fantasie te boven. Wolfi was opgewonden. Zijn stem trilde toen hij zijn vraag herhaalde.

'Zijn er dan andere werelden?'

'Ja, er zijn vele andere werelden te veroveren, te bezitten en te domineren.'

'En mag ik dat?'

'Dat weet ik niet.'

Hij werd kwaad toen hij dit antwoord hoorde. 'Ik wil alle werelden.'

'Jongen...' zei de stem, 'ik kan je de sleutel geven van de Linkshandige Deur, de rest...'

'Die wil ik.'

Stilte. De rozen sisten.

Weer die stem. Hij klonk vermoeid. 'Je hebt een talent, wist je dat?'

'Ja, dat weet ik.'

'Maar je ambities zijn groot.'

'Ook daar ben ik me van bewust.'

'Jammer, want je bent nog maar een jongen. Ik...'

'Noem me niet zo!' schreeuwde Wolfi, zwaaiend met zijn pistool. 'Ik heb gedood en andere dingen gedaan die... jij je niet eens voor kunt stellen!'

'En dat maakt je volwassen? Speciaal?'

'Ik ben geen jongetje meer. En laten we nu eindelijk gaan spelen!'

'Vooruit dan maar, *mein Herr*,' zei de stem schertsend. 'Maar wil je niet eerst zien wat de prijs is die je kunt winnen? Wil je de Tuin niet zien?'

Wolfi twijfelde. 'Wat is de Tuin?'

Wat een veelbelovend woord was dat: Tuin.

'Alle werelden, in één tuin. De Tuin aan de andere kant van de zee.'

'Die wil ik wel zien.'

'En wat ga je ermee doen?'

'Ik wil de werelden...'

'Wil je over de werelden heersen?'

'Ik...'

'Wil je aanbidders? Wil je kunnen beslissen over leven en dood? Wil je een god zijn?'

De woorden van de onbekende brachten hem eerst in een roes, maar vervolgens van zijn stuk. Hij kreeg kippenvel en zijn haren gingen rechtovereind staan; de woorden van de Bloemenman waren geen beloften, maar bedreigingen.

'Ik...'

'Wat wil je, Herr?' Weer dat woord, dat misschien nog wel minachtender klonk dan 'jongen'.

'Ik wil...'

Wolfi's ogen begonnen te glinsteren en zijn lippen vormden een baviaanachtige grijns. Ik wil overal een prijs aan kunnen geven. Aan de vissen in de zee, aan het water waar ze in zwemmen. Een prijs aan alles. Ik hoef niet zo nodig dingen te bezitten. Ik wil alleen... macht, dacht hij.

'Verkopen,' antwoordde hij.

Stilte, totdat de bloemen kleurrijk begonnen te stralen en de huizen op-
lichtten. Licht en kleur vormden een donder.

'Is dit je geschenk?' tierde de stem boven het gedonder uit.

'Ja.'

'Ik hoef het niet.'

'Het is...' Het onweer was het geheel van alle gevallen bommen op de in
vlammen en as gehulde stad, plus nog duizenden andere. '... een cadeau. Je
moet het aannemen.'

'O ja?'

Het onweer hield op.

De jongen keek naar wat er midden op de weg stond. Het cadeau dat hij
mee had gebracht voor Degene van het Laatste Spel. Hij had gedaan wat de
man zonder benen hem had aangeraden. Hij had een cadeau meegenomen
om de Bloemenman gunstig te stemmen. Hij had er geen seconde over na
hoeven denken. Hij twijfelde niet toen hij het uitkoos; uitverkorenen twij-
felden nooit.

Als hij de Bloemenman was geweest, had hij zich verheugd over zo'n geschenk.

Een steekvlam.

Het hoofd van zijn moeder aan de voet van de fontein verbrandde in een
seconde. De zwarte vlam scheidde haar van de jutezak waar ze in zat. Zijn
geschenk was het hoofd van de vrouw uit wie hij was geboren.

Toen er niets dan as en stank over was van het hoofd van Wolfi's moeder,
maakte de Bloemenman zich bekend.

'Zo, dus jij wilt spelen?' vroeg hij.

De zonsondergang in de Blumenstraße leek een eeuwigheid te duren. Het
was moeilijk in te schatten waar het donker precies begon en het licht eindigde.

'De regels. Bloemenman.'

'Wil je spelen?'

'Eerst wil ik weten hoe je heet. Hoe je echt heet.'

'Ik heb vele namen.'

'Niet om de zaak heen draaien, ouwe.'

'Ik heet Pilgrind en ik ben een Portier. En daar moet je het mee doen,' zei
de figuur venijnig.

De jongen was geschokt. Hij had verwacht dat de Bloemenman begreep hoe bang hij was om werelden te veroveren en aanvoelde hoe hij walgde van de werkelijkheid waarin hij gevangenzat. Maar nee. De Speler minachtte hem.

De jongen stond op en maakte zich groot, bijna alsof hij ging salueren. Hij had een kille, vastberaden blik in zijn ogen.

'Jij mag me niet, hè?'

'Nee,' antwoordde Pilgrind naar waarheid. 'Ik mag je niet, en ik hoop dat jij hetzelfde eindigt als alle anderen.'

'Die hebben verloren?'

'Die mij hebben uitgedaagd.'

Hij strekte zijn arm. Daar waar eerst sleutelbloemen, gentianen en rozen stonden, lagen nu schedels en botten, en vlogen vliegen. Dat was wat er over was van degenen die zo stoutmoedig waren geweest de Bloemenman uit te dagen.

'Ze zijn dood.'

'Ze hebben tenminste een poging gewaagd.'

'Ik ga geen poging wagen.'

De Portier keek hem vol verbazing aan. 'Wil je je terugtrekken?'

'Nee.' De jongen schudde zijn hoofd. 'Ik waag geen poging, oude man, ik ga winnen. Sterker nog: ik heb al gewonnen.'

'Ik heb gezegd dat je talent hebt.'

'Dat heb je inderdaad gezegd.'

'Ik heb ook gezegd dat je nog te jong bent.'

'Dat heb je ook gezegd,' beaamde de jongen, 'maar daarin heb je je vergist.'

'Een Portier doet veel dingen, mein Herr, maar zich vergissen hoort daar niet bij.'

'Ik zal het tegendeel bewijzen.'

'Je hebt het al bevestigd met je brutaliteit.'

'Ik ben niet brutaal.' De jongen balde zijn vuisten.

'Brutaal? Zei ik dat dan?'

'Ja, dat heb je gezegd, ouwe.'

'Ik bedoelde: stom,' grijnsde de Portier.

De jongen lachte.

'Ik weet wat je van plan bent.'

'Dat betwijfel ik. Jouw brein is... beperkt. Slecht en beperkt.'

'Je wilt me in de war brengen.'

'Dat wil ik helemaal niet. Ik heb geen trucjes nodig.'

'Schiet op dan met die regels.'

Pilgrind knikte. 'De regels zijn simpel. Eén: eerst luisteren, dan spelen. Twee: je hebt het recht één vraag te stellen.'

Een pauze.

Wolfi trappelde van ongeduld. 'En de derde? En de derde regel?'

'En daarna sterf je,' antwoordde Pilgrind droog.

'Dat zullen we nog wel eens zien.'

De Bloemenman slaakte een diepe zucht. De Blumenstraße rilde.

'Er ontbreken drie spijkers uit de Tuin,' dreunde de stem eentonig. 'Dit zei de schildpad lachend tegen Achilles. Eén is de kwelling van de angsthaas. De tweede is de droom die Nero verbrandde, en de derde is de spijker waar de strijder over struikelde.' Hij klapte in zijn handen.

Het hele terrein begon te schokken en er ontstond een breuk tussen Pilgrind en de jongen.

'Er ontbreken drie spijkers uit de Tuin, zei de schildpad lachend tegen Achilles. De ene geeft toegang tot de wijze die nooit weg zal gaan. De tweede geeft toegang tot de gek die nooit terug zal keren, en de derde is de omhelzing van de wanhopige die spoedig in de zee zal worden gedoopt.'

Pilgrind kreunde. Zijn gekreun veranderde in licht en het licht in vuur. Er doemden voorwerpen op in de vlammen. Het vuur doofde, maar de voorwerpen bleven. Drie bloemblaadjes, drie spijkers en een spiegel.

'Er ontbreken drie spijkers uit de Tuin, zei de schildpad lachend tegen Achilles. Herinner je je iets, heldenmoordenaar?'

Pilgrind verhief zijn stem. Hij schreeuwde bijna. 'Er ontbreken drie spijkers uit de Tuin, zei de schildpad lachend tegen Achilles, er ontbreken drie spijkers uit de Tuin...' raasde de oude man, met alle energie die hij in zich had, 'schreeuwde de schildpad lachend tegen Achilles. Drie omgekeerde bloemblaadjes, drie witte stekels, drie druppels wijn en drie linkshandige schimmen.'

Hij sperde zijn ogen wijd open. Ze vlamden.

'Ga open, deur! Hij zal verzwolgen worden!'

Na deze woorden vlogen palen en bloemen uit de grond. De bestrating barstte en de jongen slingerde tegen de stoeprand. Hij bloedde licht, maar had het niet in de gaten. Wolfi kreunde zachtjes en kroop toen overeind.

'Wat betekent dat in 's hemelsnaam?'

Pilgrind antwoordde niet. Hij bleef kaarsrecht, met zijn armen over elkaar, naar Wolfi staan kijken. Er lag minachting in zijn blik.

Wolfi ging door het lint. 'Je hebt me belazerd.'

'Is dat je vraag? Is dat echt je vraag?'

'Je speelt vals!'

'Niet waar. En nu mag je geen vraag meer stellen.'

'Dat is niet eerlijk! En dat slaat nergens op!'

'Dit is het Spel. Het Ritueel van de Linkshandige Schim.'

'Dat slaat nergens op,' herhaalde de jongen verbaasd. 'Hoe kan een schim nou linkshandig zijn?'

'Heb je wel geluisterd, mein Herr?'

'Ja, maar ik...'

Pilgrind kapte hem af met een kort handgebaar.

'Als dat zo is, speel dan nu. Ik heb niet de hele dag de tijd.'

'Verdraaide oude vent die je bent! Ik ben weg.'

'Dat kan niet. Als je eenmaal aan het spel begonnen bent, kun je niet meer terug.'

De jongen hield een zakmes voor zijn neus met aan het blad nog opgedroogd bloed.

'Ik heb mijn moeder onthoofd, ouwe. Denk je dat ik bang voor je ben?'

Pilgrind glimlachte. 'Voor mij niet, nee. Maar voor hen wel.'

De jongen herkende de wezens niet. Het leken hem zwarte, gevaarlijke slangen.

'Aanvreters geven een kus,' legde Pilgrind uit.

'Wat...?' vroeg Wolfi. Hij trok wit weg. 'Wat zijn het?'

'Je stelt telkens de verkeerde vragen. Je moet niet vragen wat ze zíjn, maar wat ze dóén.'

'Stuur ze weg!' De jongen probeerde dreigend te klinken, maar het enige wat hij teweegbracht was dat de wezens gingen sissen. 'Weg!'

'Pas als we klaar zijn. Het Ritueel van de Linkshandige Schim mag niet onderbroken worden.'

De jongen schudde zijn hoofd. 'Smerig varken!' mompelde hij.

Hij gooide het mes aan de kant en ging zitten. Hij nam de voorwerpen tussen zijn vingers en bekeek ze aandachtig.

'Het Ritueel van de Linkshandige Schim,' herhaalde hij. 'Er bestaan helemaal geen linkshandige schimmen. Een schim is maar... een schim.'

Drie bloemblaadjes, drie spijkers en een spiegel. 'Jij met je absurde puzzel. Achilles en de schildpad,' grinnikte hij. 'Een raadsel voor oude perverselingen.'

Hij bestudeerde de voorwerpen lange tijd.

'Ouwe...'

'Verspil je adem niet.'

'Weet je nog wat ik heb gezegd?'

'Je praat te veel. Ik kan niet alles onthouden wat je zegt.'

'Ik ben speciaal, ouwe. Heel speciaal.' Hij sloot zijn ogen en begon een Wissel voor te bereiden.

Als in deze voorwerpen een geheim besloten lag, zou hij het vinden. Hij was bijzonder.

Hij wist hoe hij een Wissel moest produceren. Hij zou winnen. Hij moest winnen.

21

Z ijn tranen raakten het water en muteerden. Ze veranderden in zilver. Als zilveren munten.

Het zilver van de Hidiraczee had een bijzondere uitwerking op degene die erin dook. Deze moest onder hevige pijn al het zilver bij elkaar proberen te rapen.

Hoewel het voelde alsof hij ondergedompeld werd in een zuur, zette Gus van Zant door. Deze keer wel. Hij was het zat te verliezen.

Hij verzamelde het zilver. Hij verzamelde alles. Al zijn tranen. Toen hij klaar was, bevond hij zich weer op het strand.

Niemand hoorde zijn geschreeuw. Daar op het zonovergoten strand, waar de eentonigheid van het zand en de golven slechts doorbroken werd door het gekrijs van de zeemeeuwen en het albasten schitteren van de rotsen, schreeuwde de man tot hij zijn stem kwijt was.

Eenmaal schor geworden, negeerde hij de stortvloed aan opkomende vragen en daarmee zijn angst en lusteloosheid, die hierdoor aangewakkerd dreigden te worden, pakte al de zilveren tranen bijeen en begon ze te kneden.

Hij werkte met een grote glimlach op zijn gezicht. Hij kon altijd al goed met zijn handen werken, maar wat hij op dat moment aan het maken was, terwijl het zeewater zijn kale hoofd deed glimmen, was een waar kunstwerk.

Hij was een strijder, een Wisselaar, zeker geen kunstenaar. Het was alsof de zee zijn vaardigheden had verfijnd en zijn handen nu geen enkele moeite meer hadden om wat hij in zijn hoofd had te concretiseren. Hij moest het Wonderkind tegenhouden en dat kon maar op één manier: met muziek. Want het Wonderkind was zelf muziek.

Gus stelde zich een zilveren klok voor. Zijn handen mengden het zilver met zand. De klok was prachtig. Hij verspilde echter geen tijd om hem te bewonderen. Hij ademde diep in en begon de klok te luiden. Gus sloeg hard, met zijn vuisten. Hij gebruikte alle kracht die hij in zijn armen had. Ondanks de pijn lachte hij.

22

D e jongen hijgde. Hij keek strak voor zich uit en zijn handen trilden. Een aandoenlijk tafereel. Aandoenlijk en wreed.

'Ik durf te wedden dat je je naam niet meer weet, Herr.'

De jongen bewoog zijn hoofd in de richting van de Portier. Er hing een sliert slijm aan zijn mondhoek. Hij zag er niet meer uit als een kind, eerder als een afgebeulde overlevende van een concentratiekamp, met zijn slappe huid, uitstekende botten en uitpuilende ogen.

'Ik... heb... het... bijna...'

De drie bloemblaadjes waren verbrand en verschrompeld. Er was slechts een zwart balletje van over, dat spoedig door de wind zou worden meegevoerd.

Van de drie spijkers was er één vergaan tot een hoopje as en roest. Van een andere was slechts een stukje rokend metaal over, maar de laatste was intact en lag voor de jongen. Het leek alsof hij hem wilde uitdagen. De jongen sloeg zijn ogen neer en concentreerde zich.

'Schaduw... schaduw...' zei hij. Hij staarde nu aandachtig naar zijn schaduw op de grond.

'Heet je Schaduw?'

'Hou je mond. Ik weet hoe ik heet.'

Het bleef stil.

Pilgrind grijnsde. 'Natuurlijk, natuurlijk. En je moeders naam? Of die van je vader? Weet je die nog? Of weet je dan ten minste nog in welke stad we ons bevinden?' Hij hitste de jongen op. 'Of in welk land? Weet je nog hoe ik heet? Of waarom je hier bent?'

'Ja hoor,' mompelde de jongen, 'dat weet ik wel.'

'Echt waar?'

'Alles heeft een prijs. Alles is te verkopen.'

Pilgrind spuugde op de grond. Hij had een immens mes in zijn hand.

'Wat ben je van plan?'

'Je uit je lijden te verlossen. Je hebt te veel Wissels geproduceerd en daarvoor te veel herinneringen gebruikt. Ik heb niets meer aan je.'

'Ik ben nog niet klaar. Je mag niet vals spelen. Je hebt verloren, ouwe.'

Hij sloeg de spiegel aan gruzelementen.

Er verscheen een glimlach van verlichting op zijn gezicht. 'Ik heb het opgelost.'

'Wat?'

'Jouw zielige raadseltje.'

'Dat van Odysseus en de geit?'

'Dat ja.'

'Of het raadsel van de Minotaurus en het konijn?'

'Hou op.'

'Of was het toch het raadsel van Proserpina en de slang?'

'Hou je bek.'

Pilgrind lachte. 'Je herinnert je niets meer door al die Wissels.'

'Ik had toch alleen maar slechte herinneringen.'

'Je bent zelfs het heden vergeten.'

'Dat is niet erg.'

De jongen raapte zorgvuldig alle scherven van de spiegel op.

'De toekomst is van mij. Kijk!' riep hij uit. 'De toekomst is van mij!'

Hij stak ieder stukje glas, zelfs het kleinste en onbelangrijk lijkende stukje, in zijn uitgemergelde gezicht. Hij was een machtige, getalenteerde Wisselaar. Precies zoals de Portier had aangevoeld. Het materiaal vervormde precies zoals gepland.

'Ziek...' fluisterde Pilgrind. 'Ik heb nog nooit iemand gezien met zo'n zieke...'

De jongen stond grijnzend op, legde zijn hand met de hele spijker op de grond, precies op de schaduw, en nagelde zichzelf met de spijker vast.

'Herr Spiegelmann,' mompelde de jongen, 'dat is mijn naam.'

'Je bent gek.'

'Ik heb de Schaduw gevangen. Ik heb gewonnen.'

Dat was waar. De schaduw bleef, mits de jongen niet bewoog, precies omsloten door zijn hand, als een spin met vijf poten. Hij spartelde, als een levend wezen.

Pilgrind gaapte de jongen vol ongeloof en afschuw aan.

'Ik heb gewonnen!' jubelde de jongen.

Nu was het Pilgrinds beurt om te lachen. Hij bulderde harder dan duizend bommen bij elkaar.

'Ben je blij met je prijs? Moet je jezelf nou zien.'

In het midden van Wolfi's hand, daar waar de spijker een gat had achtergelaten voordat hij de grond in was gedrongen, was een roos met twee bloemkronen ontstaan. Ze hadden bloedrode bladeren.

Pilgrind schaterde het uit. 'Daar is je prijs. De prijs waar je niets van zult begrijpen!'

De twee kronen van de roos bewogen in cirkels. Ze was adembenemend mooi. De Schoonheid zelve. En gevaarlijk. Herr Spiegelmann sloeg haar verward gade. En vervolgens vol afgunst.

En uiteindelijk vol gruwel.

'Jij!' riep hij uit.

Pilgrind bleef maar lachen. 'Wat heb ik je gezegd? Heb ik je niet gewaarschuwd? Jouw brein is beperkt en... slecht! Dit is je prijs! Dit is je Tuin!'

'Eén roos?' jankte Herr Spiegelmann. Hij was overstuur en werd gek van de pijn. Hij had ervan gedroomd overal een prijs aan te kunnen geven. Aan alles. 'Hou je me voor de gek? Is dit je Tuin? Eén pietluttige... roos? Is dat wat ik heb gewonnen? Al deze pijn, dit allemaal... voor een... roos?'

Hij greep hem bij de steel en...

'Niet doen!'

... knakte de roos.

De wereld stortte in.

23

Gus van Zant bleef maar slaan.
De klok veranderde in een smeulende zilveren massa. Het zilver steeg
op.

Gus sloeg maar en sloeg maar.

Het zilver beroerde zachtjes de hemel en dook toen de zee in. Het spoelde
aan bij de stad van vuur en as.

24

H et was te verwachten dat het kabaal dat Gus van Zant met de klok maakte, die hij eigenhandig van zijn tranen had geboetseerd, verder reikte dan het strand. Het klokgelui brak door menige geluidsbarrière voordat het de oren van Caius bereikte. Het lawaai voerde de jongen weg van de hel waarin hij zich bevond, van Spiegelmanns herinnering en van Pilgrinds marteling. Het klokgelui bereikte uiteindelijk ook Dent de Nuit.

Laure Blanc droomde dat ze terug was in Normandië. Laure was schilderes, 89 jaar en geboren in Rouen, de stad van de heilige Jeanne d'Arc. Ze droomde van de heksenhoedvormige toren waarin Jeanne opgesloten had gezeten, tot ze opeens een vertederende melodie hoorde.

Ook Geoffrey Bertoldi droomde van de melodie. Maar omdat Geoffrey, in tegenstelling tot mevrouw Blanc, een Wisselaar was, werkten zijn zintuigen beter. Hij hoorde niet alleen het geluid, hij zag ook een oneindig strand dat langs een zee liep die hij nog nooit in zijn leven had gezien.

Geoffrey had altijd al gedroomd van een avontuurlijk leven, vol reizen en gevaarlijke ontmoetingen. Hoewel de avontuurlijke landschappen duidelijk op zijn netvlies stonden, had hij ze slechts gedroomd. Hij was nog nooit Parijs uit geweest.

Zodra hij de melodie hoorde, die deed denken aan de klok van de kerk waar hij iedere zondag heen ging, en het strand zag, dook Geoffrey – in werkelijkheid minder dapper dan in zijn dromen – de golven in, lachend als een kind.

Toen bij zonsopgang zijn vrouw opschrok uit een nachtmerrie waarin ze herleefde hoe een demon de handen van Geoffrey afhakte, en naast zich keek, was hij weg. Het enige wat er lag was zijn kussen, doorweekt van zout water.

Alceste Blédur was geen Wisselaar en ook geen kunstenaar. Het was zijn ontvankelijkheid voor verborgen werelden die hem te gronde had gericht. Hij had al psychofarmaca geprobeerd om ervan af te komen, maar die waren zo sterk dat hij er slaperig van werd en niets van de werkelijkheid meekreeg. Zodra de opium uitgewerkt was, keerden de werelden terug.

Psychologen en psychiaters hadden hun uiterste best gedaan om zijn klachten te interpreteren, maar begrepen er niets van.

Zijn vrouw Nadine, voor wie hij als een blok was gevallen toen hij haar de weg vroeg naar de dichtstbijzijnde tramhalte, had geprobeerd begrip voor hem op te brengen. Ze was een tengere, intelligente vrouw. Ze had geprobeerd zijn kwellingen te begrijpen, maar het was haar niet gelukt.

Alceste besloot op een dag zijn medicijnen niet meer in te nemen.

Hij had Nadine verlaten, zonder haar vaarwel te kussen of een briefje achter te laten, en had zich overgegeven aan hallucinaties en demonen. Hij had zich letterlijk overgegeven aan de golven.

Soms waren de hallucinaties plezierig. Velden met margrietjes die opdoken tussen boulevards en pleinen. Andere daarentegen prikten in zijn ogen als zwermen wespen. Hierdoor besloot Alceste het lot in eigen hand te nemen en zichzelf cognac voor te schrijven. Flinke doses cognac verzachtten zijn pijn. Op zijn manier was Alceste gelukkig. Daar kwam verandering in toen hij onder de d'Oubli-brug, omringd door karton en dekens, droomde van de klok, van de man die hem luidde en van de zee. Deze zee betekende zijn ondergang. Ze was mooi. Oneindig mooi. Zoiets had hij nog nooit eerder in zijn leven gezien. Niet in de werkelijkheid en niet in zijn hallucinaties.

Alceste ging in zijn droom naast de man met de donkere bril zitten, die niets leek te merken van zijn aanwezigheid, en keek naar de golven. Hij bestudeerde ze een voor een en bewonderde ze om hun pracht. Elke golf was anders. Elk was een ontdekking op zich. In elke golf, in elke reflectie in het water zag hij een wereld.

Toen hij wakker werd draaide hij door. Het was zelfs zo erg dat iemand hem uiteindelijk bij de Kikkerfontein moest wegslepen, die hij met zijn hoofd probeerde te vernielen. Hij wilde terug naar de zee, tierde hij. En die verdraaide kikker zou hem kunnen helpen.

Arthur Darquandier was wakker toen Gus de klok luidde. Hij vervloekte de kou en rookte de ene sigaret na de andere in het enige onderkomen dat hij kon vinden in Dent de Nuit: zijn stinkende oude Peugeot. Het was krap in de auto voor een dikke man als hij.

Arthur was een Wisselaar die Dent de Nuit alleen uit verhalen kende. Eén ding was zeker: als hij daar was geboren, zou hij die nacht niet in zijn stinkende auto hebben geslapen.

Hij was geboren in Marseille en had ervaring opgedaan in bendes. Hij had daar een lelijk litteken aan overgehouden, iets onder zijn elleboog.

Arthur had gehoord dat er iets aan het veranderen was in Dent de Nuit. Dat er iets was gebeurd. Niemand wist precies wat, en de officiële informatiebronnen als kranten, televisie en radio werden niet betrouwbaar geacht. Arthur had de beschikking over andere bronnen en hoefde daarom weinig moeite te doen om erachter te komen dat er iets in Dent de Nuit gaande was en dat hij erheen moest. Hij wist niet precies waarom, maar hij voelde dat hij er moest zijn. Als een zwaluw, zou Fernando de boekverkoper hebben gezegd, voelde hij dat Dent de Nuit het noorden was waar hij heen moest.

Eenmaal in zijn auto wist hij het toch niet meer zo zeker. Hij had heimwee naar Marseille en de naar basilicum geurende balkons. Naar de glimlachende vrouwen en de zee. Parijs beviel hem niets. Dent de Nuit was een beerput, maar Arthur wist niet hoe hij eruit moest ontsnappen. Hij was midden in een oorlog terechtgekomen.

Nu lachte hij erom dat hij zo naïef was geweest om naar het noorden te gaan. Al drie dagen bevond hij zich nu in die dolle wijk. Hij had Wissels op Caghoulards en andere Wisselaars losgelaten en zich onoverwinnelijk gevoeld.

Maar dat was hij niet. In de verste verte niet. Hij stak nog een sigaret aan, niet wetend dat dit zijn laatste zou zijn.

Zijn auto was omringd door Caniden. Tientallen. En door Caghoulards. Hoeveel? Een heel leger. En door die dolle Lykantroop. In het rood gekleed en sneller dan de wind.

Arthur opende het raampje van zijn Peugeot en gooide de sigarettenas op het ijs.

'Nee.'

Dat was zijn laatste woord.

Op dat moment hoorde hij de klok.

De dag erna werd hij gevonden in de bestuurdersstoel van zijn Peugeot. Zijn kleren droog, een uitdrukking van verbijstering op zijn blauwige gezicht en zijn longen vol met water.

25

Wat zag Caius voordat hij werd weggevoerd van die oneindige vlakte
vervuld van zilver en kabaal?

Hij zag Pilgrinds glimlach, die leek op de grijns van een haai. Het was geen
woedende grijns, maar een angstige.

Hij zag de Roos van Angol, gespleten, als een gekeeld varken bloed spui-
ten in de Blumenstraße.

Hij zag de resten van de vissen en andere wezens die zich in Herr Spiegelmanns hoofd hadden bevonden uit elke jaap omhoogkomen die veroorzaakt
was door de stukken glas die in zijn gezicht staken.

Hij zag dat het lichaam van de Verkoper opzwol, tot het zo rond was dat
het elk moment kon ontploffen.

Hij zag dat Pilgrind doodsbang op de vlucht sloeg. Hij rook de angst van
de Portier.

Hij zag nog veel meer dingen, maar zijn hoofd weigerde die te registre-
ren.

Bovendien had hij pijn, maar pijn was iets waar Caius inmiddels veel ervaring mee had.

Ten slotte zag de jongen opnieuw de geknakte steel van de roos. De steel
die was ontstaan uit een microscopisch lichtpuntje en vervolgens een vlam
was geworden. En verder zag hij hoe een minuscuul, zwart wolkje uit de gespleten steel tevoorschijn kwam en bij Spiegelmann, via zijn neusgaten en
zijn mond, waarmee hij schreeuwde van nijd, naar binnen drong. Een klein
druppeltje. Een eenvoudig, klein, donker druppeltje.

Op dat moment werd Caius' aandacht getrokken door een ver klokgelui.
Hij schreeuwde het uit, maar zijn geschreeuw botste tegen het zilver van die
drukkende, machtige klanken. De klanken vormden een muur en de muur
beschermde Caius tegen de explosie in de Blumenstraße. De klok bleef slaan.

Het klokgelui veranderde in vuur.

En het vuur slingerde Caius ver weg.

26

Primus, de man die de Jagers vader noemden, sloot de dubbele deur en bleef in de voorkamer staan, waar een door motten aangevreten stoel en een metalen tafeltje stonden en gestolen waar lag. In de vloer stonden krassen die veroorzaakt waren door alle versleepte spullen. Op de tafel stonden een karaf met lauw water en een glas. Meer niet.

Primus zuchtte. Het enige waar hij op vertrouwde was pijn, maar dat wilde niet zeggen dat hij er gek op was. Hij was blij met wat pijn met hem deed. Die wakkerde zijn woede aan. Versterkte zijn vastberadenheid. Maar er waren momenten, zoals nu, waarop hij schrok van zijn pijn. Hij was krachtiger dan hijzelf. Veel krachtiger. Hij kon het idee niet verdragen een prooi te zijn in plaats van een jager. Nooit. Want een Jager had slechts één missie: Lykantropen vangen en hun furie in de kiem smoren. En als er iets was waar een Jager van genoot, dan was het wel de verdwijning van de furie van de wolf die leidde tot gehoorzaamheid en uiteindelijk tot de transformatie naar Canide en slaaf.

Primus controleerde of de deur van de voorkamer goed dichtzat en begon de pilotensjaal die zijn gezicht verhulde los te knopen.

Er was weinig van zijn gezicht over. Het was een arabesk geheel van brandwonden en littekens met in het midden twee heldere, doordringende ogen. Ogen van een jager, glimmend als edelstenen. Geschifte ogen, met verschroeide wimpers.

Met een elegante beweging ging hij zitten. Hij legde zijn zijden sjaal op zijn schoot en pakte een glazen flesje uit zijn zak. Het flesje rinkelde. Er zaten kleine pilletjes in met een koude, metaalachtige kleur. Primus schudde het flesje heen en weer, pakte er drie pilletjes uit en bracht ze naar zijn mond.

Hij twijfelde even, maar legde ze toen toch, met een grijns, op zijn tong. Hij sloot zijn ogen. De pijn, de enige werkelijkheid en god waar hij in geloofde, sloeg meteen toe. Primus' ingewanden brandden en trokken pijnlijk samen. Zijn keel prikte alsof hij zweerde. Doordat hij last kreeg van spasmen ontstonden er grote, dikke aderen op zijn voorhoofd en in zijn nek. Hij beet op zijn tong om niet in brullen uit te barsten.

Hij geloofde in pijn en zwoor bij stilte. Stilte was heilig en heimelijk. Pijn, geheim en stilte vormden Primus' drie-eenheid. De brandwonden in zijn gezicht de stigmata van zijn obscure heiligheid.

Hij zette zijn nagels in de armleuningen van de stoel en goot toen de pijn ondraaglijk werd hijgend de hele inhoud van de karaf naar binnen. Het water verzachtte even de brandende sensatie. Uiteindelijk overheerste de pijn, triomfantelijk. Omdat het water op was gooide Primus de karaf tegen de muur. Het gerinkel van het glas klonk samen met de schaterlach van Spiegelmann.

Primus balde zijn vuisten en knarsetandde zo hard dat er splinters van zijn tanden braken. Hij vloekte toen zijn poging om uit de stoel op te staan mislukte. Hij haalde diep adem, kreunde en probeerde het nog eens. Tevergeefs. Zijn benen konden zijn gewicht niet dragen en verraadden hem. Hij viel op de grond, happend als een pasgeboren hondje. Hij vertrok zijn gezicht en tierde opnieuw, nog meer geteisterd door de pijn. Het werd steeds moeilijker er weerstand aan te bieden.

Onder andere omstandigheden had hij er allang de brui aan gegeven. Als hij geen missie te volbrengen had, had hij allang de slaap der rechtvaardigen geslapen.

Het was tijd om in actie te komen. Eindelijk. Na al die inactieve dagen verlangde hij naar actie. Hij ging voorzichtig zitten. Langzaam en verkrampt – hij had pijn in zijn schouders, in zijn armen en in zijn buik – wikkelde hij zijn sjaal weer om zijn gezicht. Niemand kon zijn gezicht nu zien. Hij opende de deur.

Primus vond dat het magazijn er onmetelijk groot uitzag en twijfelde.

Spiegelmann wist het. Hij wist alles. Primus beefde.

Spiegelmann was daar. Hij wachtte op hem. Primus liep naar binnen.

27

Midden in de porseleinen badkuip met rode vloeistof dobberde een zwarte figuur, weinig meer dan een uitgerekte foetus. Hij had de dood in de ogen gekeken, maar was eraan ontkomen. Hij had zich van het leven afgekeerd met hoongelach. Hoeveel had dat hoopje aderen en pezen wel niet meegemaakt?

Hij was verraden in de nacht van Yena Metzgeray, omringd door krioelend, verbrand vlees en gespleten botten. Hij had glorie gekend. Het wezen dat nu in de warme rode brij dreef, had enkele fonkelende momenten de overwinning mogen smaken.

Hij had nu slechts een pijnlijke, heldere herinnering aan dit verraad, maar was ervan overtuigd dat hij wel wijzer was geworden. Van de kortstondige glorie was nog minder over dan van hemzelf, dacht hij met een verbeten glimlach.

Als hij nog een gezicht had gehad, zou dat verdronken ding in het rood het vervormde portret zijn van iemand die ten onder was gegaan aan zijn obsessie. Ontdaan van al het overtollige, zijn pijn en zelfs van de zwaartekracht, was er niets meer over van hoe hij was. Zijn ijdelheid, zijn ambitie, zijn overwinningsdrang en zijn wraaklust waren verdwenen. Hij was slechts een homp vlees met als enige behoefte zuurstof.

Zijn opdracht. Zijn missie.

Caius. Het Wonderkind.

En zijn stem natuurlijk. Die had hij nog.

De zoete, verleidelijke stem van de Verkoper. Zijn woorden hadden dezelfde uitwerking als giftige suiker en zijn bevelen werden opgevolgd door soldaten en koortsachtige huurmoordenaars. Slaven die zich bezighielden met zijn niet-leven. Liefdevol als zorgzame moeders en beschermend als minnaars.

Spiegelmann opende zijn ogen. Hij zag Primus naast de badkuip staan dralen.

'Gedeelde smart is halve smart,' zei de Verkoper geamuseerd.

Primus verstijfde. 'Hij is ontsnapt.'

'Ik weet het.'

'Moeten we...?'

'Je moet iets anders voor me doen.'

Primus schudde zijn hoofd. Hij werd misselijk van al dat rood. 'Dat heeft toch geen zin? Het Wonderkind is ontsnapt.'

'Hij komt uiteindelijk zelf naar mij terug, Primus.'

'Ik begrijp het niet.'

'Is het van belang dat je het begrijpt, Primus?'

'Ja.'

Het ding in de badkuip gorgelde. Een lach, misschien.

'Heb je echt liever een banaal antwoord dan een goede vraag?'

'Daarom ben ik hier. Onze afspraken waren duidelijk.'

De rode brij werd woelig en kleurde donkerrood.

'En dat blijven ze... Jager.'

Zijn stem klonk spottend. Primus verlangde er vurig naar hem te doden. Hij zou dat ding met zijn blote handen aan stukken kunnen scheuren. Hij hield zich in.

'Kom ter zake, Spiegelmann. De tijd dringt.'

Het wezen in de badkuip gorgelde opnieuw. 'Is dat niet juist het probleem: de tijd? Jouw tijd dringt, die van de Baardman is bijna voorbij en die van Gus van Zant is ook bijna ten einde. En die van mij?'

'Heel aandoenlijk.'

De Verkoper grijnsde. 'Vind je?'

'Ik zou je in een paar seconden kunnen vermoorden. Jij bent ook stervende.'

'O, nee hoor. Dankzij jou niet. Wil je dat ik je bedank?'

'Ik wil dat je je aan je afspraken houdt.'

De rode vloeistof in de badkuip vertroebelde.

'Dat is het principe van de handel, Primus. Do ut des. Ik geef opdat jij geeft. Ga me nu niet beledigen door me iets uit te leggen wat ik al weet, alsjeblieft. Wat ik van jou wil weten is waarom jij je zoons zo bespottelijk behandelt. Waarom spuug jij op tradities die al honderden jaren lang bestaan?'

'Dat weet je best.'

'Ik wil het jou horen zeggen.'

Eindelijk kreeg Primus het woord over zijn lippen dat hem al jaren kwelde. Het woord dat hij nog nooit openlijk had uitgesproken. 'Wraak.'

'Jij leeft nog in het verleden, Primus. Ik zou je veel meer kunnen bieden. Je hoeft het me maar te vragen.'

'Wraak is het enige wat ik wil.'

Primus draaide zich om en liep naar de uitgang.

De laatste woorden van de Verkoper drongen meteen zijn brein binnen, rechtstreeks, als een klap met een hamer.

'Ga door met waar je mee bezig bent. Vergeet het Wonderkind, hij vindt zijn weg naar mij wel terug. Gebied je trawanten hem geen strobreed in de weg te leggen.'

Toen, terwijl Primus badend in het zweet de deur achter zich dichttrok, voegde hij eraan toe: 'Zie je nou? Het is altijd een kwestie van tijd. Pilgrind wil het heden, jij verlangt naar het verleden. Maar de toekomst, de toekomst is van mij!'

28

Bellis stond stijf van angst. Sinds de dag dat Spiegelmann hem het kostbaarste afgenomen had wat hij ooit had bezeten, had hij een dergelijke angst niet meer gevoeld.

Het was een instinctief bange reactie geweest, volgens de regels van de Caghoulards. Je naam verliezen betekende alles verliezen.

Nu hij zich bij wat hij dacht dat het kadaver van het Wonderkind was bevond, zag Bellis in dat er iets bestond wat veel erger was dan zijn naam kwijtraken, namelijk een vriend kwijtraken.

Het was een vreemd woord, dat de magere jongen herhaalde malen had gebruikt. Voor Bellis, met zijn verwrongen manier van redeneren, had het een bijzondere betekenis. Voor hem betekende het woord een combinatie van meester en broer. Niet een meester die hem aan kettingen legde en afranselde, niet een broer zoals hij die kende, iemand die stomtoevallig uit dezelfde baarmoeder als hij was gekomen en voortdurend het bloed onder zijn nagels vandaan haalde, maar een vriendelijke jongen voor wie hij door het vuur zou gaan.

Verward en geschrokken had Bellis gezien dat de magere jongen hem begon te vertrouwen. Hij had gezien hoe hij al zijn moed bij elkaar raapte en de spijker vastgreep. De spijker die hij hem had bevolen te stelen. En nu was Caius dood. Of bijna.

Bellis wist dat de spijker belangrijk was. Hij had Spiegelmann, toen hij hem nog diende, herhaaldelijk het altaar met kaarsen zien bewonderen. Ook had hij gezien hoe hij zijn ogen sloot en de voorwerpen bij het altaar aanraakte.

De spijker, een paar oud ogende stukken hout en zelfs een handvol zaden die eruitzagen als mestballetjes. Het was echter de spijker waar Spiegelmann zich het meest voor had geïnteresseerd. Als de Verkoper hem pakte en de Caghoulard zich verborg en zijn adem inhield, wetend dat zijn meester toch alles opmerkte, streelde hij het metalen voorwerp op een wellustige manier. Alsof de spijker hem aan iets geweldigs deed denken. Toen Spiegelmann zijn lange vingers om de spijker legde, hoorde Bellis de lucht knetteren door zijn Wissel. De Caghoulard voelde zijn hoofdhuid wegtrekken, alsof die zijn schedel wilde ontbloten, zijn armen trillen en zijn benen wankelen.

Dat hij was geschrokken van de Wissel was niet zo vreemd; al zijn soortgenoten schrokken van een Wissel. Het was een machtig soort energie, en Caghoulards hadden respect voor macht, in welke vorm dan ook, en vreesden die. Net als ze bliksem, vrachtwagens die van boulevard naar boulevard denderden en de furie van bepaalde strijders vreesden. Strijders zoals Buliwyf.

Toch was een Wissel een ander verhaal. Het woord kwam niet in Bellis' woordenboek voor. Dat was ook een van de redenen waarom hij voor het levenloos ogende lichaam van het Wonderkind niets anders wist te doen dan treuren en tot bloedens toe op zijn knokkels bijten.

Een Wissel was iets onnatuurlijks. De bliksem, het tij van de zee en vrachtwagens niet. Die dingen maakten deel uit van een groter plan. Van iets enorms, maar begrijpelijks. Bellis schudde zijn hoofd.

'Wonda...' zei hij.

Caius Strauss gaf geen antwoord.

Bellis zag dat hij bloed had verloren. Hij had gezien dat er bloed en een gloeiende, donkere vloeistof uit het teken op zijn borst sijpelden, zonder dat de uitdrukking op Caius' gezicht veranderde. De jongen zag lijkbleek. Zijn gezicht was ingevallen als dat van een oude man.

De spijker was een Wissel. De spijker, dat stukje ijzer dat zoveel voor Spiegelmann betekende, was een sleutel. Dat begreep Bellis. Wat hij zichzelf verweet was dat hij niet wist waarom alle deuren gesloten bleven.

Hij overwoog de spijker uit Caius' hand te trekken, maar iets in hem zei dat dat nog ergere gevolgen zou hebben. Hij zou het Wonderkind kunnen tegenhouden als hij terug probeerde te gaan.

Net toen hij dat bedacht hoorde Bellis een geluid. Een geluid als het verre, maar oorverdovende gelui van een grote klok. De klok verhaalde over huizen die in vlammen waren opgegaan, legertroepen die in de aanval gingen en wanstaltigheid voorbij de horizon.

Bellis had zelfs met zijn scherpe zintuigen een lichte zeelucht opgepikt. Ver weg, nauwelijks waar te nemen. Bellis beefde. Hij was in de war.

Hij was zelfs heel even vergeten dat hij voor zijn vriend, het Wonderkind, stond. Hij moest zich inhouden om niet zijn tanden in zijn keel te zetten. Hij dacht dat als hij hem zou vermoorden hij zijn gedachten weer op een rij zou kunnen krijgen en het klokgelui zou ophouden.

Doden. Hij bleef tenslotte een Caghoulard.

Uitgeput begon hij te brabbelen. Onverstaanbare woorden in zijn roofdiertaal. Dat was zijn manier om het Wonderkind bij bewustzijn te krijgen. Bellis was bang en haatte zichzelf.

'Wonda,' smeekte hij.

Het Wonderkind richtte zich op en begon te schreeuwen. Net toen het leek of hij niet meer zou ophouden, waren zijn longen leeg en sloeg hij zijn ogen op. Zijn ogen waren wit.

Caius viel bijna achterover, maar werd op tijd ondersteund door Bellis.

'Wonda.'

'Bellis.'

'Waar ben ik?'

'Hier.'

De vlammen uit Caius' vingertoppen vervulden de smerige kamer van een spookachtig schijnsel. Caius' gezicht leek nog meer ingevallen te zijn en de schaduwen nog dreigender. Veel dreigender.

Caius maakte zich los uit Bellis' greep en kroop tegen de muur aan. Het leek alsof hij niets herkende van zijn omgeving. Alsof alles vreemd, vervormd en gevaarlijk was.

'Waar is... hij?'

De Caghoulard stak zijn handen omhoog en liet de jongen zien dat ze leeg waren.

Caius schreeuwde: 'Ga weg!'

'Hier. Wonda. Hier,' jammerde de Caghoulard, in de hoop hem te kalmeren.

Maar Caius was nog voor de helft verstijfd. Zijn ene helft bevond zich bij Bellis, in het souterrain in Dent de Nuit. Zijn andere helft was echter nog bij de vuurzee in Berlijn.

'Spiegelmann... Spiegelmann...' stamelde hij.

'Nee, nee.'

'Is hij hier?'

De Caghoulard schudde zijn hoofd.

Pas op dat moment leek Caius zich de spijker te herinneren. Hij opende zijn hand. De vlammen doofden. Alleen de spijker lag er nog. IJzer, roest.

'Ik heb hem gezien, Bellis. Ik heb hem gezien.'

'Gezien?'

'Ik heb Spiegelmann gezien. Hij... Hij was een weerloos jongetje.' Tranen biggelden over Caius' gezicht. 'Het was oorlog, maar' – hij schudde zijn hoofd – 'het was lang geleden. Hij is oud, stokoud. En Pilgrind...'

Caius sperde zijn mond wijd open. Hij staarde in het niets.

'Wonda?'

'Pilgrind is nóg ouder. Spiegelmann noemde hem Portier.' Er was iets in de ogen van de jongen dat maakte dat het slijm langs de bek van de Caghoulard opdroogde. 'Pilgrind heeft Spiegelmann gecreëerd. Ik heb gezien hoe hij hem behandelde. Spiegelmann was nog maar... nog maar een kind. Pilgrind lachte hem uit. Hij maakte hem gek.' Hij gooide de spijker op de grond.

De Caghoulard raapte hem vlug op en gaf hem terug. Caius pakte hem werktuiglijk aan en stopte hem in zijn zak. Het was maar een bot stukje verroest ijzer. Niet meer dan een herinnering. Net als het aanhoudende klokgelui dat hem had weggeslingerd, voordat de wereld...

Wat? Hij wist het niet meer.

En toen...

Al die pijn van dat jongetje, dat zoveel op hem leek. Zijn woede, zijn woede en zijn verdriet. Caius probeerde erover te vertellen. Hierover en over de rest. Hij moest erover vertellen, net zoals hij moest ademen, of misschien was de behoefte om te vertellen nog wel groter. Hij probeerde duidelijk te zijn, alle gebeurtenissen in de juiste volgorde te zetten en ze aan de Caghoulard uit te leggen.

Hoewel hij echt zijn best deed, vormden zijn woorden onbegrijpelijke zinnen, anekdotes in anekdotes waar geen wijs uit te worden was: Blumenstraße, de oorlog, het geraas van de kanonnen, de hakenkruizen in het stof, Spiegelmanns moeder, de hulzen verspreid over de grond, het hoofd van zijn moeder, dat wat zijn moeder gedaan had en...

Hij probeerde het opnieuw: de man zonder benen, de stukken glas in zijn gezicht, de stank van koudvuur, de dikke ratten, het stof, de bevroren sloten... Bellis hield hem tegen. De Caghoulard sprong op, zijn nagels uitgestoken en zijn blik op het plafond gericht.

'Wonda!'

Caius hoorde het gerommel en dacht: niet weer, alsjeblieft, niet opnieuw.

Toen begon het dak af te brokkelen.

29

'...**H**ij bevindt zich in de wereld van... de zonde die hij heeft begaan... de dood...'

Grünwald huiverde. Haar vingers trilden en het scheelde maar een haartje of ze had de naald laten vallen.

Het was niet de eerste keer dat ze Pilgrind in zijn slaap hoorde spoken, maar wel de eerste keer dat ze uit zijn gejammer wijs kon worden. Ze zuchtte en probeerde zich opnieuw te concentreren.

Ze wierp een blik op de stoel waarin de Baardman zat weggezakt. Pilgrind leek met de seconde ouder te worden. Hij werd iedere dag zwakker. Alsof iemand het leven uit hem zoog.

Waar zouden ze zijn zonder de Baardman? Wat zou er met Dent de Nuit gebeuren? En met het Wonderkind? Opnieuw hield ze haar handen stil.

Het Wonderkind, dacht ze minachtend, was zijn probleem niet. Niet meer tenminste.

Ze sloot haar ogen en ademde diep in en uit. Ze moest rustig worden. Ze draaide zich opnieuw naar de Baardman. Nee, dacht ze terwijl ze haar vingers boog, ze zou hem niet wakker maken. Hij moest rusten. Zijzelf eigenlijk ook. Ze kon zich niet meer herinneren wanneer ze voor het laatst langer dan twee uur achter elkaar had geslapen. Ze voelde zich uitgeput. Gelukkig lieten haar handen haar niet in de steek. Ze waren sterk, stevig en zoals altijd nauwkeurig. Haar handen vormden de enige zekerheid die ze nog had. De handen van een tatoeëerster.

Ze streek een lok haar uit haar bleke gezicht en ging weer aan het werk. Ze merkte niet dat er door deze beweging bloedspetters op haar maagdelijke gelaat waren gekomen.

De instrumenten lagen naast elkaar op een metalen blad en glommen in het licht van de lamp die aan het plafond hing. Naalden in verschillende maten en vormen, pincetten, scharen en minstens zes scalpels, sommige met een smal en recht blad, andere met een krom. Weer andere scalpels waren rond. Allemaal straalden ze iets duisters uit en allemaal waren ze besmeurd met bloed.

Grünwald had geen inkt gepakt, omdat ze die dag geen tatoeages zou gaan zetten. Sterker nog: ze voorvoelde dat ze nooit meer tatoeages zou zetten. Net zoals ze geen Wissels meer produceerde – waardoor ze vermoedelijk ontsnapt was aan de slagersmessen van Yena Metzgeray –, zou ze ook haar kunst achter zich laten, de kunst die haar zo had geholpen in de jaren na haar ongeluk.

Plotseling voelde ze zich niet meer alleen doodmoe; ze voelde zich apathisch en gebroken. Toch bedwong ze haar tranen. Dit was niet het moment om te huilen. Pilgrind zou elk moment wakker kunnen worden en ze was niet van plan haar gevoelens met hem te delen.

Haar handen bewogen snel over het littekenweefsel. Alsof ze wisten wat ze deden, zonder erover na te denken. Met een snelle beweging met het scalpel tilde ze een rottend stuk huid op, hield het vast met een kleine pincet en bestudeerde het.

'Verdomme.'

Het is vergaan, oordeelde ze. Verrot en niet meer te regenereren. Ze moest het verwijderen en opnieuw beginnen. Alweer. Het pus weghalen, het bloed deppen met verbandgaas. Controleren of het zenige weefsel niet ontstoken was. En daarna dichtnaaien.

En dan maar hopen dat het beter werd, hoewel dat tot nu toe nog niet was gebeurd. Het was onverdraaglijk. Iedere keer als ze dacht vooruitgang te hebben geboekt, gebeurde er iets onverwachts zoals dit.

Het weefsel scheurde open, begon te etteren, werd zwart en rotte weg, waardoor Grünwald gedwongen was de wond uit te branden. Geen balsem of zalf kon het proces meer tegenhouden. De wond was aan het muteren. Het vlees zelf tastte de eigen breekbare structuur aan. Een proces dat de vrouw niet kon bevatten en waarover Pilgrind niets wilde uitleggen. Mathis had het idee dat hij iets voor haar verborgen hield. Iets wat hij haar vroeg of laat zou opbiechten, als ze hem dwong met haar scalpel.

De wond veranderde en Grünwald voelde zich verplicht een remedie te vinden. Dat betekende: snijden, wegzuigen, schoonmaken, hechten, maar vooral: hopen. De pijn die ze voelde door de plotselinge mutatie sneed haar door de ziel. Ze haatte het. Het was alsof iemand een misselijke streek met haar uithaalde.

Terwijl ze het klosje steriel garen pakte, begon Grünwald – zoals ze altijd deed toen ze werkte als kunstenares en nog niet als oorlogschirurg met de missie een wond te helpen genezen – een lage, trieste melodie te neuriën. Een slaapliedje dat haar oma, de enige andere Wisselaar in de familie, haar had geleerd toen alles nog rozengeur en maneschijn was.

Het ging over een verre plek en over een schildpad die Achilles, de held van Homerus, voor de gek hield. Mathis was bijna alle tekst vergeten, maar de melodie kende ze nog. Melodieën bleven eeuwen bestaan, dacht ze.

Ze stopte. Had ze hem zien bewegen? Onmogelijk. Grünwald neuriede verder en werd rustiger. Gus kon zich niet bewegen.

Haar handen bleven ferm; ook haar hart bleef rustig. Zelfs toen ze een van haar mooiste tatoeages bij Gus moest vernielen: twee salamanders die een kruis vormden.

De zeekat die Gus geworden was, bevond zich recht voor haar. Zijn gezicht leek op dat van een reptiel of een insect, gewikkeld in verband dat doordrenkt was van allerlei vloeistoffen behalve bloed of lymfvocht. Hij had de keel van een sprinkhaan, zijn borst was bedekt met schilfers en korstjes die eruitzagen als schubben. Opengespleten, gebarsten. Open vlees dat klopte. Zijn slungelige apenarmen waren bedekt met een aanzienlijke hoeveelheid stekels. Zijn rechterhand was hij kwijt; die was ontploft. Pus droop uit de pas verschoonde verbanden.

De geur van Gus van Zant en alles om hem heen was misselijkmakend. De kooi die Pilgrind en Buliwyf hadden gebouwd. IJzer dat aan ander ijzer was vastgesoldeerd. Kettingen om het lichaam van de zeekat die ooit Gus van Zant moest zijn geweest. Zware, glimmende kettingen. Pilgrind had ze bevestigd door middel van een Wissel.

Iedere keer als Mathis naar die kooi keek moest ze kokhalzen: Gus, gevangen.

Er was te veel licht in de kamer, dacht ze. Haar instrumenten glommen, het ijzer blonk, de opengesperde ogen van Gus glansden. Opengesperd en leeg waren ze. Verdomde leeg.

'Gus.'

Hij antwoordde niet.

'Gus.'

Niets.

Mathis barstte in tranen uit. Pilgrind liep naar haar toe en pakte haar vast. Zij rukte zich los uit zijn greep. 'Raak me niet aan!'

'Mathis...'

'Je bent zwak,' zei Grünwald. 'Zwak, zielig en oud. Het is jouw schuld dat hij er... zo uitziet.'

Pilgrind haalde zijn schouders op en ging weer zitten. Hij had niets meer te zeggen.

Mathis droogde haar tranen. 'Ik ben klaar met...'

Gus draaide zich om en brulde. Er liep slijm uit zijn mondhoeken en zijn armen probeerden het ijzer van de kooi te forceren.

Pilgrind reageerde snel. Hij greep Mathis beet en trok haar weg.

Mathis schreeuwde. De Baardman beet op zijn tong.

'Ik smeek je, Gus, niet...'

Ze spartelde en gilde.

'Doe me dit niet aan, Gus,' mompelde Pilgrind. 'Vriend...'

Zijn smeekbede werd verhoord. De bulderende homp vlees hield op.

Mathis' werk was vernietigd. Nieuwe wonden ontstonden en knapten open. Nieuw pus en nieuw bloed bevlekten het glimmende ijzer. Ze haalde haar neus op.

'Dat kan ik niet toestaan.'

Pilgrind wist het.

'Voordat je Gus vermoordt, moet je eerst langs mij.'

Pilgrind durfde haar niet in de ogen te kijken.

'Als het moet, vermoord ik jou ook.'

Mathis sloeg hem in zijn gezicht. Ze zag rood van nijd. 'Heb dan tenminste het lef me aan te kijken.'

Pilgrind keek haar nu toch aan. Over zijn goede oog lag een doffe glans.

'Ik vermoord jou en ik vermoord Gus, omdat dát daar' – hij wees naar de vastgeketende zeekat – 'Gus niet is. Dat is zijn woede, zijn vloek. Waar hij ook mag zijn, hij heeft rust.'

Mathis gaf hem nog een klap. 'Dat had je eerder moeten bedenken, schoft.'

Pilgrind gaf geen antwoord. Hij ging weer zitten en begon een sigaret te draaien. Of tenminste, dat probeerde hij, want zijn handen trilden te veel. Hij zuchtte.

'Heb jij dat klokgelui gehoord?'

Mathis draaide zich om.

Ze hechtte. Ze sneed. Ze maakte schoon.

'Ja,' antwoordde ze.

Onduidelijk, ver weg. Overstemd door het dierlijke gebrul van de zeekat, maar toch had ze het gehoord. Gevoeld in haar botten. In haar lichaam. Een zilveren klok, had ze gedacht. En precies op dat moment was in haar hoofd het beeld van een grote, zilveren klok verschenen.

'Weet jij wat dat betekent?' vroeg Mathis.

Pilgrind schudde zijn hoofd. 'Het zal wel niet veel goeds zijn.'

30

Een Wissel, dacht Caius. Hij had nauwelijks tijd om na te denken; de wezens doken op hem.

Het was inderdaad een Wissel. Het plafond flikkerde even, als een opengesperde weerspiegeling, vatte vlam en vervaagde.

Het was een Wissel die door onzekere of onervaren handen geproduceerd was. Misschien door vermoeide handen.

Overal vielen stukken pleisterkalk, baksteen en isolatiemateriaal naar beneden. De magere jongen kreeg ook wat splinters in zijn gezicht. Niets onherstelbaars. Sterker nog: Caius had het niet eens in de gaten.

Het gesis van de stoom die tussen vonkjes en druppels verbrand plastic uit de doorgesneden buizen kwam, overstemde het geraas van de muren die op zoek moesten naar nieuwe evenwichten.

Net op het moment dat het huis scheen in te storten, leek het alsof het een mogelijke en noodzakelijke harmonie gevonden had. Gebroken ramen. Nog meer scheuren. Een verstikte schreeuw.

De Caghoulard ondernam meer actie dan Caius, die als verstijfd stond, meer van verbijstering dan van angst. Gewend zich te redden uit hinderlagen en achtervolgingen, altijd alert, herkende Bellis snel de vijand die zich te midden van het stof bevond.

Hij slaakte een kreet. Iets wat het midden hield tussen het geluid van een reptiel en een katachtige, een hese snuif voor de strijd. Hij sprong met uitgeslagen klauwen naar de eerste van de drie figuren die hun schuilplaats waren binnengedrongen. Hij moest zijn prooi geraakt hebben, want Caius hoorde meteen een geschrokken schreeuw en daarna een uitroep in een taal die hij nog nooit eerder had gehoord. Uiteindelijk hoorde hij de Caghoulard janken, gevolgd door een dreun. Op de tast zocht Caius naar iets waar hij zich mee kon verdedigen. Hij vond een houten tafeltje dat nog niet verrot was, pakte het op en zwaaide ermee als met een zwaard.

De Caghoulard stond op, schudde zijn hoofd en viel opnieuw aan. Zijn ogen waren bloeddoorlopen.

Zijn angst versterkte zijn woede, maar maakte dat hij onhandig werd. Hij moest meer klappen incasseren dan dat hij gaf. Nog nooit eerder was er een wezen in Dent de Nuit geweest dat deze geur uitwasemde. Zwavel, kaneel. En nog iets subtielers, als ozon.

'Stop!' beval een stem.

Bellis draaide zich om en sloeg toe met gebogen hoofd. Dit keer was hij te laat. Iets greep hem bij zijn schouder, liet hem om zijn as draaien, waardoor hij misselijk werd, en smeet hem tegen de grond. Bellis jankte. IJzer tegen zijn keel.

Koud. Bloed. Het ijzer drong zijn keel binnen.

Nog meer bloed.

IJs.

'Laat hem met rust!'

Dat was de stem van Caius.

Het mes stopte. Bellis moest hoesten, maar kon niet.

'Laat hem met rust!'

'Laat hem, Vesa,' beval de stem.

Het mes aarzelde. IJs. Het gleed uit Bellis' keel en de Caghoulard kon hoesten. Hij rolde op de grond.

Toen stond hij weer op.

De stofwolk was uiteengedreven, en hoewel lichte dotjes dons in de lucht ademhalen moeilijk maakten, waren de indringers in al hun absurditeit nu zichtbaar. Caius liet het hout vallen. Het gleed uit zijn hand.

Slechts een van de drie zag er dreigend uit. Een vrouw, met borsten die met moeite in een lijfje waren gesnoerd dat stonk naar leer en ijzer, en gelaatstrekken die, ondanks hun hardheid, haar sekse bevestigden.

Ze had zes armen.

'Doe de wapens weg, Vesa.'

Het bevel was aan haar gericht. Vesa, het wezen met zes armen en een blauwige huid als die van een kadaver, maakte haar lippen nat. Ze had een immense, felrode tong. In plaats van handen had ze kleine, kromme sikkels die blonken als scheermesjes. Het waren ook mesjes. Mesjes om mee te doden. De Caghoulard leek wel gehypnotiseerd door hun geglinster. Hij liet zijn tanden zien en gromde zachtjes.

Vesa maakte haar lippen nogmaals nat en staarde naar hem. Ze deed geen moeite om haar gevoelens te verbergen.

'Ik wil die Caghoulard dood hebben,' zei ze.

De stem van het wezen was laag en hees. De stem van een verleidster die eerst verleidt en vervolgens het hart van haar prooi aan stukken rijt.

Achter haar doemde een gestalte op. Het was een man, maar toch ook niet. Pas toen de gestalte naar Caius glimlachte, werd zijn tweeslachtige aard duidelijk. Hij had stalen tanden. Toen hij echter met zijn hand het vredesteken maakte, zag Caius nog meer van deze ambiguïteit. De man met de stalen tanden had zes vingers aan elke hand. Al die vingers bewogen, alsof ze een eigen leven leidden. De man beval nog één keer: 'Laat hem met rust.'

Bellis maakte aanstalten om aan te vallen, maar Caius hield hem tegen. Hij moest de wapenstilstand niet verbreken... hooguit proberen te vluchten.

'Wie zijn jullie?'

Caius' stem trilde niet. Misschien omdat hij moe was of omdat de Blumenstraße nog in zijn hoofd nagalmde. Hij klonk resoluut en dat viel zelfs Bellis op.

'Dood,' antwoordde de vrouw met zes armen. 'Iedereen moet dood.'

De man met de stalen tanden schudde zijn hoofd. 'Neem me niet kwalijk. We zijn in diepe rouw.'

Er klonk een vreemde gekunsteldheid door in zijn stem, alsof hij een hoveling was, gewend aan verschillend gezelschap. Eerder de stem van een geleerde dan van een belager.

'Ik weet nog steeds niet wat jullie willen of wie jullie zijn.'

De man maakte een buiging, bijna alsof hij zich wilde excuseren. 'Mijn naam is Rox. Ik kom van ver. Dat is Vesa. Haar naam betekent "dood" in haar taal. En dat is Lucylle.'

Het schepsel dat de man aanwees, in de schaduw, was verlegen. Ze zag er piepjong uit, niet veel ouder dan een kleuter. Haar soepele lichaam stak in een felgele jurk. Dat wat niet bedekt werd door haar jurk werd omsluierd door veren.

'Jij bent Caius,' zei de man met de stalen tanden.

Met die woorden had hij meteen Caius' aandacht. Hij keek weg van het meisje in de schaduw. Hij had haar nog wel wat langer willen bekijken, haar beeltenis willen opslaan in zijn geheugen. Dat ranke meisje had iets wat maakte dat hij zich goed voelde. Misschien was het haar onschuld. Of misschien de vrijheid die haar veren leken te beloven. Oneindige blauwe luchten. Misschien zag hij bij haar dezelfde verwarring als bij zichzelf.

Voordat hij antwoordde, keek hij van de glimmende messen van Vesa naar haar tong, het enige lichaamsdeel dat niet kadaverblauw was, en uiteindelijk in de ogen van de man met de stalen tanden.

'Wat zijn jullie?'

Door het geschater van Vesa begon het huis op zijn grondvesten te trillen. Het was alsof dat wat niet was gelukt met de Wissel waarmee het drietal de schuilplaats was binnengekomen zich wel voltrok door Vesa's schelle schaterlach.

Instinctief ging de Caghoulard tussen haar en de jongen staan.

'Bizar wezen,' kraste de vrouw met de zes armen, terwijl ze naar de Caghoulard wees. 'Het stinkt naar de dood en toch lijkt het een ziel te hebben. Ik zou wel eens willen weten hoe het smaakt,' zei ze likkebaardend.

'Hou je in, Vesa.'

Vesa grinnikte. Toen gebaarde ze met tegenzin naar de Caghoulard. Alsof ze wilde zeggen dat hij nog niet van haar af was. Uiteindelijk klapte ze als een ware goochelaar haar sikkels in en verdween ze in de schaduw, waar ze zich beter op haar gemak leek te voelen.

De schaduwen omringden haar met een zucht. Het blauw werd zwart. Het duister omarmde haar. Vesa was verdwenen. Alleen haar ogen waren nog te zien.

De man met de stalen tanden zuchtte. 'Wij zijn Vluchtelingen,' antwoordde hij.

31

D e vrouw zat in het halfduister, haar peinzende gezicht verlicht door een eenvoudige kaars. De manier waarop haar sombere ogen het licht weerkaatsten zou de maan jaloers maken.

De vrouw dacht aan de maan. Aan de trotse maan en aan haar zoons en dochters van woede en bloed. Een van hen was de reden dat de schaduw haar voorhoofd fronste.

De naam van de vrouw, die leek op een luchtspiegeling, was Rochelle. Ze hield een stuk glas in haar handen. Het laatste wat over was van een meesterwerk. Ze streelde het, alsof de zachtheid van haar handen de pijn van de glasscherf verlichtte.

Die scherf was alles wat over was van het beroemde raamwerk van een onbekende Nederlandse kunstenaar. Het raamwerk dat in de Verloren Dagen hing, dat het ongelukkige leven van Rochelle nauwkeurig had weergegeven. Het verhaal van de onmogelijke liefde tussen haar en de Lykantroop. Ze zouden nooit één kunnen worden, net zomin als de scherven van het raamwerk. De maan – Rochelle wist het zeker – stond ergens boven Dent de Nuit en lachte om haar verdriet.

Geluidloos gleden de tranen over het mooie gezicht van de Splendide. Ze voelde zich erger dan dood.

Rochelle streelde het glas en huilde.

Ze dacht na. Ze dacht aan Caius, aan de angst en eenzaamheid die de onschuldige jongen moest voelen in de handen van de Verkoper. Ze dacht aan Pilgrind die met de dag zwakker, magerder en ouder werd, en aan wat er van hen terecht moest komen als hij hen niet meer kon leiden.

Ze dacht aan haar geliefde, aan de lievelingszoon van de maan, die steeds zwijgzamer werd, steeds stugger en steeds obsessiever. Het woord 'gekte' kwam in haar hoofd op.

En de maan, de boze stiefmoeder, lachte.

Rochelle dacht aan Buliwyf en aan de wolf die in zijn hart leefde. En denkend aan zijn obsessie gingen haar gedachten uit naar Gus en de arme Grünwald, die zich op haar obsessie had gestort om maar niet in een diep, duister gat terecht te komen. Een gat dat Rochelle maar al te goed kende.

Toen de kaarsvlam opeens bewoog, dacht ze even een onheilspellend schijnsel in het glas te zien dat ze in haar handen had.

De deur stond open.

'Rochelle...'

Zijn stem. Donker, diep. De Splendide vergoot haar laatste traan en verborg het stuk glas. Ze probeerde te glimlachen toen de Lykantroop op haar af liep.

Als Buliwyf had gezien dat ze deed alsof, liet hij dat niet merken. Er waren de laatste tijd veel dingen die Buliwyf niet opmerkte. De Lykantroop ging aan het andere hoofd van de tafel zitten. Zijn handen gevouwen en zijn hoofd gebogen. Hij was doodmoe en stonk naar bloed.

'Je bent gewond,' merkte ze op.

'Het is maar een schrammetje.'

'Caniden?'

Buliwyf schrok op. 'Ook.'

'Was het zwaar?'

'Ja. Ik denk dat Mazarin de nacht niet doorkomt.'

Rochelle beet op haar lip. Ze kende Mazarin. Dat was een van de eerste Wisselaars die zich hadden aangesloten bij de groep strijders die de Lykantroop aanvoerde. 'Ik wil me bij jullie aansluiten.'

Buliwyf sloeg zijn ogen op. Zijn gezicht was gezwollen. 'Daar mag je niet eens grapjes over maken.'

'Ik kan voor mezelf zorgen,' zei ze trots, maar met trillende stem. Ze wist niet of ze woede, verontwaardiging, of wanhoop voelde bij de aanblik van de Lykantroop. Ze bleef hem aankijken. Ze was niet van plan op te geven.

'Dat weet ik,' antwoordde hij, nu op zachtere toon.

'Maar je wilt niet dat ik meestrijd.'

'Nee, ik wil het niet hebben. Het is oorlog en...'

Rochelle sprong op en spreidde haar armen. 'En daarom laat je me hier? Met de ramen potdicht? Ik weet niet eens wat voor weer het is. Ik weet zelfs niet wat voor dag het is! Ik weet niets!'

'Rustig nou. Alsjeblieft.'

Rochelle sloeg met haar vuist op tafel. 'Het is oorlog, zeg je, hè? Nou, daar heb ik er nogal wat van meegemaakt.'

'Dat weet ik ook.'

'Denk je dat deze oorlog erger is dan alle andere? Wil je me beschermen? Denk je echt dat je me kunt beschermen?'

'Dat denk ik niet. Dat is een illusie.'

'Ik ben ook een illusie, Buliwyf.'

'Zeg dat nou niet.'

De Splendide zou willen schreeuwen en hem met al haar kracht willen slaan. Maar dat kon ze niet. Dat was de vloek die op hun liefde rustte.

Ze mocht hem niet omhelzen en niet zoenen. Ze mocht hem zelfs geen klap in zijn gezicht geven, terwijl dat nu juist was wat hem uit de loomheid zou doen opschrikken die hem al maanden verzwolg.

Ze ging weer zitten.

'Ik moet zeker weten dat jij hier bent,' zei Buliwyf zonder haar aan te kijken. 'Het is niet de eerste oorlog die je meemaakt, liever. Dat weet ik maar al te goed. Maar het is míjn oorlog. Dat wat ik...'

'Je bent niet alleen.'

De wolf in haar geliefde kwam tevoorschijn. Het was geen prettig gezicht. Buliwyfs gelaatstrekken vervormden. De beestachtige uitdrukking op zijn gezicht veroorzaakte een brok in Rochelles keel.

'Dat klopt,' gromde hij. 'Ik heb de leiding over een leger dronkenlappen en gestoorden. Mannen die beginnen te trillen zodra ze blaadjes horen ritselen. Wisselaars zonder handen, die gek zijn of binnen korte tijd gek worden. Je hebt gelijk: ik ben niet alleen. Maar ík ben degene die voor iedereen verantwoordelijk is. Een leger uitdragers en slaapwandelaars dat ik naar de slachtbank stuur.'

'Voor wie of wat ben je verantwoordelijk, Buliwyf?'

De Lykantroop liep weg.

'Voor hen.'

'Dat is niet wat je werkelijk denkt. Lieg niet tegen me.'

Buliwyf keerde terug. Zo breekbaar. Zo afschuwelijk.

'Voor het kwaad,' fluisterde hij. 'Voor al dit... kwaad.'

'Nee.'

'Jawel. Het kwaad dat het kwaad moet verslaan. Dat is wat Spiegelmann van me gemaakt heeft, Rochelle.' De ogen van de Lykantroop werden dof. 'Een moordenaar. Een beul.'

'Je doet het voor...'

'Caius. Natuurlijk. Voor het Wonderkind.' Buliwyf balde zijn vuisten. 'En weet je waarom? Weet je wat ik laatst dacht? Wat ik me voorgenomen heb? Dat ik de jongen zal opsporen en doden.'

'Pilgrind zegt...'

'Pilgrind liegt. Ik zie het aan zijn gezicht. Wij zullen bij Caius doen wat de Baardman niet bij Gus durft. Ik bid elke dag dat het niet mijn handen zullen zijn die hem doden.'

'Buliwyf...'

Eindelijk ontmoetten de ogen van de Lykantroop die van de Splendide. 'Begrijp je nu waarom ik wil dat je hier blijft? Hoewel het een illusie is? Ik moet weten dat jij veilig bent.'

'Maar dat ben ik niet.'

Buliwyf schudde zijn hoofd. Rochelle had gelijk, maar dat maakte hem niets uit. Hij hield zich liever vast aan een illusie dan dat hij de strijd aanbond met Dent de Nuit in al zijn weerzin, met dat wat de oorlog hem dwong te doen en met het wezen waar hij in veranderde als de maan lachte. De wolf in hem schrokte de mens Buliwyf op.

Hij wilde van gespreksonderwerp veranderen, maar aarzelde. Waar kon hij het, behalve over de oorlog, over hebben?

'Er zijn Vluchtelingen in de buurt.'

Rochelle schrok op. 'Vluchtelingen?'

'Dat wordt gezegd, ja.'

'Maar dat is...'

'Absurd?' grijnsde de Lykantroop. 'Ik kijk nergens meer van op, Rochelle.'

'Hoe zijn ze helemaal hier in Dent de Nuit terechtgekomen? En waarom zijn ze hier?'

'Ik heb het de Baardman gevraagd.'

'En wat zei hij?' vroeg Rochelle.

'Hij wil eerst zeker weten dat ze in Dent de Nuit zijn. Het is mijn taak om...' antwoordde de Lykantroop terwijl hij opstond.

'Je bent gewond, je kunt niet...'

'Mazarin is er slechter aan toe. Ik heb een afspraak.'

'Pilgrind...' probeerde ze nog. Ze hoefde geen verklaringen. Ze wilde alleen dat Buliwyf nog even bij haar bleef. Een seconde. Twee.

De Splendide wist wat het betekende als er Vluchtelingen in Dent de Nuit waren, maar niet waar ze zelf toe in staat was en wat ze zou gaan doen als de Lykantroop over de drempel zou stappen. Haar gedachten werden met de dag somberder.

'Wat zei Pilgrind?'

'Dat als hier daadwerkelijk Vluchtelingen rondlopen, dat onderzocht moet worden,' antwoordde Buliwyf mechanisch. 'Vluchtelingen betekent oorlog.'

Hij liep richting Rochelle. Buliwyf, niet de wolf in hem. Toen herinnerde hij het zich. De maan grijnsde. Hij zou haar nooit kunnen omhelzen. Hij was als het stuk glas in Rochelles hand, naakt. Alleen.

'Het is oorlog, hier en aan de andere kant van de zee.'

Rochelle knikte. Ze wist het. Ze kende ook de naam die Buliwyf niet uitsprak. De naam die Pilgrind zelfs niet durfde te fluisteren. De naam die weinig mensen kenden, die in staat was werelden te verwoesten. Hij klonk als gerochel: Ceterastradivari.

Alleen al door aan de naam te denken voelde het voor de Splendide alsof de wereld een beetje minder mooi werd.

Ze wachtte tot de Lykantroop de deur achter zich sloot, bewonderde nogmaals het stuk glas en ging toen weg.

32

'**I**s deze Caghoulard jouw dienaar?' wilde de man met de stalen tanden weten.

'Hij is mijn vriend.'

Caius hoorde de zesarmige krijgster achter Rox grinniken. 'Je moet behoorlijk gek zijn om te denken dat een Caghoulard je vriend kan zijn. Caghoulards maken geen vrienden.'

'Bellis is mijn vriend.'

Vesa kwam niet meer bij. Haar lach klonk als ijzer op ijzer. Caius kreeg er kippenvel van.

'Waar ik vandaan kom bestaan geen Caghoulards,' zei de strijdster droog. 'Daar zijn ze uitgeroeid. Wil je zien hoe?'

Rox gebaarde dat ze haar mond moest houden. De ogen van de man schoten voortdurend van Caius' gezicht naar zijn borst, van zijn bleke gelaat naar het teken.

Wat hij dacht was een raadsel.

'Jij bent toch Caius Strauss?'

'Ja, dat klopt. En jij bent Rox.'

Caius' hoofd gonsde. Hij wist dat hij alleen nog op zijn benen stond door de adrenaline die door zijn lichaam gierde en besloot deze volledig te benutten. Het was duidelijk dat de vreemdelingen niet van plan waren hem aan te vallen. Vesa had hem binnen een tel kunnen uitschakelen, maar hij was verstijfd door de situatie: de onverwachte inval, de bedreiging met de wapens.

'Zijn jullie vrienden van Pilgrind?' vroeg hij hoopvol.

Rox schudde zijn hoofd. 'Wij komen niet uit Dent de Nuit. We komen allemaal ergens anders vandaan.'

'Van buiten Parijs?'

'Parijs is maar een heel klein puntje op de kaart, jongen,' zei Vesa knarsetandend. Het was duidelijk dat ze moeite had zich in te houden en de Caghoulard met rust te laten. Bellis, op zijn beurt, verloor haar geen seconde uit het oog en stond klaar bij het minste of geringste op haar af te springen.

'Een minuscuul puntje.'

'Vergeef Vesa, Caius.'

'O, dat hoeft niet hoor,' grijnsde ze. 'Geef me dat...'

Rox draaide zich bruusk om naar het zesarmige wezen en lispelde iets in een taal waarbij vergeleken de grove taal van de Caghoulards nog lieflijk leek. Vesa rolde met haar ogen, brieste iets terug en ging toen opnieuw, met haar armen over elkaar, op in het duister.

Af en toe hoorde Caius haar een mes tevoorschijn trekken, dat ze ronddraaide en weer terugstopte. Het geluid dat het mes maakte als het door de lucht scheerde bezorgde de jongen meer rillingen dan de gedachte het ijzer tegen zijn keel te voelen.

'Vesa heeft veel meegemaakt. Haar volk is afgeslacht. Bijna iedereen is dood,' zei Rox, met zijn hoofd licht gebogen vanwege de moeite die het hem kostte dit te vertellen. 'Het was een waardevol en strijdlustig volk. Overmeesterd en uitgemoord.'

Caius liet niet op zich inpraten. Hoewel Rox' verhaal aannemelijk klonk, moest hij niet vergeten dat hij te maken had met de koning van de leugenaars: Spiegelmann. Hij was niet van plan zich opnieuw om de tuin te laten leiden.

'Hoe weet ik dat jullie niet liegen?'

Rox leek verrast. 'Je moet ons gewoon geloven.'

Caius was verbijsterd over de eenvoud van zijn antwoord. Zo onverwacht en ontwapenend.

'De Profeet heeft het ons verteld.'

'De Profeet?'

'De Profeet heeft ons verteld dat we je hier zouden vinden. Na een lange reis.'

Caius maakte aanstalten hem te onderbreken, maar bedacht zich en sloot zijn mond. Het was waar. Het was allemaal verdomde waar. Toen hij de spijker van Spiegelmann vast had gepakt, het voorwerp dat deel uitmaakte van de Ceremonie in de Blumenstraße, had hij een reis gemaakt. Door de tijd. Door de ruimte. Erger nog: door de geest van Spiegelmann. Hij voelde zich er nog vies door.

En toch, dacht een deel van hem, was ook Spiegelmann slechts een slachtoffer.

'Wat heeft de Profeet jullie nog meer verteld?'

'De Profeet spreekt niet.'

'Maar jij hebt gezegd...'

Een buiging. 'Neem me niet kwalijk. De Profeet heeft ook bloed gezien.'
Caius toonde hun zijn handen.
'Dit bloed?'
Rox haalde zijn schouders op. 'De Profeet is niet duidelijk.'
'Ik geloof niet in die Profeetfiguur. Ik kan niet geloven dat jullie vanuit een of andere uithoek zijn gekomen om...'
'Niet vanuit een uithoek,' zei een gracieuze vrouwenstem. 'We komen van de andere kant van de zee. Van de eilanden. En van verder.'

Het was het meisje in de gele jurk dat het woord nam. Verlegen kwam ze naar voren.

Ze was mooi. Niet zoals Rochelle, maar anders. Als Rochelle smartelijk mooi was als de laatste zonsondergang, was het meisje mooi als de eerste zonsopkomst. Als het eerste licht op een onschuldige wereld.

'Wie ben jij?'
'Ik ben Lucylle,' zei ze zacht.

Haar hoofd bestond uit menselijke elementen, maar leek ook op dat van een duif. Grijze en blauwe veren sierden haar slanke lichaam en twee vleugels, nog te klein om mee te kunnen vliegen, pronkten op haar rug. Ze bewogen zenuwachtig heen en weer.

'Wees maar niet bang,' zei Caius blozend.

Ze schudde haar hoofd. Ze had roze ogen.

'Ik ben niet bang voor je.'

Dieproze, als de binnenkant van een schelp.

Caius glimlachte. 'Wat is dat voor een soort zee?'

De vraag verwarde het meisje. 'Heb jij hem ook gezien? Ben jij ook een Vluchteling?' vroeg ze, zoekend naar de blik van Rox. 'Als dat zo is, heeft Tourette zich vergist.'

'Nee. Ik ben hier geboren. In Parijs. Ik ben niet een van jullie.'

'Maar je lijkt op ons. Je wordt omgeven door dezelfde...' Lucylle zocht het juiste woord.

Rox hielp haar.

'Verloren lucht, Caius Strauss. Je hebt dezelfde verloren lucht om je heen als wij.'

'Ik heb de zee gezien en die denk ik' – dit deel van zijn reis was een beetje vaag – 'ook overgestoken.'

Rox fronste zijn grote voorhoofd. 'Overgestoken?'

'Ik weet het niet meer precies, het is wat...' Even was Caius geneigd de vreemdelingen te vertellen over de spijker, de gevangenis, Spiegelmann en over zijn ouders, die door een Aanvreter waren gedood, maar hij bedacht zich. Hij kon hen nog niet vertrouwen.

'... ingewikkeld,' besloot hij.

Rox wilde meer weten, maar Caius was hem te vlug af en sneed een ander onderwerp aan. 'Die Profeet... heeft hij nog meer gezegd? Heeft hij iets over Spiegelmann gezegd? De Verkoper?'

'We weten niet wie dat is.'

'Als jullie Dent de Nuit niet snel verlaten wel.'

Rox keek hem verbaasd aan. 'Dent de Nuit heeft altijd opengestaan voor passanten.'

'Ooit misschien, maar nu niet meer.'

'Het stinkt naar bloed, Rox,' kraakte de stem van de strijdster vanuit de schaduw. 'De jongen heeft gelijk. Had ik het niet gezegd? Het is hier niet pluis.'

'Bloed,' echode de Caghoulard.

De vrouw lachte en liet daarbij haar lange rode tong zien. 'Goed zo, lelijk monstertje.'

Bellis huiverde en ontblootte zijn tanden.

'Hoe lang zijn jullie hier al?'

'Een paar minuten.'

'En jullie hebben niets gezien?'

'IJs. Maar het is een koude maand, dus dat leek ons niet...'

'Er is een soort oorlog gaande. Ik kan jullie er niet veel over vertellen, omdat ik zelf ook... een tijdje weg ben geweest.' Caius voelde zich koortsachtig. 'Ik wil weten wat de Profeet over mij gezegd heeft.'

Rox en Vesa wisselden een blik.

'Dat kan niet.'

'Jawel,' zei Lucylle.

Dat bleek genoeg, want de vrouw met de zes armen hield haar mond.

Lucylles ogen vulden zich met licht en haar stem veranderde. De Profeet sprak via haar.

'Tourette wil Caius Strauss ontmoeten.'

'Waar?'

Vesa was degene die antwoord gaf, terwijl ze haar zes messen ronddraaide en haar lippen natmaakte. 'Jij bevindt je niet in een positie waarin je vragen mag stellen. Geef de Profeet antwoord. Ga je naar hem toe?'

Caius knikte. 'Ja.'

'Dat stond al vast,' zei Lucylle.

33

De nachten, in die tijd, leken oneindig. Een blauwige laag ijs bedekte de straten en daken van Parijs. Het was een tijd van jagers en prooien.

De afspraak stond om negen uur 's avonds, wanneer er geen enkele burger buiten was.

Burgers, zo waren de Lykantroop en zijn medestrijders hen op een trieste manier gaan noemen.

Dit was het gevolg van de oorlog: de wereld werd zwart-wit. Er waren de burgers, mannen en vrouwen die doodsangsten uitstonden, maar niet wisten waarom, zich de ganse dag afvroegen wat er in 's hemelsnaam in de buurt aan de hand was en plannen maakten om Dent de Nuit te ontvluchten. En dan was er de vijand. Die loerde overal. Bij het vallen van de avond vormde iedereen een gevaar.

Zo werkte het tijdens een oorlog. Alles werd zwart-wit. En als het Zwart zegevierde, kleurde het rood.

Buliwyf was er drie uur van tevoren heen gegaan om de buurt te verkennen, maar had niets vreemds gezien. Niets opvallends voor tijden van oorlog in ieder geval.

Terwijl de maan haar plaats aan de hemel innam, boven de bergtoppen en ijzige daken, verstijfde Buliwyf. Zijn zintuigen, verfijnd door harde oefening sinds jonge leeftijd, beschouwden het ijs op de straten als een natuurlijke vijand, die geuren en sporen deed wegvagen.

Er bevond zich iemand achter hem, verborgen in de schaduw. Hij rook hem op meters afstand: de geur van zweet en adrenaline, oude koffie, metaal en wanhoop.

De Lykantroop glimlachte. Hij probeerde onverschillig over te komen, maar had zijn spieren gespannen. Klaar om in de aanval te gaan bij het minste of geringste teken van vijandigheid. Hij sloeg zijn armen over elkaar en telde twee minuten af, op het ritme van zijn hartslag.

Bij de derde minuut zette hij een paar stappen naar achteren, leunde met zijn schouder tegen een venster en boog uiteindelijk met driekwart van zijn lichaam voorover. Nu kon hij zien wie hem begluurde.

Hij stond doodstil en droeg een donker jack met een capuchon en schoudervullingen, waardoor de maten van de man moeilijk te schatten waren, een lichte spijkerbroek en een sjaal die zijn gezicht tot over zijn neus bedekte.

Hij kon doorgaan voor elke willekeurige dief op zoek naar een buit, of voor een drugsverslaafde die hoopt iets te scoren. Maar zijn instinct, de wolf in hem, concludeerde dat het de man was naar wie Buliwyf op zoek was.

Vanaf het moment waarop Caius door de Jagers was meegenomen, had Buliwyf niets anders gedaan dan vragen stellen, vragen stellen en nog eens vragen stellen. Hij moest meer te weten komen en de situatie begrijpen. Bij elke vraag hoorde een informant en bij elke informant hoorden leugens en een klein stukje van de waarheid. Hij had ze allemaal al gehoord.

Hij had de waarheid gezocht in een hooiberg vol leugens. Misselijk werd hij van de wellust en de leugens. Hij was op onderzoek uitgegaan omdat ze niet meer wisten wat ze moesten doen. Iedere minuut die Caius met Spiegelmann doorbracht, kon het einde betekenen. Iedere minuut verscheen er een nieuwe rimpel op het gezicht van Pilgrind, iedere seconde werd het mooie gezicht van Rochelle droeviger. Ieder moment werd de wolf in hem sterker en wreder; sinds Caius was meegenomen had Buliwyf niets anders gedaan dan rondvragen en moorden. Hij vermoordde Caniden en Caghoulards. Daar wemelde het van in Dent de Nuit, de legioenen van Spiegelmann.

'Ben jij de Lykantroop?'

Buliwyf deed alsof hij verrast was door de aanwezigheid van de gestalte. 'Dat ben ik. Mag ik weten wie dat vraagt?'

Vanonder de sjaal klonk gehinnik. 'Noem me maar Nick.'

'Oké, Nick, ik wacht al een tijdje op je en ik heb haast.'

Nick schudde zijn hoofd en stak zijn handen omhoog. Hij had handschoenen aan. 'Niet hier, vriend. Het gaat hier om een netelige kwestie.'

'Dat was niet de afspraak.'

De kerel wipte van zijn ene op zijn andere been. 'Niet? Dan heb ik een nieuwtje voor je, Lykantroop.' De ogen van de informant schitterden dreigend. 'Ik bepaal hier de regels en de afspraken. Eerst het geld, dan laat ik het je zien.'

'Hoe weet ik of je me niet belazert?'

De ander gaf geen antwoord. Buliwyf gaf hem een envelop.

'Dit is de helft van het bedrag. De andere helft krijg je als we er zijn. Schiet op.'

De gestalte stopte de envelop zonder mopperen in zijn zak, zoals Buliwyf hoopte.

Informanten waren meestal op geld beluste en niet te vertrouwen lui, maar leidden vaak naar plekken waar roddels zekerheden werden. Zekerheden die, dacht de Lykantroop zuchtend, Pilgrind zouden helpen alles te begrijpen.

'Blijf dicht bij me. Ik zet er flink de pas in.'

'Ik zal m'n best doen.'

De informant merkte zijn sarcasme niet op. Hij trok zijn schouders omhoog en liep in de richting waaruit hij vandaan was gekomen.

Ze liepen langs een paar bistro's het noordelijke deel van Dent de Nuit in, waar de ramen vergrendeld waren, winkels leegstonden en wanden met graffiti versierd waren.

De Lykantroop merkte licht geamuseerd op dat Nick hem rondjes liet lopen. Hij had te veel gangsterfilms gezien. Toen ze echter voor de derde keer dezelfde bocht hadden genomen had hij er genoeg van. Buliwyf had geen tijd te verliezen.

'Hé!' protesteerde de kerel, toen de Lykantroop hem aan zijn jas trok.

'Nu ophouden met die rondjes. Waar is de Ceremonie?'

Er was weinig meer van Nicks zelfverzekerdheid over nu Buliwyf hem in de ogen keek. Hij probeerde zich uit zijn greep los te maken en haalde daarbij zijn sjaal los. Nu was zijn gezicht zichtbaar.

Hij was nog behoorlijk jong, aan de puistjes op zijn rode wangen te zien, en een verslaafde, te oordelen naar de diepe kringen onder zijn angstige ogen.

'In het oude... slachthuis.'

Buliwyf liet hem een beetje los. 'Dat?'

Hij wees naar een bouwvallige schuur waarvan het dak gerepareerd was. Er was een muur omheen gemetseld, maar het oude, verroeste hek stond open.

Het hek kwam uit op een binnenplaats die 's zomers vol onkruid was. Er stond geen auto en het was er stil. Er lag alleen wat ijs.

'Ja.'

Buliwyf kapte hem af. 'Hier, neem mee en verdwijn.' Hij overhandigde hem de andere helft van het geld, maar Nick leek dat niet te willen aannemen.

Buliwyf rook onraad.

'Luister eens.' Nick slikte een paar keer. 'Ik wil met je mee.'

'Geen denken aan.'

'Luister, vriend, ik heb me in allerlei bochten moeten wringen om deze informatie...' Nick haalde zijn neus op en probeerde zich een houding te geven. 'Nou, je begrijpt me wel. Het is niet eenvoudig om Vluchtelingen op te sporen. Laat staan een Ceremonie!'

'Ik weet nog steeds niets. Voor hetzelfde geld neem je me in de maling. Als dat zo is, weet ik je te vinden.'

'Ik vertel je de waarheid,' antwoordde Nick, Buliwyf hardvochtig in de ogen kijkend.

'Ik zal je een goede raad geven. Als het waar is wat je zegt en je bronnen in orde zijn, laat je dit absurde idee varen en ga je terug naar waar je vandaan bent gekomen. En snel, hoor je me?' bromde Buliwyf.

'Als je loopt maak je meer herrie dan een bulldozer, je bent bang voor je eigen schaduw en aan het pistool dat je bij je draagt, heb je niets daarbinnen.'

'Hoe... heb...?'

'Dat ruik ik.'

'Voorspellingen... je begrijpt het niet, ik...' Nick had tranen in zijn ogen.

Buliwyf werd er beroerd van. 'Vergrote pupillen, wallen onder je ogen. Je draagt die jas om te verbergen dat je trilt. Je gebruikt Manufacten! Ontken het maar niet! Denk je dat je iets zult vinden?'

'Ik...'

'Als je een bodyguard zoekt ben je aan het verkeerde adres. De groeten.'

Hij liep naar het hek. De informant liep achter hem aan.

'Ik ben je niets verplicht.'

'Dat weet ik.'

'Ik zou je hier ter plekke kunnen omleggen.'

'Dat weet ik.'

'In een oogwenk.'

'Dat weet ik.'

'Als je me erbij lapt, doe ik het echt.'

34

Meer woorden hoefden ze er niet aan vuil te maken. Ze volgden Vesa, die zich met een zekerheid door elk steegje en straatje in Dent de Nuit bewoog die deed vermoeden dat ze de buurt op haar duimpje kende. Als dat zo was, was Caius in de val gelokt. Naast deze mogelijkheid speelde Caius nog allerlei andere beangstigende rampscenario's in zijn hoofd af. In iedere schaduw zag hij de klauwen van Spiegelmann. Het is een val, dacht Caius. Maar dat was het niet.

Dat begreep hij nadat hij Lucylle nauwkeurig bestudeerd had. Zo'n onschuldig meisje kon niets te verbergen hebben. Dat begreep hij toen hij naar Rox keek, die zich probeerde te beschermen tegen de muurschilderingen en de overblijfselen van de oorlog. Hij liep met gebogen hoofd, alsof het bloed en de obsceniteiten hem zouden kunnen verwonden. Maar bovenal begreep hij het toen Vesa opeens stilstond.

Ze stonden op het kruispunt van rue O.F. de Jarjayes en rue Vortex, een van de vele straatjes die op de brede Chroniques-boulevard uitkwamen. Het ijs zorgde ervoor dat alle straten op elkaar leken. Rue Vortex viel echter op, omdat een uitgehongerde rattenpopulatie daar de resten van het lijk van een Caghoulard verslond.

Bellis wees naar het kadaver. 'Lykantroop.'

Caius analyseerde zijn blik, om te zien of de Caghoulard iemand bedreigde of beschuldigde. Hij concludeerde echter dat het slechts een constatering was. Bellis liet hem zien wie zijn soortgenoot gedood had.

Vesa draaide zich grijnzend naar hen om. 'We hebben twee mogelijkheden.'

Rox schrok op uit zijn gedachten. 'Het lijkt me sterk dat je verdwaald bent,' zei hij.

Vesa wees naar rue O.F. de Jarjayes. 'Caniden. Ik ruik ze.'

'Laten we hier weggaan, Vesa,' zei Caius, op zo'n gebiedende toon dat zowel Lucylle als Rox hem verbaasd aanstaarde.

Vesa stapte op hem af, haar messen vervaarlijk ronddraaiend. 'Ga je me laten zien uit welk hout je gesneden bent, jongen?'

'Ik ben niet bang voor je, Vesa.'

Ze glimlachte. Ze had een dubbele rij scherpe tanden, als een haai. Er schoten vonkjes van haar messen.

'Heb je liever mij of de Caniden?'

Caius was te moe om bang te zijn. 'Laten we gaan,' zei hij.

Rox kwam tussenbeide. 'De Profeet verwacht ons.'

Vesa keek Caius doordringend aan en knikte toen naar Rox.

'Ik ben zijn voedster niet, Rox.'

'Dat klopt.'

'En ook zijn hondje niet.'

'Je weet dat ik je respecteer.'

Op dat moment wist Caius waarom hij de Vluchtelingen kon vertrouwen. Het was geen val. Vesa kende Dent de Nuit niet. Ze had er zelfs nog nooit een voet gezet. Ze róók simpelweg waar ze heen moesten.

'Caius...'

Caius voelde zijn hart overslaan. Lucylle was naar hem toe gekomen. Ze keek hem doordringend aan en trilde als een rietje. Waar ze ook vandaan mocht komen in de kosmos, ze was duidelijk niet gewend aan de ijzige kou van Parijs en haar gele jurkje hielp haar ook niet echt. Tenzij ze trilde omdat ze bang was. Bang voor hem. Caius hoopte dat dat niet zo was.

'Vergeef Vesa,' kwetterde ze. 'Je begrijpt het niet. Ze is bang.'

'Bang? Is Vesa bang?'

'Ze is niet zo sterk als ze doet voorkomen.'

'Dat is niemand van ons.'

Caius dacht aan het kadaver dat werd opgegeten door ratten. Aan de gekruisigde Caniden. Zelfs Buliwyf was niet sterk. Als hij in staat was zoveel wreedheid te koesteren, moest er iets in hem gebroken zijn.

Die gedachte maakte Caius verdrietig. Omdat hij er langzamer door ging lopen en zwaarder door ging ademen besloot hij hem uit zijn hoofd te bannen. Hij concentreerde zich op Lucylle en op het warme vuur dat hem vervulde wanneer hij via de wind haar geur mocht opsnuiven. Ze rook naar oneindige bloemenvelden.

'Vesa heeft nog maar weinig familieleden. Al haar kinderen zijn gestorven. Ze is gek van woede. En ze is bang.'

'Waarvoor?'

'Het is niet aan mij je dat uit te leggen. Misschien kan de Profeet...'

'Wie is de Profeet?'

'Hij... is een Vluchteling. Niemand weet wie hij werkelijk is. Hij spreekt niet.'

'Ik heb hem gehoord.'

'Via mij, ja,' fluisterde het meisje, terwijl Vesa naar een ingetrapte deur wees en erdoorheen kroop. 'Rox zegt dat dat komt doordat ik gevoelig ben voor bepaalde soorten energie. Ik weet het ook niet. Ik begrijp het niet. En ik wil het ook niet begrijpen, weet je dat?'

'Doet het pijn?'

'Doet dat pijn?' Lucylle wees naar het teken op Caius' borst.

'Soms.'

'De Profeet ook.'

'Het spijt me.'

Het was een stomme uitspraak. Caius had er meteen spijt van. Na alles wat hij meegemaakt had, vond hij het lastig om met iemand te praten die hem deels leek te begrijpen. Hij voelde zich opgelaten, onhandig en stom als hij bepaalde dingen vertelde. Woorden hebben geen helende werking, dacht hij. Lucylle was het daar echter niet mee eens. Ze glimlachte hem toe met haar lieflijke gezichtje.

'Maak je geen zorgen. Het is precies zoals jij zegt. Iedereen is bang.'

Caius was opgelucht. 'Als ik zes armen had,' grapte hij voorzichtig, hopend dat Vesa hen niet kon horen, 'en uit een strijdersfamilie kwam, was ik minder bang geweest.'

De zachte lach van het meisje, ternauwernood verborgen door haar hand, echode door de nauwe gang waar het vijftal liep, Vesa voorop en Bellis achteraan. Hoewel het er naar schimmel stonk, overheerste de geur van het meisje.

'Als je me niet wilt vertellen waarom jullie hier zijn en wie de Profeet is, wil je me dan ten minste vertellen waar je vandaan komt?'

Het meisje deed geen moeite te verbergen hoe gelukkig ze werd van de herinnering aan haar vaderland. 'Uit de hemel, daar beneden.'

'Uit de hele hemel?'

'Dat kun je je zeker moeilijk voorstellen, hè? Maar jij hebt ook geen vleugels.'

Dat was waar. Caius had zich altijd belemmerd gevoeld door de zwaartekracht. Hij had altijd gedroomd in een zwaluw te veranderen, of in een simpel musje, met de wind in zijn gezicht. Hij had altijd willen weten hoe het was om het contact met de grond te verliezen en boven de straten en daken uit te stijgen. De wereld vanuit een ander perspectief te zien.

'Helaas niet.'

Met die bekentenis ontstond meteen een verlangen. Zand langs zijn vingers. Hij zou genoegen nemen met een simpele aanraking. Caius voelde dat zijn hand begon te beven. Hoewel er geen vlammen ontstonden, prikten zijn vingertoppen wel. Caius concentreerde zich, terwijl Lucylle hem vertelde over wolken. Haar woorden vormden een gedicht. Hij balde een vuist en bedacht hoe prachtig het zou zijn haar gedachten te lezen, in haar hoofd te zitten. Niet alleen haar vergezichten, wolken en vleugels te delen, maar ook haar broers, zussen, haar leven. Hij wilde alles van haar weten. En dat was ook mogelijk. Hij hoefde alleen zijn arm uit te strekken en haar aan te raken. Dan zou hij haar hele leven zien en zouden ze geen geheimen meer voor elkaar hebben.

Zijn handen jeukten. En hij had honger. Plotseling. Honger naar de herinneringen van het gevleugelde wezen naast hem, dat zich nergens bewust van was en niet uitgepraat raakte over walvisvormige wolken en vogelnestjes in een rots vol planten en bloemen. Caius balde zijn vuisten. Hij wilde die herinneringen hebben. O, hij smachtte ernaar.

'Wonda!'

Caius schrok op. Hij bloosde.

Hij had niet in haar mogen kijken. Het was verkeerd. Die honger. Dat verlangen.

'Bloed!' kraste Bellis.

Ze waren er.

Nu rook Caius het ook. Bloed.

35

Geen enkele kracht op aarde kon een Splendide breken. Zelfs kettingen, metersdikke muren of de dood niet. Of de Splendide moest zich overgeven aan haar pijn. Ook dat maakte haar bestaan tragisch.

Hoewel het een schepsel was dat niemand gevangen kon nemen of doen buigen, voelde Rochelle zich vreemd genoeg wankelmoedig zodra ze voet over de drempel zette van wat over was van de Verloren Dagen. Ze droeg het stuk glas bij zich in haar zak en haar hart sloeg op hol. Haar liefde voor Buliwyf en de marteling hem elke dag meer te zien versomberen maakten dat ze iets voelde dat erg leek op dat wat mensen schuldgevoel noemen.

Met gezwinde pas, zonder aandacht te schenken aan het ijs en de straten vol vuilnis en rancune, liep ze door de nauwe straatjes die haar scheidden van degene die de laatste tijd haar beste vriendin en vertrouwenspersoon was geworden.

De tragedie rond de Kikkerfontein had hen dichter bij elkaar gebracht dan ooit. Ze hadden in elkaar de spiegel van hun eigen leed gevonden en spraken zo vaak mogelijk af, op een plek die zowel voor Pilgrind als voor Buliwyf geheim was. Misschien wist alleen Koning IJzerdraad van hun ontmoetingen, maar als dat zo was, had het metalen figuurtje met veren hun geheim tot nu toe goed bewaard.

De Obsessie was voor de komst van Caius Strauss in Dent de Nuit een gewoon café waar gekletst en gedronken werd. De ideale plek voor Wisselaars op zoek naar gezelschap, een potje kaarten of simpelweg naar lichaamswarmte. Het café was, net als de Verloren Dagen, een doelwit geweest van Spiegelmann en zijn leger in de nacht die niemand ooit meer uit zijn geheugen zou kunnen wissen.

Het beeld van de afgehakte handen van de Wisselaars van Dent de Nuit, die over het asfalt en de kinderhoofdjes kropen, had menig inwoner van de wijk tot waanzin gedreven, en hoewel niemand erover praatte, stond het in ieders geheugen gegrift. Dat was wel te zien aan de muren en de aanplakbiljetten. Iedere tekst en iedere afbeelding, hoe haastig ook neergeschreven of getekend, was ervan doordrongen. Rochelle, die het plezier en de schoonheid van deze gruwel niet inzag, liep met haar hoofd voorovergebogen en vervuld van schuldgevoel door de straten.

Ze dacht aan Gus van Zant en aan de ijzeren kettingen die hem beletten te bewegen. Zelfs Pilgrind, dacht de Splendide, had geen idee waar de geta-toeëerde man aan dacht, gesteld dat zijn verwondingen en de shock waarin hij terecht was gekomen nadat hij het teken op Caius' borst had gezien niet al zijn herinneringen hadden uitgewist. Ze stapte de ingang van de Obses-sie – of wat er nog van over was – binnen en hoopte dat dat laatste het geval was. Beter dood dan levend en gevangen in een onbekend voorgeborchte. Ze wist maar al te goed hoe dat voelde.

Daar zat Mathis Grünwald, met haar koperkleurige haar langs haar gespan-nen gezicht, waardoor ze er nog somberder uitzag. Ze huilde, zoals ze wel vaker deed wanneer ze daar was.

Zodra ze de Splendide binnen zag komen veegde ze vlug haar tranen weg en probeerde haar zorgen tevergeefs met een glimlach te verdoezelen.

'Ik heb Suez gezien,' zei ze, verwijzend naar de oude eigenaar van het café dat in puin lag. 'Je moet de groeten hebben.'

'Ik weet dat hij zich bij Buliwyf heeft aangesloten.'

Mathis knikte. 'Ja. Pilgrind heeft verwisselde haken voor hem gemaakt. Ze stellen niets voor, maar als de oorlog voorbij is, misschien...'

'Uiteindelijk komt er een einde aan.'

'Dat weet ik wel, alleen...' Een vaag gebaar. 'Iedere keer dat ik hem zie, be-leef ik alles opnieuw. Snap je? Die haken, die verdomde met bloed besmeur-de haken. En die blik.'

'Die blik hebben veel inwoners van Dent de Nuit.'

'Maar die van hem snijdt dwars door mijn ziel.'

'Suez heeft een groot hart, Mathis.'

'Ik weet het. Net als Gus. Vandaag heeft hij zich bewogen.'

Rochelle schrok. 'Bewogen? Heeft hij...'

'Nee. De Wissel van Pilgrind was sterk genoeg. Hij begreep er ook niets van. Ik dacht toen Gus bewoog een geluid te horen. Ver weg. Als dat van een klok.'

'Een klok?'

'Ja. Het geluid was ver weg, maar ik weet het zeker. En ik weet ook zeker dat Pilgrind tegen me liegt.'

'Je bent kwaad op hem, hè?'

Mathis balde haar vuisten. 'Het is zijn schuld,' fluisterde ze, 'en die van Caius.'

'Caius is nog maar een kind.'

'Hij is niet zomaar een kind. Hij is het Wonderkind. Ik weet niet wat dat betekent, maar...' riep Mathis uit. 'Hoeveel zullen er nog sterven, voordat Buliwyf, Pilgrind en jij doen wat er gedaan moet worden?'

'Hij...'

'Het Wonderkind moet sterven! Gus wilde hem doden. Hij is de enige die het lef heeft gehad het juiste te doen! Dat ventje heeft tientallen Wisselaars gedood. Vrienden. Kennissen. Hij heeft Dent de Nuit gemaakt tot de hel die het nu is.'

'Rustig maar, Mathis.'

'Nee. Als ik kon, zou ik hem eigenhandig vermoorden.'

Ze zweeg.

Er hing een donkere sfeer. Rochelle kende die goed. De woede die de kunstenares voelde, was als een gif en stroomde ook door de aderen van haar geliefde.

'Caius is geschrokken. Het is geen slechte jongen.'

'Verdedig hem niet, alsjeblieft, anders...'

Rochelle zuchtte. 'Je kunt mij niet vermoorden, dat weet je.'

Er biggelde één traan over Mathis' wang. Een traan van woede, niet van verdriet. 'Dat wilde ik niet zeggen.'

'Wat dan wel?'

Mathis maakte aanstalten om de handen van de Splendide in de hare te nemen, maar bedacht op het laatste moment dat ze Rochelle niet mocht aanraken en hield haar handen stil in de lucht – om ze vervolgens langs haar zij te laten vallen.

'Anders kan ik jou niets meer vertellen.'

'Ik begrijp je woede.'

'Echt waar?'

'Ja. Maar Caius heeft al die mensen niet vermoord en het is ook niet zijn schuld dat Gus er nu zo verschrikkelijk slecht aan toe is. En Pilgrind liegt niet...'

Mathis onderbrak haar. 'Jij hebt zijn gezicht niet gezien.'

'Pilgrind liegt niet. Misschien denkt hij te weten wat het klokgelui betekent, maar is hij niet zeker. En de Baardman houdt zijn mond, totdat hij iets zeker weet.'

'Bedoel je dat hij ons wil beschermen?' Haar stem had een sarcastische ondertoon.

Rochelle had het niet in de gaten. 'Ja,' zei ze standvastig. 'Ik begrijp je woe de en je angst. Je woede deel ik niet, maar je angst wel. Wil je nog steeds met me praten?'

Mathis beet op haar lip. Ze voerde een inwendige strijd.

Uiteindelijk sloeg ze haar ogen op en zuchtte. 'Ik wil een Celibe oproepen.'

Rochelle deinsde achteruit. Ze wankelde, alsof de vrouw met de koperkleurige haren haar had geslagen. Zelfs haar beschuldigingen aan het adres van het Wonderkind hadden de Splendide niet zoveel pijn gedaan.

'Je bent toch niet serieus van plan...'

'Ik ben Gus kwijt en de Celibe is mijn enige hoop.'

'Je kunt je hoop niet vestigen op wezens als een Celibe.'

'Ik wel.'

'Maar dat moet je niet doen,' drong Rochelle met gebroken stem aan. 'Je hebt het al eens gedaan, en toen...' Ze stopte midden in haar zin en keek de vrouw aan. Haar heldergroene ogen keken diep bedroefd en wanhopig. Rochelle las daarin wat Mathis bereid was op te geven.

'Heb je niet geleerd van de vorige keer dat je er een hebt opgeroepen?'

'Ik heb er alles voor over, Rochelle.'

Ze verwees niet naar het leven.

36

Vluchtelingen. Een honderdtal. Misschien zelfs meer. Ze waren lastig te tellen. Ze hadden verschillende vormen. Sommige eenvoudige, andere bijzondere. Meerhoofdige mensen. Zespotige honden. Ze praatten zachtjes. Het was een zwaarmoedig tafereel, dat harten ineen deed krimpen.

Zwaarmoedigheid om werelden waar Caius nog nooit geweest was en misschien wel nooit heen zou gaan. Weemoed om iets wat niet bij hem hoorde, maar diep in hem gevoelens aanwakkerde waarvan hij niet wist dat ze bestonden. Gevoelens die iets weg hadden van heimwee.

'Ze zijn prachtig, hè?' fluisterde Lucylle.

Dat waren ze zeker.

'Ja.'

Caius keek omhoog. Ze bevonden zich onder het straatniveau. De begane grond van het pand was verwijderd. Een Wissel. Verder, in de duisternis, een staalplaten dak.

Het was een naargeestige, trieste en stinkende bedoening. Het stonk er niet alleen naar vocht en schimmel, maar ook naar bloed.

Caius volgde met zijn ogen een paar Vluchtelingen, die zich bij een bijzonder figuur voegden, een wezen met een verheven uitstraling. De Vluchtelingen kwamen bijna vol ontzag bij elkaar, mompelden iets en pakten toen het gesmoes met hun vrienden weer op.

'Is dat de Profeet?'

De man met de stalen tanden wees naar een onopvallend deurtje tussen twee verroeste metalen karretjes. 'Nee, dat is Narcissus de Goede, de Portier. De Profeet is daar.'

Caius trok wit weg. 'Portier?'

'Ken je dat woord?'

'Misschien.'

Rox keek hem doordringend aan en probeerde zijn gedachten te lezen. Caius vond dat bijzonder onprettig en had dan ook weinig moeite de blik van de man met stalen tanden te weerstaan. Dit ondanks het huiveringwek kende geluid dat zijn vingers maakten, die voortdurend open- en dichtgingen, als reusachtige, ongelooflijk sterke scharen.

'De Portier is een zeer machtige Wisselaar, maar geen Profeet,' legde Rox na het korte blikkenspel uit. 'Laten we gaan.'

De magere jongen verroerde geen vin. 'Ik wil hem spreken.'

'Narcissus?'

'Ja, de Portier.'

'Dat kan niet. De Profeet wacht op je.'

'Dat is niet belangrijk,' antwoordde Caius, terwijl hij een stap in de richting van de bewonderde figuur zette.

Het was Rox zelf die hem tegenhield. Het contact met zijn zesvingerige hand, koud als de bijl van een beul, bracht hem tot staan. 'Dat kan niet.'

Caius probeerde zich los te rukken. Hij had niet in de gaten dat zijn bewegingen veel op die van Gus leken. 'Laat me los.'

Rox liet hem zijn handpalmen zien. 'Ik wil je geen pijn doen.'

'Ik moet met de Portier praten.'

'Niet nu,' zei Rox, terwijl Vesa de eerste tekenen van ongeduld begon te vertonen. Ze maakte vonkjes met haar sikkels. 'Hij maakt zich nu klaar.'

'Waarvoor?'

'Voor de Ceremonie. Hij moet een Gat creëren. Een Deur. De zoveelste. Duizenden Vluchtelingen wachten tot ze erdoor mogen. Aan de andere kant van de zee kan iedere seconde de dood betekenen. Alleen hij kan hen redden. Net zoals hij ons gered heeft. Dat is wat een Portier doet. Maar dat wist je al, toch?'

'Vluchtelingen? Dood?'

Vesa was degene die antwoord gaf; haar stem, die vervuld was van woede, maakte dat vele hoofden zich in hun richting omdraaiden. 'Je bent scherpzinnig, jongen. Vluchtelingen en de dood gaan altijd hand in hand. We zullen zien of je slim genoeg bent om de juiste keuze te maken. Wil je Narcissus de Goede uitdagen en hem gaan storen, of wil je liever de Profeet ontmoeten?'

Caius liep zonder iets te zeggen langs Vesa naar de deur. Hij moest bukken om zich niet tegen een web van kettingen en haken die aan een lier hingen te stoten, waarvan de bovenkant omgeven werd door het duister. Voor de deur stond hij stil.

Hij keek eerst naar Rox, toen naar Vesa. Geen van tweeën verroerde zich. Toen naar Lucylle.

'Ga maar,' moedigde ze hem aan.

Caius glimlachte naar de Caghoulard. 'Ik kom snel terug, vriend.'

'Wonda...'

De Caghoulard ging onder een van de karren zitten. Daar kon hij, zag Caius voordat hij de deur openzwaaide, Vesa goed in de gaten houden. In zekere zin benijdde hij de ongedwongenheid en voorspelbaarheid van de Caghoulard. Het leek hem fijn alles volgens zijn instinct te doen.

Toen Caius over de drempel stapte, schreeuwde zijn instinct dat hij beter kon vluchten. Er hing iets in de lucht. Iets huiveringwekkends.

'Ik ben Caius Strauss.'

Hij kreeg geen antwoord. Hij hoorde alleen een vreemd soort muziek. Tingelende kristallen. De melodie was afkomstig van een jongetje dat op een kussen lag. Het was zijn ademhaling.

Hij had nog bolle babywangen, grote ogen, misschien zelfs ogen die te groot waren om menselijk te zijn.

Menselijk was de Profeet niet. Het enige menselijke aan het schouwspel dat het Wonderkind gadesloeg was de treurnis die de plek uitstraalde. Het kussen waarop het kind lag, gevonden in een vuilnisbak, zag er smerig uit. Er stonden uit kerken of van begraafplaatsen ontvreemde kaarsen en weggegooide blikjes, omgekruld van ouderdom.

Het licht danste rondom het kind dat de Vluchtelingen Profeet noemden. Of misschien was het stof, want stoffig was het zeker op een verlaten plek als deze. Er kwam nog een ander beeld in Caius' hoofd op: een wolk rozenblaadjes die dansten rondom de maagdelijk witte huid van de baby. De Profeet Tourette. De Profeet van de Vluchtelingen.

Het kind had ogen die te groot waren en vol verwondering de wereld in keken. Er bewogen zich werelden in zijn ogen. Zijn pupillen waren goudomrand en hadden de vorm van een zandloper.

De ogen misten een harde oogrok en hadden geen iris. Het was het oogverblindende goud dat muziek maakte. Een droevig lied, een melodie die beter bij een begrafenis paste dan bij een profetie.

De Profeet bewoog zijn hand en wees Caius op een lege, redelijk schone plek. Caius ging er in kleermakerszit zitten. Hij voelde hoe de zandlopers op het bloed rustten. Het bloed dat uit zijn borst sijpelde. Hij zag het hoofd van de Profeet omhoog- en omlaaggaan – een gebaar dat zowel kinderlijk als plechtig kon zijn.

In dit geval was het een plechtig gebaar, waar Caius om moest glimlachen. Vooral omdat hij, vlak nadat hij was gaan zitten, Tourette wat beter bestudeerde en op het hoofd van het kind twee hoorntjes ontwaarde. Twee minuscule, maar puntige hoorntjes.

Toen de Profeet hem toelachte, zag Caius dat hij zwarte tanden had.

'Wonderkind.'

Caius schrok op. De stem galmde door in zijn hoofd. Net als de stem van Spiegelmann, die nog een jongetje was in Berlijn '45. Met het verschil dat hij toen gast was in een ander lichaam, het pijnlijke en obsessieve lichaam van een herinnering. Nu sprak de Profeet op die manier tot hem. Direct in zijn hoofd. Caius voelde zich naakt. Kwetsbaar.

'Ken je mij?'

'Ik heb over je gedroomd.'

De kristallenmelodie werd scheller. De Profeet lachte.

'Het stond geschreven.'

'Wat staat er nog meer geschreven?'

Even hield de melodie op. De pupillen van het kind werden klein, bijna onzichtbaar. Zijn gezicht stond gespannen.

'Wil je dat zo graag weten?'

'Ja.'

'Jij bent het Wonderkind. Jij staat overal boven. Boven het verleden, het heden en de toekomst. Voor jou ben ik niets.'

'Ik weet niet wat je bedoelt,' zei Caius met een brok in zijn keel en een bittere smaak in zijn mond. 'Waarom wil je me niets vertellen?'

'Dat staat niet geschreven.'

'Ik wil alleen maar weten...'

'Ik weet wat je wilt weten, maar het antwoord is nee.'

Caius voelde zijn handen prikken. Hij dacht aan de vlammen. Aan hoe eenvoudig het was hem alle antwoorden die hij nodig had te ontfutselen. Hij vond het onrechtvaardig. De waarheid werd hem opnieuw ontzegd en weer voelde hij zich speelbal van het lot. Niet in staat invloed uit te oefenen op wat er om hem heen gebeurde.

In zijn borst ontstond opnieuw een zwart gat. Hij had honger en was laaiend. Door zijn woede werd het gat steeds donkerder. Het gat in zijn borst voelde aanlokkelijk. Al die woede, al dat onrecht. Hij stond op het punt iets kapot te maken. Hij wist niet waarom, maar hij voelde in zijn binnenste dat wat hij wilde ook zou gebeuren.

Het idee was aanlokkelijk.

'Ik wil weten of het echt zo... verschrikkelijk is.'

Het bedeesde antwoord van de Profeet voelde als een mes in zijn buik.

'Weet je daar zelf het antwoord niet op?'

Ja, dat wist hij. Caius' vijandigheid trok weg.

Het gat in zijn borst verdween. Ja, dat wist hij.

Verslagen liet hij zijn schouders zakken. 'Ze zijn bang voor me.'

'Lucylle ook?'

Caius liep rood aan. 'Lucylle?'

Weer werd de melodie scheller.

'Ze zal je steunen.'

'Staat dat geschreven?'

'Ja.'

Caius voelde zijn hart smelten en zichzelf lichter worden. 'Waarom ben ik hier?'

'Je moet iets voor me doen.'

'Wat dan?'

'Iets wat moed vergt, Wonderkind, en wat alleen jij kunt doen.'

'Ik ben een slechte voorvechter, als dat is wat je...'

'Nee, Caius. Ik wil praten.'

Caius sperde zijn ogen wijd open. 'Maar je praat...'

De baby opende zijn mond.

'Ik wil praten.'

Caius begreep wat hij bedoelde, maar hield zijn mond.

Tourette wees naar zijn eigen handen. Een duidelijk gebaar.

'Wil je dat ik... jouw herinneringen lees?'

'Ik weet dat je de zee gezien hebt.'

'Ja, en Spiegelmanns herinneringen.'

'Omdat jij alleen zijn kant van de zee gezien hebt. Het armzalige, vervuilde deel. Hoewel de hele zee inmiddels ziek is.'

'Ziek?'

'Dat zul je wel zien.'

Caius' hoofd begon te draaien. Dat waren niet de antwoorden waar hij op gehoopt had. Dat wat Tourette hem vertelde, riep alleen maar nieuwe vragen op. Zijn informatie bevatte allerlei sinistere toespelingen.

'Je zult mijn deel van de zee zien.'

'Ik weet niet hoe...'

'Het staat geschreven.'

Op dat moment voelde Caius zijn vingertoppen gloeien. Ja, hij wist wat hem te doen stond. Het was eenvoudig. Het moeilijkste was zijn honger te negeren. Het gat.

'Staat er ook geschreven wat ik ga doen?'

'Ja. Je zult de zee lezen en de herinnering vinden die mij het woord ontnomen heeft, een vis.'

'En dan?'

'Dan kan ik praten. Eindelijk.'

De Profeet glimlachte.

De vlammen die uit Caius' vingers kwamen doofden. Nu zag hij de Profeet in al zijn glorie. Hij was prachtig. Niets menselijks zou zoveel licht kunnen uitstralen, zoveel sereniteit.

Hij strekte zijn arm uit. Hij twijfelde niet. Hij voelde het gat opengaan en voelde de honger. Die verschrikkelijke honger.

Op een paar centimeter van het gezicht van Tourette hield hij in. Hij moest zijn honger stillen, het gat dichten.

Hij hijgde.

De honger.

'Later.'

Caius knikte. En bloed sijpelde uit het teken op zijn borst.

37

Het stonk er naar vlees, ozon, vanille en gist. De Lykantroop maakte zijn overjas los.

Het oude gemeentelijke slachthuis was een vierkant, praktisch gebouw dat louter volgens de regels van de functionaliteit was geconstrueerd. Onbewerkte bakstenen en scherpe randen. De functie van het gebouw was niet verblijden of verhullen. Het was een slachthuis, en daarmee klaar. Iedereen kon zien waar het voor diende.

Zodra Buliwyf langs een van de vele rolluiken liep, dreef de geur van gestold bloed hem tegemoet. Het oude slachthuis deed zich niet anders voor dan het was: een plaats van de dood.

Het was koud en de haken aan de metalen buizen versterkten dit gevoel alleen maar.

Nick trilde, niet alleen vanwege zijn Manufactenverslaving. Hij beefde omdat hij, hoewel zijn zintuigen minder verfijnd waren dan die van de Lykantroop, ook merkte dat er iets kwaadaardigs in de lucht hing.

Naast de geur van de dood rook het er naar vanille en ozon, de geuren die vrijkomen bij een Wissel.

Buliwyf liep door, zonder enige twijfel.

De ingang met rolluiken kwam uit in een kamertje zonder ramen, generatieslang vervuild door verslaafden en zwervers. De twee, Buliwyf voorop, liepen door een dubbele deur. Ze moesten allerlei obstakels ontwijken als vuilnis, kapotte flessen, timmerhout dat uitgezet was door vocht, getwijnd ijzer en matrassen, maar kwamen uiteindelijk bij een deur die twee duimen dik was, en beslagen met staal.

Een nauwelijks leesbaar bord waarschuwde hen dat ze spoedig het hoofdgedeelte van het gebouw zouden bereiken: de slachtzaal.

Daar waar het leven van tienduizenden dieren werd beëindigd met een klap met de slachthamer en een prikstok in de hals. Buliwyf huiverde door de doodsgeur, maar werd geprikkeld door die van vanille en ozon. Eindelijk zou hij duidelijkheid krijgen.

Zijn zintuigen wezen hem erop dat Nick en hij niet alleen in het slachthuis waren. Als er mensen waren, dacht hij terwijl hij zich opmaakte om een kijkje in de slachtzaal te nemen, zou hij weggaan. Als er Caghoulards of Caniden waren, had hij bewijs dat Spiegelmann actief was en de mogelijkheid om de frustraties die hij de afgelopen maanden had ontwikkeld de vrije loop te laten. Maar wat als er werkelijk Vluchtelingen waren, zoals de steeds nerveuzer wordende informant achter hem had beweerd? Wat moest hij dan doen? Moest hij dan alleen aan Pilgrind doorgeven dat hij hen had gezien of moest hij met hen proberen te communiceren? En hoe zouden de Vluchtelingen reageren op zijn aanwezigheid? Zouden ze zijn bedoelingen begrijpen of zouden ze hem als een vijand behandelen?

Hij had geen idee.

Het oude slachthuis was één groot mysterie. Daar kon hij niet omheen. Klaar voor de confrontatie duwde de Lykantroop de deur open. Hij verbaasde zich over de zwaarte ervan en liet net genoeg ruimte open om erdoor te kunnen.

Eerste verrassing: achter de deur bevond zich geen slachtzaal. Als hij zich er ooit wel had bevonden – en het bordje was bijzonder duidelijk – had iemand hem stukje bij beetje afgebroken. Daar waar tegels hadden gelegen, haken en stukken verdraaid metaal, zat nu een groot uitgehouwen gat.

Buliwyf wist het zeker: een Wissel. Daar binnen was werkelijk iets aan de hand. Zijn hart begon sneller te kloppen.

'Laat mij ook eens kijken.' Nick wurmde zich langs de Lykantroop. 'Jezus,' mompelde hij, voor zich uit starend.

Tweede verrassing: er was licht.

Er kwam een dof, blauwig licht uit het gat in de slachtzaal. Verder klonk er een opgewekt gegons, een gezoem dat aanzwol en weer zachter werd. Een soort deuntje, druk gebabbel. In de buik van het oude slachthuis had zich een kleine menigte gevormd.

Buliwyf greep de informant bij de kraag van zijn jack en sleepte hem weg. 'Ik ga naar beneden. Jij blijft hier.'

'Ik denk er niet aan.'

'Daar beneden...'

De ander wilde geen argumenten horen. 'Daarom juist.'

'Wil je dood of zo? Het kan mij niet schelen, hoor,' grijnsde Buliwyf, terwijl hij hem losliet. 'Maar ik blijf hier. Als je niet wilt dat je buik onmiddellijk wordt opengereten, moet je doen wat ik je zeg. Ik ga als eerst. Jij telt tot honderdtwintig en doet dan wat je wilt. Als je naar beneden wilt, ga je naar beneden. Het is jouw leven.'

Nick knikte heftig. 'Komt voor elkaar, vriend.'

Buliwyf dwong zichzelf niet te kijken wat er in de afgrond gebeurde. Pas nadat hij via een steil houten trappetje dat iemand onder de stalen deur geplaatst had was afgedaald, mocht hij van zichzelf de situatie bekijken. Dat was een oude truc die hij in zijn jeugd had geleerd: een trap afdalen moest snel gebeuren. Hij moest vóór de afdaling de situatie bekijken en erna. Tijdens de afdaling rondkijken betekende dat hij prooi werd.

Hij was een Lykantroop. En hoewel hij het liever niet wilde toegeven, vond hij tijdens deze spannende zoektocht troost en kracht in de adrenaline die door zijn lichaam gierde en in de wolf in hem.

Eenmaal beneden dook hij een nis in die was uitgehouwen in een verharde muur. De slachtzaal moest uitgehold zijn met een indrukwekkende Wissel. Duidelijk een krachtig ritueel, maar hier en daar niet nauwkeurig uitgevoerd. Op sommige plekken was de grond verzakt en lag een rossige vloeistof. Ook zaten er een paar vochtvlekken, die bewezen dat de buizen en rioolnetten niet optimaal bevestigd waren. De vloer had blootgestaan aan buitensporige hitte. Tegels waren gesmolten, maar dat kwam niet door onkunde, maar door haast. De geuren van vanille en ozon mengden zich hier beneden met iets zoetzuurs. Iets bijtends. Een geur die Buliwyf nog nooit eerder had geroken. Een geur die in zekere zin vreemd was.

Er was slechts één lichtbron. Voordat Buliwyfs ogen geïrriteerd raakten, kon hij het nog zien vanuit de nis. Het was een soort gloeiende golf, van drie meter hoog. Een zachte vlam die geen warmte verspreidde, maar blauwrood gestreept licht. Licht dat pijn deed aan de ogen.

Hoewel de Lykantroop sommige geluiden kon herleiden tot woorden die afkomstig waren van menselijke gestalten, delen van gesprekken gegromd in een taal die hij kon verstaan, bestonden andere uit minstens tien klanken die geen enkel wezen op deze wereld zou kunnen uitspreken. De Lykantroop schreef, verborgen in het duister, kortademig en met rechtopstaande haren, de woorden toe aan stemmen, vanwege de manier waarop ze harder en zachter werden uitgesproken. Terechtwijzingen, rijmpjes en slangachtige uitroepen. Verder, te concluderen uit het gegons van zijn oren, waren sommige zinnen op ultrasonische sinussoïdale wijze uitgesproken. Buliwyf kon deze zinnen niet horen, maar de wolf in hem wel.

Waar hadden de mensachtige stemmen het over? Hij had geen idee. Er kwamen exotische en raadselachtige namen voorbij. De naam Narcissus passeerde het vaakst de revue. Verder bespraken de figuren straten en pleinen in de wijk. De Kikkerfontein werd het meest besproken. Ze smeekten.

Buliwyf kon de betekenis ervan niet doorgronden.

De Lykantroop verzamelde al zijn moed. Hij moest gaan kijken. Dat was zijn taak, zijn missie. Uiteindelijk, na een diepe, stille zucht, boog Buliwyf voorover, lettend op ieder geluidje dat hij hoorde.

Er waren wezens met kenmerken die veel weg hadden van de halfgoden waar het in de mythologie van wemelde. Menselijk tot de nek, met koppen en poten van een papegaai of een arend. Vierpotige beesten met gierenvleugels. Apen met veren in plaats van haren. Slangen met een kuif. Harpijen en cyclopen met ogen als granaatappels. Vrouwen met ringen om hun vele armen. Wonderen, ja, maar wonderen waar Buliwyf nog met zijn pet bij kon. Wonderen waar hij naar kon kijken zonder dat zijn ogen begonnen te branden. Logische wonderen.

Hoe moest hij de kwal noemen wiens lichtblauwe uitstulpingen bestonden uit trillende botten? Of de kwal die zojuist met zijn honderd monden een hemels lied inzette? Of de kat die geen haren had, maar verschillend gekleurde bladeren? Of de bruid met het pauwenhoofd? Of de anjer die een stofwolk uitademde? Of de vlucht minuscule vleermuizen met rode ogen, die de vorm aannam van het wezen waar hij zich het dichtst bij bevond? Hoe kon hij deze wezens accepteren?

Buliwyf stapte achteruit. Zijn hoofd tolde. Hij was misselijk en begon te hijgen. Hij had de smaak van gal in zijn mond. Hij probeerde rustig te worden en een draad te vinden die hem uit het labyrint kon leiden.

Hij deed zijn ogen half dicht en concentreerde zich op zijn ademhaling. Hij luisterde hoe zijn hart langzamer begon te kloppen. De missie. De oorlog. De Vluchtelingen.

Uiteindelijk had hij ze gevonden. Waar ze vandaan kwamen was een mysterie dat waarschijnlijk alleen Pilgrind kon ontrafelen. Wat ze waren, was niet van belang. Wat ze deden, daarentegen, was duidelijk. Hij moest de verhalen en anekdotes die hij de afgelopen weken gehoord had nu wel geloven. Daar bevonden zich de Vluchtelingen, vlak voor zijn neus.

De missie. De oorlog. De verhalen.

De verhalen over de Vluchtelingen gingen over Gaten en Deuren. Deuren waar alleen degenen door mochten die het geheim van de Deuren kenden en genoeg moed hadden om naar de werelden te reizen. Naar de werelden die naar verluidt prachtig waren, anders dan de verschrikkelijke, helse wereld waarin Yena Metzgeray heerste. En waarom niet? De Lykantroop had in zijn leven duizenden wonderen mogen aanschouwen. Hij had gezien wat Herr Spiegelmann kon oproepen, hoe het Wonderkind zijn borst aan stukken had gekrabd, bijna zonder pijn te voelen; hij had de Grote Blinde Slager met zijn brandende stofwolk gezien; hij had de grond voelen trillen toen de magere jongen zijn eerste Wissel produceerde; hij had verachtelijke wezens gedood en was verwond door andere. Wonderen waren voor hem de realiteit. Ook de Deuren moesten dat dus worden.

Waarom zou hij dus niet de mogelijkheid accepteren dat er honderd, duizend of misschien wel miljoenen andere werelden bestonden? De ene nog geweldiger dan de andere? Waarom trilde hij als een puppy bij het idee dat er Deuren bestonden die het mogelijk maakten wanneer dan ook van de ene dimensie naar de andere te reizen? Omdat... Het lukte hem niet zijn gedachte duidelijk te formuleren.

Een zeer menselijke schreeuw bracht hem terug in de realiteit.

Nick was gesnapt.

Hij had veel langer dan de afgesproken twee minuten gewacht, misschien omdat hij bang was – eenmaal zonder bescherming –, of misschien omdat hij het niet had volgehouden tot honderdtwintig te tellen, vanwege zijn Manufactenverslaving. Hij had dezelfde trap als de Lykantroop gebruikt, maar was stom geweest, had om zich heen gekeken en was gestruikeld. Hij was op de grond gevallen en werd nu door alle Vluchtelingen bekeken.

Het gegons en gepraat stopten even, maar zwollen toen weer aan.

'Hoi...' zei Nick witjes. 'Ik kom... in vrede. Oké?'

Een wezen dat weinig angst kende, niet veel meer dan een rossige schim, was de eerste die bij hem ging kijken. Ze stelde zich vijandig op. Een ander, concreter, maar niet minder dreigend wezen met stekels en een grote hoeveelheid rupsachtige spijkerpoten langs haar lichaam, tsjirpte. Haar misnoegde getsjirp ontketende een golf van gekreun, gezang, geroep en onbegrijpelijke woorden.

De slachtzaal ontplofte.

'Ik... luister...' De jongen probeerde hen te kalmeren, maar het had geen zin.

Vluchtelingen waren buitenaardse wezens, en hoewel Buliwyf vermoedde dat sommigen van hen zich lang genoeg vermomd onder de mensen hadden bevonden om de taal te begrijpen, waren ze onderworpen aan regels en wetten die niet menselijk waren en in Dent de Nuit niet golden.

Het wezen met de spijkerpoten tsjirpte en tsjirpte, en kwam bijna boven het lawaai uit. Ze spoorde de menigte aan.

Nick trilde en voelde zich, daar in het midden van de deinende groep Vluchtelingen, steeds meer bedreigd.

'Dood me niet, alsjeblieft,' smeekte Nick met tranen in zijn ogen.

Buliwyf bevochtigde zijn droge lippen. Hij opende en sloot besluiteloos zijn vuisten. Nick was een verslaafde, iemand die vroeg of laat toch zou sterven. Of uiteindelijk, zoals alle verslaafden, als hij een Manufact wist te bemachtigen om daarmee tijdelijk zijn verlangen naar een Wissel te stillen, in het laatste stadium een Gruwelaar worden. Een afzichtelijke en trieste moordenaar. Maar dat was de wolf in Buliwyf die hardop dacht. Hij niet.

Hij had medelijden. Buliwyf bevond zich tussen het mensenrijk en het dierenrijk in en kon niet aanvaarden dat de Vluchtelingen de informant aan stukken zouden scheuren. Hoe hard hij zichzelf ook probeerde te overtuigen van het tegendeel, hij trok zich het lot van de jongen aan. Hij moest ingrijpen.

Er klonk een schot door het oude slachthuis.

'Ga weg, ga weg...' jammerde Nick.

'Stop!' gebood een stentorstem.

Een in een zware overjas gehulde gestalte stapte tussen de schreeuwende menigte en de jongen. 'Waarom breng je die vijandigheid bij ons?' vroeg hij. Zijn stem klonk menselijk, maar zijn woordkeus getuigde van weinig kennis van de menselijke taal.

Nick was volkomen van zijn stuk. Hij bleef zijn wapen van ...ks naar rechts slingeren. 'Ik ben niet... Dat wil zeggen, ik ben geen slecht persoon. Snap je?'

Maar in plaats van het pistool omlaag te brengen, hield hij het in de aanslag. Het staal lag alleen niet stevig in zijn hand. Hij trilde.

Als hij de trekker had overgehaald, had hij zeker iemand per ongeluk geraakt, maar aan de lichamen om hem heen te zien betwijfelde hij of ze zelfs maar een schrammetje zouden overhouden aan het lood.

'Ik ben Narcissus. Jij bent niet van ons.'

'Nick. Ik ben Nick.'

'Waarom ben je hier?'

Nick veegde met zijn arm langs zijn voorhoofd. Hij baadde in het zweet. 'Ik wilde kijken.'

De menigte mompelde woedend.

'Weet je wat dat betekent?' vroeg Narcissus.

'Wonderen,' was het enige wat Nick wist uit te brengen.

'Ben je op zoek naar wonderen? Magie? Circus?' Narcissus' stem klonk hard en schel. 'Dit is een plek van tranen, niet van vreugde. Een droevige plaats voor ongelukkigen.'

'Het spijt...'

Narcissus leek gechoqueerd. 'Spijt het je? Ben je bang gestraft te worden?'

Nick liet zijn pistool eindelijk zakken. Zijn schouders schudden door zijn gesnik. 'Medelijden...'

'Wij zijn niet gebruiken te straffen.'

Na deze woorden lieten sommige Vluchtelingen merken dat ze het niet met hem eens waren. Buliwyf voelde dat hij kippenvel kreeg. Als een van die wezens besloot aan te vallen, was Nick niet meer te redden.

'Jouw wereld is wreed, de onze niet,' sprak Narcissus bestraffend met luide stem, opdat alle toehoorders het konden horen. 'Het zal genoeg zijn te zien wat jij ziet wanneer de Deur opengaat. Te zien wat jij ziet, zonder dat je erbij kunt komen...'

'Wat? Wat ga ik zien? Wat?'

Narcissus gaf geen antwoord.

Een van de Vluchtelingen hinnikte.

Daarna heerste de stilte.

Narcissus was op de grond gevallen. Dood.

Een ander wezen werd vloeibaar en verdween in zwart slijk.

De wezens om Nick heen waren zo verbijsterd dat ze niet in staat waren te reageren op hun pijn. Eentje snakte naar adem. Een ander wankelde van voor naar achter, de ogen en voelsprieten op het levenloze lichaam van Narcissus gericht.

Op de grond, dood.

Er waren ook andere Vluchtelingen die de taal van de mensen kenden. Hoewel die niet gemaakt was voor hun stembanden en strottenhoofd, raakte het Buliwyf diep wat ze zeiden.

'Dood.'

'Er zal geen ritueel zijn.'

'Narcissus...'

'Wie zal de Deur nu openen nu Narcissus de Goede dood is?'

Het gejank van de Vluchtelingen, dat bestond uit duizenden nuances, zwol aan. Het bleef aanzwellen. Het gehuil werd een koor en vervolgens donder. Kon gedonder zo droevig klinken? Ja, dat kon.

De donder klapte tegen het staalplaten dak van het oude slachthuis, steeg op en verdween in de nacht. Buliwyf kon niets anders dan aan Moeder de Maan denken. Daar boven, ijzig koud.

Uiteindelijk klonk er een vrouwenstem, schel als die van een adelaar: 'De Goede. De Goede is... dood!'

Haar woorden werden vertaald in duizend idiomen, geluiden en kreten. Op het gelaat van de dringende menigte Vluchtelingen verscheen een uitdrukking van afgrijzen. Op dat moment drong tot iedereen door wat er gebeurd was.

Narcissus de Goede is dood. Maar niet alleen dood. Hij was vermoord.

Toen de ergste schok voorbij was, zagen ze het. Ze zagen het bloed, dik en blauw, uit de borst van hun vriend druipen. De dunne stalen speer die uit zijn borst stak. En ze begrepen wat er aan de hand was: er bevond zich een moordenaar onder hen. Een Jager.

Buliwyf realiseerde het zich ook, hoewel hij te laat was om in te grijpen. De Jagers waren met z'n tweeën en heetten Schmidt en Philippe.

Jagers in dienst van Spiegelmann. Vergezeld van kadavereters. Caghoulards. Gruwelaars. Weerzinwekkende schepsels.

Ze stortten zich op de Vluchtelingen, vermoordden hen en brachten daarmee de rituelen van het oude slachthuis in herinnering.

Buliwyf zag het gebeuren, maar kon niets doen. Er waren twee Jagers. Het leger dat hen volgde was groot.

Hij begreep het en knarsetandde. Hij vervloekte zichzelf, rook de geur van bloed en hoorde het geraas en gekrijs steeds harder worden. Hij merkte dat beide boven het staalplaten dak uitstegen, tot ze de maan bereikten.

Die zweeg.

38

Plotseling voelde Caius de zoute smaak van Tourettes verleden op zijn tong. Opeens zag hij wat de Profeet had gezien, in een andere wereld, in een andere tijd.

De wereld die Tourette hem liet zien, terwijl hij met zijn pafferige baby-handjes die van Caius vasthield, werd verzwolgen door waanzin. De handen van de Profeet openden zich bij deze aanraking als bloemen en werden verbonden aan de zenuwen van Caius. Hun handen smolten samen tot een rode stroom die verdween in de Hidiraczee. Deze waanzin had een naam.

'Ceterastradivari...' fluisterde de magere jongen in de zaal, waar de golven van de zee weerklonken.

Dat was een bekende naam. Ceterastradivari.

Caius probeerde zijn ogen te sluiten. Hij werd misselijk als hij keek hoe zijn huid openging en zich verstrengelde met die van het kind. Caius en het kind bloedden geen van beiden.

De blauwe vlammen hadden eenvoudigweg hun huid aan elkaar geschroeid.

De wereld van Tourette was er een van modder en licht. De modder leefde en in de modder leefden wezens die Caius waarnam als fantasmagorieën zonder intellect. Vage vormen, lange schimmen met zwemvliezen. Hier en daar verschenen uitgedroogde heesters, soms verbrand, soms gedraaid als een spiraal. Het was alsof een ontzaglijk krachtige zee onverwacht alle aarde had verwoest. De stank van opdrogend slijk was misselijkmakend. Het rook alsof er iets was opgegraven.

Tourette liet hem zien wat er overgebleven was na een apocalyps. Er moesten duizenden mensen en dieren gestorven zijn. Alles was in stukken gescheurd. Niets was gespaard gebleven.

'Is dit jouw wereld?'

De vlammen flakkerden.

'Nee,' fluisterde de Profeet met moeite.

Caius opende zijn ogen. Hij keek naar de baby. Het kostte hem weinig moeite zich los te maken van de vlammen en terug te keren in de werkelijkheid, in Dent de Nuit. Dat was immers zijn kracht, dat hoorde bij hem.

Het erge was dat de gedachte dat hij deze kracht altijd had gehad zich aan hem begon op te dringen. Net als dat woord: Ceterastradivari. Net als de oneindige afgrond, net als de zwarte honger die nog steeds diep in zijn borst woedde.

De vlammen bogen zoals hij wilde. Het was eenvoudig. Alsof hij een spier gebruikte die hij jarenlang ontzien had.

'De vlammen zijn nog maar het begin,' fluisterde een stem hem in. Een stem die niet van de Profeet was. Een ijzige stem die scherp was als een pas geslepen mes en hem meer angst inboezemde dan welke herinnering van Tourette ook. Ceterastradivari, dacht Caius.

De vlammen bogen. Zand langs zijn vingertoppen. Een zoute smaak op zijn lippen. Hij likte het op. Het smaakte niet onaangenaam. Hij dacht aan Tourette, aan zijn wereld, en was weer binnen.

De wereld, die nu verwoest was door een vreemdsoortige golf, moest ooit indrukwekkend geweest zijn. Nu was hij slechts een door drie zonnen verlichte chaos waarin geen teken van leven meer te bekennen was.

'Is iedereen dood?'

'Je bent in me.'

'Leefde je nog?'

'Ik leef nog steeds.'

Caius hoestte.

Tourette legde uit dat de lucht daar aan de andere kant van de zee giftig was.

'Jij bent daar niet, ík ben daar.'

'Was je gewond?'

'Met één been in het graf,' was het antwoord.

Caius voelde dat hij ver weg werd gevoerd. Tourette wilde hem de weg wijzen en de magere jongen liet zich meevoeren. Overal lag dode aarde. Het zag er troosteloos uit. Uiteindelijk kwam hij bij een beekje terecht.

'Daar. Mijn herinneringen. Ik smeek je...'

De stem van de Profeet klonk anders. Hij klonk als die van het kind dat de Profeet was.

'De vissen.'

'Ben je bang?'

'We hebben maar weinig tijd.'

'Waarom?'

'De vissen, alsjeblieft. Het zwarte ding.'

Caius ging het water in. Het was ijskoud. Hij stak zijn handen uit en voelde iets in zijn huid snijden.

'Het doet pijn.'

Deze keer antwoordde de Profeet niet.

Caius bracht zijn handen dieper het water in. Hij schudde ze heen en weer, maar probeerde het water niet troebel te maken. Het stroompje leek op een bergriviertje en was misschien anderhalve meter of twee meter breed.

'Het doet pijn.'

'De vissen.'

Vissen waren er zeker. Tientallen. Caius kreeg er een in het vizier die goudomringde ogen had. De vis zwom naar hem toe.

Caius liet de vis tussen zijn vingers door glijden. Hij voelde zijdeachtig. De vis bleef vlak bij hem, op een paar meter van hem verwijderd, alsof hij op hem wachtte, als een hondje dat zich omdraait en wacht op zijn luie baasje. Het Wonderkind bewonderde zijn volmaakte vorm en zijn kleur. Robijnrood, puur als een kristal.

De vis schoot naar voren, maakte een koprol en bevond zich toen onder Caius. Hij draaide zich om en keek naar de jongen. Het leek alsof hij hem een knipoog gaf. Hij had ronde, goudomringde ogen die op trouwringen leken. Vreemd genoeg zag Caius niet duidelijk wat er in de ogen van de vis weerspiegeld werd.

Dat was niet belangrijk. Hij opende zijn hand. Een uitnodiging. Hij wachtte tot de robijnrode vis dichterbij kwam. De vis maakte steeds kleinere cirkels.

Caius hield zijn adem in. Het ijskoude water sneed in zijn huid. Het deed pijn. Caius stond voorovergebogen, met zijn gezicht vlak bij het wateroppervlak. Hij bleef stokstijf staan. Uiteindelijk ging de vis op zijn handpalm liggen. Zachtjes pakte de jongen hem vast. Het beestje spartelde niet tegen.

Caius aaide hem voorzichtig over zijn rug. De schubben kriebelden tegen zijn vingers.

De vis blies bellen. Het was net alsof hij aan het spinnen was. Caius aaide hem over zijn buik, waar zijn kleur nog helderder was, bijna zachtroze. De vis vond het lekker en blies nog meer bellen. Caius vond het leuk de bellen te pakken en ze kapot te laten springen. Na een tijdje glipte de vis uit zijn vingers en zwom naar boven, richting zijn gezicht.

Hij keek hem aan met zijn goudomringde ogen, die er nu anders leken uit te zien. Bekend. Had hij ze al eens eerder gezien? Hij wist het niet.

De ringen werden steeds groter. Zelfs zo groot dat ze hem opslokten. De opgeviste visser. De gevangen jager. De ringen sloten zich om zijn nek en trokken hem naar beneden. Terwijl Caius dieper het stroompje in ging, losten de ringen op. Losten de kleuren op. Opeens was het overal zwart om de jongen heen. En in het zwart van het stroompje zag Caius een gat.

Het Zwart had tanden en tentakels. Het was een kruising tussen een krokodil en een kwal. Het was de Infectie van de zee.

Caius vocht tegen de kronkelende tentakels, schreeuwend van de pijn. Hij zag de Profeet met vertrokken gezicht hijgen in de kamer gevuld met haken. Hij zag hoe Lucylle en Bellis, met hun monden opengesperd, het kamertje binnengingen en hoe hun lichamen met elkaar versmolten. Ze probeerden van elkaar los te komen.

Caius keerde niet terug. De Infectie zou hem nooit hebben laten gaan. Hij ging verder op onderzoek uit. In Tourette. Hij vond een vrouw. Een wonderschone vrouw.

De pijn was ondraaglijk. De kwal stak zijn tanden en schubben in Caius. Hij moest iets doen.

De vrouw rook naar muskus. Ze lachte. Hoewel Caius verkrampt was van de pijn, beantwoordde hij haar glimlach.

De kwal aarzelde, maar trok zich terug. Slechts één seconde. Maar dat was genoeg.

Caius' handen waren versmolten met die van Tourette, maar hij had nog meer wapens. Hij greep de kwal met zijn tanden. Het voelde alsof zijn mond volliep met zuur.

De vrouw glimlachte en knikte.

Caius liet de kwal los.

'Tourette,' zei de vrouw. Het beekje begon weer vrij te stromen. De vis met de goudomrande ogen had zijn herinnering losgelaten. De kostbaarste herinnering van Tourette, de Profeet.

De lachende vrouw. De vrouw bracht een hand naar haar gezicht. Ze smeekte om genade, maar viel toch op de grond. Ze maakte haar pasgeboren baby los van haar borst. Caius zag de baby. Hij had kleine hoorntjes en zandlopervormige ogen.

'Tourette!'

Het stroompje verdween. Net zoals de zwarte vis. Caius keerde terug in Dent de Nuit. Lucylle trilde.

'Ik ben hier, ze...'

Het was alsof ze niets gezegd had.

'Niet nu.'

De Caghoulard brieste: 'Wonda!'

Caius kapte hem af. 'Niet nu.'

Hij liep naar de Profeet en schudde hem zachtjes heen en weer. Tourette opende zijn ogen en glimlachte. Zijn glimlach was droevig en lieflijk tegelijk.

'Dat was je moeder, hè? Ze hebben haar vermoord.'

Het kind knikte.

'Kon je daarom niet praten?'

'Ja.'

Caius schudde zijn hoofd. 'Was je het vergeten?'

'Ja.'

'Spreek, Tourette.'

Zelfs de schaduwen op de muren stonden stil, hoewel de kaarsvlammen flakkerden. Ze leken te wachten.

'Het lukt niet.'

'Je kunt het wel.'

'Nee.'

De Profeet huilde en Caius huilde mee. Hij omhelsde het wezentje.

Hij voelde de tranen van de Profeet het teken op zijn borst raken en een brandend gevoel achterlaten, maar besteedde er geen aandacht aan. Hij huilde omdat de vrouw die naar muskus rook gestorven was.

Net zoals Emma dood was, zijn moeder, doodgekust door een Aanvreter. Dood vlees.

Zo versmolten ook Caius' tranen zich met die van de Profeet.

Tourette maakte zich los van Caius. Zijn zandlopervormige pupillen waren verdwenen. Hij opende zijn mond en glimlachte.

Een glimlach die zei dat de pijn over was. Net als die van de vrouw die naar muskus rook. Samen met die onschuldige glimlach gaf Tourette zijn laatste woord als Profeet aan Caius door: 'Bloed.'

Toen pas realiseerde Caius zich wat Lucylle riep. Een woord dat niet veel goeds beloofde.

'Jagers!'

39

Laplante, zoals altijd onaangedaan, was bij albino Jager Schmidt komen staan.

'Gaan we?'

Schmidt gaf hem niet eens antwoord. Laplante vroeg om problemen. Zijn adem stonk naar alcohol. Hij was dood, maar wist het nog niet. Dat was wat de wet van de Jagers wilde. En die van Primus.

Laplante had de vader ter discussie gesteld. Spoedig zou het recht zegevieren en het bloed van de afvallige vloeien. Primus zou hem weldra doden. Voor Schmidt, het lievelingetje van Primus, was Laplante nu al dood.

'Geef antwoord, verdomme.'

'Je bent dronken. Hou je bek, anders horen ze ons nog.'

De schaterlach van Laplante echode door de onderaardse gang, waar Caniden en Caghoulards wachtten op het teken dat ze mochten aanvallen.

'Vluchtelingen. Ik zou liever op konijnen schieten. Die rennen tenminste snel.'

Schmidt reageerde in een flits. Hij greep Laplante bij zijn lange, warrige haren en smeet hem met zijn gezicht tegen de stenen. Hij schuurde hem hard langs de oneffen grond, zonder aandacht te schenken aan zijn verwensingen.

'Hou je mond en doe wat ik zeg.'

Laplantes bloed was inmiddels opgedroogd. 'Jij gaat dood, albino.'

Schmidt gaf nog steeds geen antwoord. Hij knikte naar de derde Jager, Philippe, en die liet, zonder iets te zeggen, de Hoofdcanide vrij. Het beest popelde om een bevel te krijgen.

Zo werkte het. Caniden en Jagers hadden slechts één doel: doden. Net als Primus, hun vader.

Philippe aaide de Canide. Daar waar hij wist dat het het meeste pijn deed, in de zachte huidplooi onder de zilveren ring. De Canide verweerde zich niet, maar gromde zachtjes en dreigend. Nog een knik.

'Nog heel even.'

Philippe maakte zich klaar om zijn speer te gooien. Hij richtte op het hart van Narcissus.

Het krioelde van de Caghoulards in het duister.

Philippe wierp zijn speer en lachte.

Het donker versterkte de verwarring bij de Vluchtelingen.

Het duister voelde gespannen aan.

De Jager gaf nog steeds het bevel niet.

De Canide jankte.

Philippe bestudeerde Nick, de verslaafde.

Zijn afgunst jegens de jongen had hem ertoe gezet het teken te geven.

'Nu.'

De Vluchtelingen vielen bij bosjes neer. Ze waren verloren. Vesa richtte zich in haar volle lengte op en slaakte een oorlogskreet, die bakstenen deed barsten, de grond deed trillen en de Vluchtelingen aanzette tot een eenstemmig gebed.

'Dood!' schreeuwde de zesarmige krijgster.

'Dood!' jankten de Vluchtelingen, om zich vervolgens op de Caghoulards en de Gruwelaars te storten.

De kobaltblauwe huid van Vesa glom. Haar mond werd immens. Haar rode tong hing naar buiten en druppelde gif.

Lucylle verroerde zich niet.

Vesa greep een van haar messen en keek Bellis doordringend aan. 'Wat is mijn naam?'

'Dood.'

'Breng Lucylle in veiligheid en red de Profeet.'

De kreten van de Vluchtelingen die zich voor de laatste maal probeerden te verdedigen weerklonken in het oude slachthuis.

Laplante gooide de kruisboog, waarmee hij een soort tweehoofdige reus gedood had, aan de kant. Hij glimlachte.

'Laplante!' riep Philippe. Hoewel zijn baard onder het bloed zat, leek hij de vreugde van zijn partner niet te delen. Hij zwaaide met een kort zwaard met een donker lemmet. Op zijn voorhoofd stond een schram die ervan getuigde dat de Vluchtelingen getracht hadden zich te verzetten. Voor zijn voeten lag een tiental verslagen Vluchtelingen.

'Laplante!' herhaalde Philippe verbijsterd toen hij zag dat de Jager in plaats van te antwoorden zich omdraaide en opnieuw in het handgemeen stortte.

Hij had geen tijd om stil te staan bij wat hiervan de bedoeling kon zijn.

Zijn hand bewoog uit zichzelf. Met een draaiende beweging hakte hij het hoofd van een Vluchteling af die scharen had in plaats van armen en bloemen in plaats van ogen.

'Je vriend heeft je alleen achtergelaten, Jager.'

Een verleidelijke, hese stem.

Philippe gaf geen antwoord.

Hij stapte opzij en haalde uit. Hij raakte niets.

Twee kleine sikkels sneden zijn zwaard aan stukken.

'Weet je wie ik ben, Jager?'

Philippe gooide zijn zwaard, dat nu toch niet meer te gebruiken was, weg, sprong in de lucht en haalde een halfautomatisch pistool tevoorschijn. Hij loste zes schoten nog voordat hij op de grond stond. Zes kogels die niets raakten.

'Ik ben niet op zoek naar jou, Jager.'

Philippe lachte. Hij ging met zijn hand door zijn baard vol Vluchtelingenbloed en wrong hem uit.

'Ben jij niet degene die zich Dood noemt?'

'Nee,' grijnsde Vesa, terwijl ze vliegensvlug op hem af sprong. 'Ik bén de Dood.'

Hoe lang geleden was het dat Philippe plezier had gehad in de jacht? Hoe lang geleden was het dat hij gevochten had met een waardige tegenstander? Hij glimlachte en maakte een sierlijke sprong.

Hoe lang geleden was het dat hij pijn had gehad? Hij vertrok zijn gezicht.

'Wat...?' Vol verbazing keek hij naar zijn arm. Hij viel op zijn knieën.

'Ik ben niet geïnteresseerd in jou, verminkte,' zei Vesa spottend. 'Ik wil de Jager die zijn gezicht verbergt. Die jullie Primus noemen. De Profeet heeft me over hem verteld. Hij zei dat jullie zonder hem niets voorstellen. Ik wil hem.'

Philippe stond op. Er stroomde bloed uit de wond. Zijn arm hing slap naar beneden. Vesa had hem tot op het bot afgehakt. Philippe klemde zijn kaken zo stevig op elkaar dat hij knarsetandde. En toch, ondanks de pijn, voelde hij zich blij vanbinnen.

'Je geeft me het gevoel dat ik leef, Dood.'

Vesa gaf geen antwoord. Ze keek hem recht in de ogen. Toen spuugde ze in zijn gezicht. Het gif verblindde hem en hij begon te schreeuwen.

Schmidt, de albino, hoorde zijn geschreeuw ook, maar bleef het zwaard ronddraaien, dat van zijn voorouders was geweest – al zijn voorouders waren Jagers geweest –, en doodde, slachtte en sneed kelen af. Hij draaide zich niet om. Primus had hem een opdracht gegeven en Schmidt was van plan die uit te voeren. Het kon hem weinig schelen dat Philippe er slecht aan toe was en al evenmin dat Laplante zich op een onbegrijpelijke manier gedroeg. Het interesseerde hem niets dat hij Caghoulards vertrapte en Gruwelaars omverduwde terwijl hij zich een weg baande door de menigte.

'Dood!'

Zelfs deze kreet bracht geen verandering in zijn onverschilligheid. Hij denderde door de menigte en doodde alles om hem heen.

De Vluchteling had drakenvleugels. Met de eerste stoot brak Schmidt zijn rug, met de tweede sneed hij zijn buik open. Terwijl zijn ingewanden op de grond rolden, keek de Vluchteling achter zich, naar de andere Vluchtelingen die een laatste poging deden om het lichaam van Narcissus te beschermen. Terwijl het langzaam zwart werd voor zijn ogen en hij trager begon te ademen, liepen de tranen over zijn wangen.

Schmidt schopte hem opzij. Nog voordat de Vluchteling kon opstaan doorboorde Schmidt zijn hart met een dolk.

De andere Vluchteling, een reus met een misvormd hoofd, herhaalde Vesa's oorlogskreet en wierp zich op hem.

Schmidt maaide hem onderuit.

'Dood!'

Philippe kon het niet geloven. De zesarmige demon was met hem aan het dollen. Het oude kat-en-muisspel. Hoe vaak had hij zelf niet genoten van dit spel? Talloze malen.

Alleen altijd in de rol van de jager. Nu hij zelf de prooi was, maakte hij de fouten van iemand die de strijd aan het verliezen is. Van iemand die gedoemd is te sterven.

Hij beleefde de scène alsof hij er los van stond, koud, alsof iemand anders Vesa's prooi was. Een stommeling die zijn wapens niet meer kon vasthouden, zijn benen niet meer kon bewegen en verstijfd was van angst en vermoeidheid.

Zijn nachtmerrie, de vrouw met de zes armen, bleef dat woord maar herhalen.

'Dood.'

'Hou op.'

'Heb je het niet naar je zin, Jager?'

'Hou op.'

Ze stak voor de zoveelste keer haar mes in zijn lichaam. Dit keer vlak onder zijn knie. Het was een lichte wond, bijna een streling. Maar ernstig ge- noeg om hem te verminken. Nogmaals zijn knie. Daar viel hij. Op de grond. In het stof. Verloren. Philippe vroeg zijn vader, Primus, om vergeving.

'Hoe heet ik, Jager?'

'Hou je mond.'

'Heb je het niet naar je zin?'

'Maak er een eind aan.'

Vesa's ogen glinsterden. Plotseling hield ze haar messen stil. Philippe kon alleen haar mond zien; hij was nog verblind door haar gif. Haar gigantische mond vormde een glimlach.

'Hoor ik dat goed?'

'Maak er een eind aan.'

'Is dat een smeekbede?'

Philippe slikte een paar keer. 'Nee.'

Vesa sloeg weer toe. Weg was de wijsvinger van zijn linkerhand. Weg was zijn rechteroor.

'Hoe heet ik, Jager?'

'Ik ga niet smeken, smerig rotwijf.'

Een hevige pijn in zijn gezicht. Zijn neus was weg. Zijn lippen waren ver- dwenen. De pijn was verschrikkelijk. Philippe spuugde.

'Mijn naam, Jager.'

'Vesa,' zei een stem achter haar.

Vesa schrok op.

Hij had geen enkel geluid gemaakt. Niets. De Jager was uit het niets ver- schenen.

De albino onthoofdde haar. Hij pakte het hoofd en hield het omhoog om zijn overwinning te vieren. Na dit verplichte ritueel en na het bloed van het zwaard van zijn voorouders te hebben geveegd, keek Schmidt naar wat er nog over was van Philippe.

'Broer,' zei deze.

Schmidt begreep wat hem gevraagd werd.

'Het is me een eer.'

Hij stak hem dood.

Eenmaal alleen, floot Schmidt. De Caghoulards en de Gruwelaars staakten hun bezigheden. Dat was het teken. De strijd was ten einde, de verzameling voor Spiegelmann kon beginnen. Primus' orders.

Schmidt volgde, zoals altijd, zijn orders op.

'Je hebt Philippe gedood,' zei Laplante.

'Dat wilde hij zelf.'

Laplante schudde zijn hoofd. 'Ik heb mijn Caniden vrijgelaten.

Schmidt greep hem bij zijn kraag. 'Je hebt wát?'

Laplante grijnsde. 'Ze wilden hun benen even strekken.'

Schmidt had de neiging hem met zijn mes open te rijten. Vanaf zijn voeten. Maar dat was niet zijn taak, dacht hij. En bovendien had hij er geen tijd voor.

'Waar?'

'Daar, broer.'

Maar Schmidt was al weg. Hij rende naar de kant waar hij het geblaf van de Caniden steeds harder hoorde worden. De Caniden waren strak afgericht. Ze waren getraind om te doden. Getraind die geur op te sporen. De geur van Caius' bloed.

40

D e Profeet had geen tijd om nog iets toe te voegen.
Ze werden bestormd door Caniden.

Caius zag alles alsof het in slowmotion gebeurde. Hij zag hoe Bellis zich om-draaide en onder de voet werd gelopen, hoe Lucylle opzijviel en haar hoofd stootte. Hij zag een donkere massa de deuropening vullen. Een massa met tanden en zilveren ringen.

De Canide sperde zijn bek wijd open. Caius wist niet meer wat boven of onder was toen hij in dat immense gat keek. De donkere massa blafte. Zo hard dat Caius' trommelvliezen leken te knappen.

Caius zag dat de Profeet lachend zijn armen spreidde.

Hij kon toch niet lachen, dacht Caius in een huiveringwekkend lange se-conde. Dat kon toch geen glimlach zijn wat hij op het gezicht van de Profeet zag? Anders zou hij naar de dood lachen.

De Canide scheurde het gezicht van de Profeet aan stukken alsof het een natte krant was. Aan zijn ogen en zijn houding was te zien hoe weinig Caius van de situatie begreep.

De Canide stortte zich opnieuw op de Profeet en tilde hem op – om hem vervolgens tegen de grond te smijten. Hij likte zijn snuit af en zette zijn tan-den in het kind. De Profeet schreeuwde niet eens. Hij gaf geen kik. 'Bloed,' was het laatste wat hij gezegd had.

'Bloed!' krijste Bellis, terwijl hij Caius bij zijn arm greep.

Lucylle wees naar de deur.

Nog meer donkere massa's. Ze kwamen razendsnel dichterbij, gevolgd door menselijk geschreeuw.

Caius herkende de stem. Het was een Jager.

Lucylle viel op haar knieën, sloot haar ogen en legde haar handen op de grond. Ze ontvlamden. De drie Caniden die nu vochten om de overblijfselen van de Profeet leken van de vlammen te schrikken. Ze jankten en graaiden in de lucht.

Ze sprongen opzij, huilden. Ze roken het. Ze roken de geur.

'Bloed,' jammerde de Caghoulard. Het bloed van het Wonderkind.

Caius greep Lucylles hand. Bellis wees naar een uitgang. De ene na de andere Canide sprong op hen af.

Ze moesten weg, Dent de Nuit in.

Caius maakte zich zorgen. Hij moest en zou Lucylle in veiligheid brengen, maar dat viel niet mee. Ze was langzaam en wankelde.

Caius strekte zijn hand uit. Zodra ze elkaar aanraakten, ontstonden er blauwe vlammetjes.

De jongen zag een eindeloze hemel voor zich, vol paden en wegen, die eigenlijk windvlagen waren. Een minuscuul deel van wat zij hem zou willen vertellen en wat hij zou willen horen. Een wereld die bestond uit luchten en gespreide vleugels.

Lucylle gilde. Ze zat voorovergebogen op de grond. De grond kleurde rood, net als de tanden van de Canide.

Lucylle hield op met gillen. De Canide likte zijn bek af. Hij sprong in de lucht. Caius zag hoe hij op hen af kwam. Hij was enorm, verduisterde de hemel. De Canide jankte. Hij viel. Dood.

Caius proefde zijn bloed. Iemand floot. De albino Jager kwam uit het donker tevoorschijn. Hij had zijn leven gered. De albino Jager had de Canide gedood voordat deze op hem kon springen. Dat was het enige waar Caius aan kon denken. Hij was verstijfd.

Bellis schreeuwde. Hij spoorde hem aan te vluchten.

De Jager staarde hem lang aan, floot naar de Caniden en verdween.

Bellis hield op met schreeuwen. Alles was leeg en donker. Caius kwam dichterbij. De grond was met bloed besmeurd.

Het bloed van de Vluchtelinge had dezelfde kleur als dat van hem: rood. 'Lucylle?'

41

Toen Rochelle de nieuwe schuilplaats van Pilgrind binnenstapte, wist ze niet wat haar meer beangstigde: de staat waarin de Baardman verkeerde of het verwisselde staal dat het misvormde lichaam van de zeekat omringde, die ooit Gus was.

Ze wist dat Gus een machteloze situatie als deze zou haten. Sinds ze hem ijlend hier naar binnen hadden gesleept, had ze niet meer naar hem durven kijken. Niet uit lafheid, maar uit schaamte. Zijn naaktheid, niet alleen die van zijn lichaam, was obsceen.

Pilgrind keek op en glimlachte vluchtig.

'Rochelle.' Hij knikte naar haar.

De Splendide liep naar hem toe.

Pilgrind stonk. Hij stonk naar bedorven vlees. Sterker nog: de Baardman rook zoals mensen ruiken wier leven ten einde loopt.

'Waar ben je bang voor, Pilgrind?'

Weer die glimlach. 'Ik kan niet meer roken.'

Rochelle wist niet of ze moest huilen of lachen. Ze pakte het zakje tabak en draaide een sigaret voor de Baardman. Ze draaide hem, zo goed en zo kwaad als het ging, legde hem tussen Pilgrinds lippen en stak hem aan.

'Wat een beroerde techniek heb jij, Splendide.'

'Het gaat slecht met je, Baardman.'

Pilgrind veegde haar opmerking weg, alsof die niet belangrijk was.

'Ik heb een klok horen luiden, Rochelle.'

'Ik weet het.'

'Van Mathis?'

'Ja, ik heb haar gesproken.'

'Ze wil Caius vermoorden, hè?'

'Ja.'

'Ik denk dat Buliwyf daar ook even aan gedacht heeft.'

'Heeft hij dit gedaan?'

Rochelle wees naar wat er nog over was van Pilgrinds stoel.

'Ik denk het wel.'

'Denk je het, of weet je het?'

'Beide. Hij draait door.'

'Misschien. Maar dat zal hij nooit doen.'

'Wat niet?'

'Het Wonderkind doden.'

'De oorlog verandert mensen.'

'Hem niet. Niet mijn Buliwyf.'

Pilgrind knikte. 'Je hebt gelijk, lieverd. Zoals altijd. Hij heeft jou. Maar Mathis...'

'Mathis heeft niemand.'

'Heb je nog steeds dat stuk glas bij je?'

Rochelle bloosde. 'Ja.'

'Wil je dat Koning IJzerdraad het herstelt?'

'Kan hij het raamwerk herstellen?'

'Hij is heel goed in dat soort dingen.'

Rochelle dacht er even over na.

'Nee. Dat heeft toch geen zin.'

'Hou dat stuk glas goed bij je. We moeten ons vasthouden aan onze herinneringen.'

'Pilgrind...'

De Baardman leek niet naar haar te luisteren.

Rochelle beet op haar lip. Het was alsof het leven uit het lichaam van de Baardman weggleed. En daarmee zijn wil. Dat waar alle legendes in Dent de Nuit over gingen. Dat wat van hem over was, was slechts een omhulsel, betekende niets meer. Ze vroeg zich af hoe lang Pilgrind al niet gegeten had, of zich gewassen had. Waarschijnlijk dagenlang niet.

Ze wilde opstaan, maar Pilgrind hield haar tegen. Zijn greep was krachtig.

Rochelle riep uit: 'Raak me niet aan!'

Maar Pilgrind lachte. 'Verrassing?'

Rochelle probeerde zich los te rukken. 'Ik had je kunnen...'

'Vermoorden?'

'Ja.'

Hij liet haar zijn handpalm zien. Hij was nog intact. 'Ik hoop dat ik je niet heb laten schrikken. Dat was niet mijn bedoeling. Ik heb iemand nodig die naar me luistert.'

Pilgrind ging met zijn tong langs zijn gebarsten lippen. Het leek alsof praten pijn deed, veel meer dan het contact met haar. Hij leefde nog. Dat betekende maar één ding, dacht Rochelle in die lange minuten van stilte, terwijl Pilgrind zijn energie verzamelde om haar te laten delen in zijn gedachten. Pilgrind was geen mens. Geen mens kon een Splendide aanraken. En hij had het gedaan.

'De klok, Rochelle,' begon de Baardman, terwijl hij de sigarettenpeuk in een hoek gooide. 'Het geluid kwam van de andere kant. Weet je wat dat betekent?'

'Van de zee?'

'Ja. Weet je wat dat betekent?'

'Buliwyf heeft me over de Vluchtelingen verteld.'

'Spiegelmann laat ze doden. Maar niet allemaal. Sommige laat hij gevangennemen, heb ik gehoord. En ik wil niet weten waarom.' Hij draaide zijn hoofd naar haar om en glimlachte. Zijn glimlach was als die van een pasgeboren baby: naïef en onschuldig. Rochelle was er doodsbang voor. 'Ik wil het echt niet weten, liever d. De Hidiraczee is vervuild. De oorlog is nu ook aan de andere kant van de zee gaande. Portiers sterven. Ze worden uitgeroeid. En ik wil niet vervuild worden. Ik ben niet van plan te worden zoals de zee. De klok...'

Rochelle kon niet volgen waar Pilgrind het over had, maar liet hem doorvertellen.

'De klok was van zilver. Net als de munten. Ken je die munten?' Hij wachtte niet op haar antwoord. 'Het waren er dertig. We moeten ze vinden. We moeten ze vinden, koste wat kost. Anders is alles voor niets geweest. Want alles zal opnieuw beginnen. Dat is onvermijdelijk.'

Rochelle waagde het iets te zeggen. Ze begreep niets van wat hij vertelde. 'Pilgrind, ik begrijp niet...'

De Baardman knipperde. 'Dit zijn oudemannenverhalen, vergeef me. Ik moet nadenken. Ik heb tijd nodig.' Hij liet zijn lege handen zien. 'Dat is het enige wat ik nog kan. Als ik sterk was geweest, zoals vroeger, had ik de Lykantroop kunnen helpen en met hem mee kunnen vechten, maar' – hij liet zijn handen zakken – 'ik ben oud en moe, Rochelle. Afgepeigerd.'

Rochelle besloot het te vertellen. Ze was naar Pilgrind toe gegaan om haar vriendin te verraden.

'Mathis wil een Celibe oproepen.'

Pilgrind sperde zijn ogen wijd open. Even leek de verschrikkelijke Baardman uit de legendes te zijn teruggekeerd.

'Wát wil ze doen?' brieste hij.

'Ze wil een Celibe oproepen.'

'Dat heeft geen zin.'

'Zij denkt van wel.'

'Maar dat heeft het niet!' bulderde Pilgrind. 'Die vrouw is gek. Ze heeft het al een keer eerder gedaan en is toen alles kwijtgeraakt. Ze is geen Wisselaar meer!'

Rochelle onderbrak hem. 'Ze weet wat haar te wachten staat.'

'Nee. Dat weet ze niet. Sterker nog: ze weet niets.'

'Ze is verliefd, Pilgrind.'

'Zou jij voor Buliwyf hetzelfde doen?'

'Dat weet ik niet. Buliwyf is hier.'

'Gus ook. Kijk naar hem, verdomme. Hij zal nooit meer de oude worden.' Rochelle zag dat de gedachte aan de toestand van Gus hem meer pijn deed dan zijn vermoeidheid. Zijn ogen werden wazig. 'Nooit meer. Als ik de moed had, zou ik een eind maken aan zijn leven.'

'Dat zou je niet doen.'

'Daag me niet uit, vrouw,' gromde Pilgrind.

Rochelle stond op. Ze was laaiend.

'Ik daag je niet uit. Ik vraag je om advies, Baardman. Het feit alleen al dat ik hier ben wil zeggen dat mijn vriendschap met Mathis ten einde is. Maar ik weet wat een Celibe aanricht. Zij niet meer. Omdat ze de vorige keer dat ze er een heeft opgeroepen haar geheugen... kwijt is geraakt. Daarom heeft Yena haar handen ook niet afgehakt. Ze heeft geen Wisselaarshanden meer.'

'Heb je dat tegen haar gezegd?'

'Ze zou toch niet naar me luisteren.'

Pilgrind lachte schril. 'Denk je dat ze wel naar mij luistert?'

'Ja.'

'Dan vergis je je. Ze haat me.'

'Omdat je het Wonderkind beschermt.'

'Ik bescherm mijn fouten, Rochelle. Ik bescherm het lot dat al vastligt.'

'Dan zit er niets anders op. Het lot ligt niet vast. We moeten haar tegenhouden.'

'Nee.'

Dat antwoord had ze niet verwacht.

'Waarom niet? Het kan haar dood worden.'

'Ik weet wat een Celibe kan aanrichten.'

'En waarom wil je haar dan niet tegenhouden?'

'Daarom niet.'

Rochelle trilde van woede. 'Je bent gek, Pilgrind.'

'Ik doe het niet voor Gus.'

'Voor wie dan?'

Hij gaf geen antwoord.

De Baardman raakte weer in zichzelf gekeerd. Zittend op de grond, als een zwerver die om een aalmoes vraagt. Hij was Rochelle en haar geschreeuw alweer vergeten. Hij staarde naar Gus, naar het staal dat hem omsloot. Zijn nieuwe lichaamsvorm. Zijn bloed.

Dit is wat hij mompelde toen Rochelle de kamer verlaten had: 'Bloed.'

42

Caius tilde het meisje op. Ze was zo licht als een veertje. Hij zou haar nooit in de hemelse grond kunnen begraven waar ze vandaan kwam, naast haar dierbaren, maar hij wilde haar niet achterlaten als voedsel voor de Caghoulards.

Lucylle had hem een hemel die naar hoop geurde laten zien en hem daardoor even Spiegelmanns verdorvenheid doen vergeten. Caius was niet van plan de Caghoulards dat geschenk te laten ontheiligen. Hij zou haar ver bij hen vandaan begraven.

Daarom rende hij door het labyrint van Dent de Nuit. Hij kon zich niet oriënteren, maar volgde zijn instinct en zijn wanhoop. Zijn longen en keel brandden, zijn rug deed pijn, zijn spieren waren stijf en trokken steeds harder in spasmen samen.

Dent de Nuit was een oneindige draaikolk. Hij rende honden tegemoet, die hem noodzaakten te stoppen. Het lage gegrom van de zwerfhonden dwong hem om te draaien. Rode ogen en kwijl langs hun muil. Drie honden. Ze hadden de geur van bloed opgepikt en hun honger had hen ertoe gedreven hem op te sporen.

De honden hadden hem omsingeld. Twee voor hem, één achter hem. Ze blokkeerden het steegje. Hij kon nergens heen.

Déjà vu. Drie honden, een jongen en een dood lichaam. Woede. Hij was dat jongetje niet. Dat was Wolfi. Die nu Spiegelmann heette. Nijd. Honger. Een zwart gat in zijn borst.

Caius legde het lichaam van Lucylle op de grond, in een plas gesmolten sneeuw. Hij verontschuldigde zich tegenover haar. Voorzichtig, bang om onverwachte bruuske bewegingen te maken, draaide hij zich met zijn rug naar de muur.

Vuur in zijn aderen, bitter en slecht vuur. Hij grijnsde zijn tanden bloot op een manier die Pilgrind, Buliwyf en Rochelle niet zouden begrijpen, maar die Gus meteen zou herkennen. Het leek alsof de lucht warmer werd. Het werd bloedheet.

Caius' huid begon een venijnig licht uit te stralen. Hij kneep zijn ogen toe en liet zijn tanden zien.

'Wegwezen,' riep hij.

De zwerfhonden leken te schrikken van deze verandering. Hun gegrom werd monotoner, minder verontrustend. Ze rolden met hun ogen en schuifelden heen en weer op hun poten.

Het gekras van hun nagels op de straatstenen maakte Caius nog furieuzer. De kleinste hond, en waarschijnlijk de minst gevaarlijke, stapte een paar meter naar achter en jankte zachtjes. De andere twee reageerden op een andere manier. Hun angst maakte hen nog agressiever. De grootste van de twee graaide in de lucht en ontblootte zijn tandvlees. De andere blafte twee keer luid. Ze kwamen dichterbij.

Het was Caius gelukt zich tegen de muur aan te laten glijden en een glazen fles te pakken die in een plas lag. De hals was glibberig. Hij sloeg het glas tegen de grond.

'Ze is van mij.'

Hij greep de hals steviger beet en zwaaide hem snel door de lucht. Hij vond het fluitende geluid prettig.

De honden snoven nerveus de lucht op. De kleinste jankte en zocht contact met de andere twee. De grootste hield zijn ogen in de woeste ogen van het Wonderkind geboord. De Duitse herder likte aan een van zijn littekens. Hij had kleine, boosaardige ogen. Caius las er honger en nijd in. Dingen die hij kon begrijpen. Hij hield zijn geïmproviseerde wapen stevig vast. Hij zag angst in zijn ogen. En lachte. De honden vluchtten.

'Help me, Bellis.'

43

Pilgrind was niet alleen. Koning IJzerdraad was bij hem. Hij maakte pirouettes en koprollen in de lucht. Nerveus verspreidde hij vonkjes. Er was veel aan de hand in Dent de Nuit. Veel waarover hij met de Baardman van gedachten wilde wisselen. Maar Pilgrind leek niet te willen luisteren. Koning IJzerdraad sprong in de lucht, maakte gaatjes in het pleisterkalkplafond en kwam neer op de zachte huid van de oude man. Boos maakte hij ook hier met zijn scherpe armen gaatjes in.

Pilgrind vertrok geen spier. Het was dat zijn borstkas op- en neerging, anders zou hij voor een lijk aangezien worden. Hij dacht aan de dood, waar hij niet bang voor was. Sterker nog: er waren in zijn ellenlange leven dagen geweest waarop hij sterk naar de dood had verlangd. Droevige en angstige dagen. Dagen waarop zijn missie als Portier hem beangstigde, een last waar alleen de dood hem van zou kunnen bevrijden. Hij zou zich kunnen ophangen, zoals Odino, een stokoude Portier, volgens de geruchten had gedaan. Hij zou zijn polsen kunnen doorsnijden, zich in zijn hart kunnen laten schieten of zich zelfs kunnen volgieten met gif, maar de dood zou geen vat op hem krijgen.

Hij had dagen gekend van verdriet en angst, maar ook prettige dagen waarop hij nu eens vijanden verpletterde, dan weer mysteries oploste, met hetzelfde gemak als waarmee schurken om vergeving vragen. De Baardman zelf had nog nooit om vergeving gevraagd. Nooit. Dat ging tegen zijn natuur in.

Vergeving was een voorrecht dat alleen wezens van vlees en bloed hadden, niet wezens zoals hij. Ooit was hij dat geweest, als pasgeboren baby. Dat was niet meer dan een herinnering.

Pilgrind zuchtte. Herinneringen. Kwam hij daar niet altijd op uit, op herinneringen? Draaide het bij mensen en andere wezens niet allemaal om herinneringen? En bestonden herinneringen niet allemaal uit woorden en oude geuren? Hij stak zijn hand op en hield hem vlak. Koning IJzerdraad vlijde zich voorzichtig neer op zijn handpalm.

Herinneringen waren nog veel meer dan dat.

'Er gebeuren wonderlijke dingen, hè?'

Koning IJzerdraad gaf geen antwoord. De kippenveren die zijn ogen sierden spanden zich.

'Overal. Wonderen. En klokken.'

IJzerdraad was een koning. Een koning van een inmiddels uitgestorven volk. Hij zette zijn intuïtie in voor de Vluchtelingen. Een gelijke kon zich altijd in een gelijke verplaatsen.

Pilgrind bracht zijn duim naar zijn mond, daar waar het metalen figuurtje bijna overal gaatjes in had geprikt.

'Caius is gevlucht, hè?'

Koning IJzerdraad maakte een pirouette. Vonkjes sprongen tegen het gezicht van de oude man.

'Je wilt zeker je tarotkaarten gebruiken?'

Het antwoord kon niet anders zijn dan ja.

'Dat hoeft niet, vriend.'

Koning IJzerdraad stond plotsklaps stil. Hij was verbouwereerd.

'Ik weet het. Kun je me een verhaal vertellen, IJzerdraad? Een verhaal over de Baardman? Of een mop? Zelfs een gebed is goed. Misschien lukt het me daarna beter na te denken.'

Koning IJzerdraad sprong in de lucht, maakte pirouettes en landde op Gus' lichaam. Hij ging zitten. Pilgrind stond op van de grond. Hij voelde zich alsof er smeulende stukjes houtskool tussen zijn gewrichten zaten.

'Denk je dat Gus dat was?'

Een pirouette.

Pilgrind legde een vinger op het gezicht van zijn vriend. Het voelde koud aan.

'Gus.'

Rochelle had hem, met wat ze hem over Mathis had toevertrouwd, weer hoop gegeven. Hoop die echter ook tot de dood zou kunnen leiden. Tot nog meer bloed. Hij kon de smaak ervan al proeven.

Pilgrind boog zich voorover, tot bij het oor van de zeekat. 'Gus, hoor je me?'

Geen reactie.

Het was een bekentenis die hij aflegde, geen verzoek dat hij deed. 'Het is mijn schuld. Dat van Spiegelmann. Van de Roos. Dat jij zoveel pijn hebt geleden. O, zoveel. Ik had je alles moeten vertellen.'

Gus verroerde zich nog steeds niet.

Koning IJzerdraad luisterde aandachtig. Zijn V-vormige kippenveren ruisten door de grote hoeveelheid Wisselaarsenergie in de stalen kooi.

Pilgrind glimlachte. 'Alleen jij zou het lef hebben het zilver van de zee te stelen. Wie anders? Wat heb je gebruikt? Zand? Ik zou graag eens van je horen hoe je het gedaan hebt. Dat zou een interessant verhaal zijn. Je weet hoeveel ik van goede verhalen hou.' Hij streek door zijn ruige baard. 'De klok. Waarom heb je die gemaakt?'

Koning IJzerdraad ging op zijn schouder zitten. Pilgrind probeerde hem weg te jagen, maar Koning IJzerdraad hield stug vol en bleef zitten. Hij prikte Pilgrind in zijn gezicht, net boven zijn jukbeen. De Baardman sprong op. De pijn was niet hevig, maar wel acuut.

'Ja, ik moet ophouden met mijn klaagzang. Ik moet me concentreren. Ik moet het begrijpen. Maar ik heb behoefte aan verhalen, vriend. Ik heb behoefte aan een goed verhaal over de Baardman, want wat ik van plan ben te doen, is niet het goede. De weg naar de hel is geplaveid met goede bedoelingen, toch? Als hij geplaveid zou zijn met fouten, zouden doden via die weg de hemel bereiken. Ik denk dat Spiegelmann dat ook denkt. Ja, dat denk ik echt.'

In gedachten bespotte de Verkoper al zijn voorstellen en zekerheden met zijn hoongelach. Hij zag hem weer, op de kop van de kikker, dronken van macht.

Pilgrind spuugde op de grond. Zijn speeksel was vermengd met bloed. De Dood kwam hem halen, dat was duidelijk.

'Mensen sterven.'

Een stilte. Buiten klonk geschreeuw.

Pilgrind sloeg er geen acht op. Dat waren inmiddels veelvoorkomende geluiden geworden in Dent de Nuit.

'Er sterven mensen door onze fouten.'

Koning IJzerdraad wreef met zijn armen over elkaar. Er ontstonden vonkjes.

Pilgrind opende zijn mond en ademde diep in. Een vonkje sprong op zijn tong en verdween.

'Wat is geweest, is geweest, vriend. Wat zal zijn, zal zijn. Wij moeten alleen volhouden. Ik had het je moeten zeggen, Gus. Dat had ik moeten doen.'

Hij trok zich met moeite omhoog.

'Ik hoef het nu alleen maar te begrijpen. Begrijpen hoe je de liefde bij een onschuldige wegneemt.' Hij wierp een blik op Gus. 'Zie je, vriend van me? Ik ben niet zo heel veel anders dan Spiegelmann.'

Op dat moment hoorde hij de muziek.

'Is het al zo laat?' mompelde hij. 'Zo laat?'

44

Zo ontving Dent de Nuit de nieuwe dode: met een symfonie van gedempte geluiden. Alsof de verborgen buurt bang was om door het uit te schreeuwen van verdriet de herinnering aan het wezen van veren en glimlachen te bezoedelen. Het hemelse wezen. Hier klonk het kraken van een rolluik waarachter ogen staarden naar de jongen en de Caghoulard die het lichaam van Lucylle droegen. Daar barstte het ijs van verdriet in duizend stukjes uiteen.

De kraaien die op de balustrades zaten wisselden ontstelde blikken. Alsof ze de dood verafschuwden. Alsof ze aanvoelden dat het lichaam, waar de magere jongen een zachte plek voor zocht, niet alleen bestond uit vlees en bloed.

Er was hoop.

Dit was het lichaam van een meisje uit een wereld aan de andere kant van de zee. Hoop, een belofte. Caius hoopte meer te kunnen genieten van iets waarvan hij nog maar een glimp had mogen opvangen.

Kon zo'n vluchtige ontmoeting zoveel schade aanrichten? Ja. Er was tenslotte maar een kort ogenblik voor nodig om vlees, dat gekust was door staal, in een bloedrode glimlach te laten veranderen, die soms niet meer te helen was.

Hier dacht de jongen aan, terwijl zijn longen brandden door het ijs en zijn schouders en rug smeekten om rust. Hij bracht het lichaam van Lucylle weg, ver weg van de resten van de Canide. Weg van het bloed.

Spiegelmanns wereld bestond uit bloed. Het was een helse wereld waar hij had gewoond en waar hij een wrede les had geleerd. Er had ook bloed gevloeid rond de Kikkerfontein. Het bloed van zijn vader en moeder. Het bloed dat Gus en de Lykantroop hadden vergoten om hem te beschermen. Het bloed dat uit het Teken van de Roos sijpelde. Het bloed van Bellis. Het bloed van Tourette, gestorven met een glimlach op zijn gezicht.

'Waarom?'

De Caghoulard sloeg zijn ogen op. Hij wist niet wat hij moest zeggen.

'Wonda,' jankte hij.

'Waarom lachte hij?'

'Wonda.'

Vluchtelingenbloed. Al dat bloed dat vanwege hem is vergoten. Het was als de herinnering van de Profeet met het babygezichtje. Een stroompje. Geen stroompje water, maar een donkere, warme, stroperige vloeistof. De vloeistof die door zijn aderen stroomde in de hoop wat zuurstof naar zijn vermoeide armen te brengen. Een vloeistof die Dent de Nuit bedekte. Zo zag het Wonderkind de huizen en gebouwen in de wijk. Gehuld in rood. Alsof er een dunne mist over hing, als een lichte, onverzoenlijke kwal. Uitgeput viel hij op de grond neer.

Een klein plein. Asfalt. Weinig lucht boven zijn hoofd. IJs.

En nog meer ijs. Bellis legde zijn hand op zijn schouder.

'Blijf van me af!' schreeuwde Caius.

Zijn kreet stierf weg in het stille Dent de Nuit. De Place des Petites Vieilles keek hem doordringend aan vanachter getralieder ramen en gangen die eruitzagen als forten, glimmend als de gaten waar 's nachts het water in rustte. Caius haatte dit alles. Er was nergens in Dent de Nuit een plek waar hij Lucylle zou kunnen begraven, bedacht hij droevig, en hij begon te snikken. Lucylle was een gevleugeld wezen. Ze kwam uit een wereld die alleen uit oneindige luchten bestond. De aarde, welke aarde dan ook, zou haar tegenstaan.

Caius pakte een purperstenen straatsteen die tijdens de oorlog was losgekomen en begon te slaan. Splinters sprongen in zijn gezicht. Hij sloeg met dezelfde kracht als waarmee Gus van Zant hem, op een andere plek, gered had. Maar dat kon hij niet weten. En als hij het al geweten had, zou hij er geen troost in gevonden hebben. Er was nu niets meer te redden. Alles was al gebeurd. De redding lag achter hem, was nog slechts een herinnering. Al dat bikken, slaan, breken en bloeden vormde een grafrede.

Het bloed vormde een beeld. Het beeld van de Kalibaan, het monster dat Caius met een zeer krachtige Wissel had gedood.

'Opzij, Bellis,' beval hij.

Bellis stapte opzij, naast het schamele gat dat de twee uit het wegdek gehakt hadden, niet breder dan twintig centimeter en misschien vijf centimeter diep. Bellis beefde. Caius' geur was veranderd.

Toen Caius de Kalibaan te gronde richtte was hij bijna wanhopig. Hij dacht dat alles verloren was. Hij had gezien dat Gus op het punt stond zich gewonnen te geven en had besloten een Wissel te produceren, hoewel dat hem nadrukkelijk verboden was. Hij had zijn mooiste herinnering gebruikt. Zijn eerste dag in de buitenlucht. De dag waarop hij was genezen.

Hij had tijdens zijn gevangenschap goed kunnen nadenken. Hij had aan de afgehakte handen gedacht. Aan wat Spiegelmann allemaal gedaan had, of geprobeerd had te doen. Hij had begrepen dat het de Wissel waar hij de Kalibaan mee had gedood was geweest die de hel in Dent de Nuit had ontketend. Caius had eerst de strijd aangebonden met dit demonische wezen en werd vervolgens meegenomen en gevangengezet door de gezanten van Spiegelmann. Het was hem gelukt de Kalibaan met een breuk te doden. Hij had iets gedaan wat hem verboden was. Die gedachte was huiveringwekkend, zeker omdat hij voortdurend in zijn hoofd opkwam in die cel in rue Félix.

En toch was de herinnering aan zijn eerste dag in de buitenlucht niet verdwenen. De herinnering die hij kwijt had moeten zijn. De verwisselde herinnering. Hij was er nog. Hij was het niet vergeten. De sneeuw. Zijn vader die over het ijs gleed. De slee. Zijn moeder die alsmaar lachte en hem omhelsde.

Nu, terwijl hij rilde van de kou en zijn gedachten als eeuwige sneeuw door zijn ziel sneden, zag Caius, het Wonderkind, opeens het licht. Hij herinnerde zich de woorden van Pilgrind. De Wissel. De werkelijkheid naar zijn eigen hand zetten. Herinneringen verbranden. Zijn eerste dag in goede gezondheid. Hij herinnerde het zich nog. Hij was geen Wisselaar en toch had hij de Kalibaan gedood.

'Ik ben het Wonderkind,' zei hij, terwijl hij naar zijn handen keek. En zo loste hij het mysterie en de breuk op; hij had een andere herinnering gebruikt.

Hij schudde zijn hoofd. Niet uit ongeloof, maar omdat hij zich afvroeg waarom hij niet eerder tot deze conclusie was gekomen. In de verte hoorde hij een kraai krassen. Het antwoord was eenvoudig. Hij had een nepherinnering gebruikt; alles aan hem was tenslotte nep. Had Spiegelmann hem dat niet gezegd? Zijn vader en moeder waren nooit echt zijn vader en moeder geweest. Hij was nooit een jongetje geweest zoals alle anderen. Het was niet verwonderlijk dat zijn verleden alleen maar schmink en rouge was. Net als het gezicht van Spiegelmann.

Caius balde zijn vuisten.

Hij was het Wonderkind.

'Lucht,' zei hij, 'alleen lucht voor jou.'

En zo geschiedde.

Het was geen Wissel, maar iets veel sterkers. Het Wonderkind had geen Wissel nodig om de wetten van de fysica om te buigen. Nee, het was geen Wissel die de breuk in Dent de Nuit had veroorzaakt, die zelfs het ijzige purperstenen plein had getroffen.

Het was een kracht die de magere jongen bezat. Een zwarte kracht, zwart als de honger in zijn borst.

De magere jongen in zwart-wit zat naast het gevederde lichaam van Lucylle op de grond geknield, en bleef dat ene woord herhalen: lucht.

Het was geen Wissel.

Dat had Bellis ook begrepen. Hij deinsde achteruit en liet zijn tanden zien. Kraaien vergaten even hun verdriet en stegen op. Ze staken af tegen de door Caius opgeroepen hemel. Zelfs het plein leek het te hebben begrepen. Het leek te proberen zich van de jongen te verwijderen.

In het begin reageerden alleen kleine vlokjes op Caius' gebed. Ze draaiden rond het lichaam van Lucylle. Het leken stukjes ijs, maar waren het niet. Dat voelde Caius instinctief aan.

De vlokken begonnen rond te wervelen. Het leken bloemblaadjes maar waren het niet. Het levenloze lichaam kwam omhoog. De wervelende vlokken omhelsden haar.

Het was geen Wissel, dacht Caius. Hij was het Wonderkind.

En dit was een afscheid. Lucylle verdween. En even verdween ook de wereld.

Caius zakte ineen. Heel even dacht hij dat hij gek was geworden. Hij had last van steken. De steken veranderden in pijnscheuten. Hij zag dat Bellis zijn oren bedekte en begreep dat zijn pijn in werkelijkheid een schelle, intense melodie was. Die kon leiden tot waanzin. Hij vond het haast prettig.

Caius glimlachte.

Hij stelde zich voor hoe de melodie alles verwoestte. Hoe hij muren vernielde en de fundamenten van de wijk verbrandde. Hoe hij Jagers opspoorde en in stukken reet, hoe hij Spiegelmann vond en hem liet lijden zoals de Verkoper anderen had doen lijden.

Toen keek hij naar Bellis. Het bloed liep uit zijn neus en oren. Hij zag zijn uitdrukking van afgrijzen en had spijt van zijn gedachten. Op dat moment verdween de melodie die zelfs de ratten op het plein had doen beven en huilen.

Caius strompelde naar de Caghoulard. Hij was gebroken van vermoeidheid.

'Bellis...'

'Wonda,' mompelde de Zwartgekapte. 'Wonda...'

45

De man doolde rond in de stad van ijs en as. Van zijn bril was alleen nog een plakkerig randje en gebroken glas over. Hij kon er niet meer doorheen kijken, maar hij maakte zich er niet langer druk om. Het enige wat zijn ogen konden onderscheiden waren vlekken en as. Hij ergerde zich vooral aan de as; die bracht slechte herinneringen bij hem naar boven. Herinneringen die hij had willen uitbannen en die etterden in een paradijs zonder pijn en zwaartekracht.

Hij doolde rond. Blind en doof. Hij wandelde doelloos door steegjes. Maar toch volgde de man, net als zwaluwen, een instinct, dat na jarenlang rondgezworven te hebben inmiddels verfijnd was. Het paradijs waarin hij zich voortbewoog heette Dent de Nuit. En toch was het dat niet.

Zijn ogen waren niet meer in staat gezichten en details te onderscheiden, maar dat vond hij niet zo'n ramp. Gezichten hadden de neiging te vluchten zodra ze in zijn buurt kwamen. Ze veranderden in een opengesperde letter o en sloegen een andere straat in.

Er was één figuur geweest, één van die vele gezichten die hij niet scherp kon zien, één van de engelen van het paradijs zonder verleden en zonder toekomst, die hem had geprobeerd te blokkeren.

De man had toen de longen uit zijn lijf geschreeuwd en zijn handen om de nek van de figuur geslagen. Hij had zijn hart in zijn keel voelen kloppen. Hij had gehoord hoe zijn geschreeuw dat van de onbekende opslokte. Alleen op dat moment was hij weer in staat geweest details scherp te zien en had hij de nek losgelaten.

Vanaf toen was er niemand meer geweest die hem had lastiggevallen. Vervuld van geluk liep hij door zijn paradijs. Hij was gelukkig, in de hel die Dent de Nuit geworden was.

Als een van de etende kraaien op de scherpe daken van de buurt die verdwaalde zwaluw had gevolgd, had hij zeker opgemerkt dat de man in kringetjes liep. In spiralen, om precies te zijn.

Het was alsof zijn instinct hem dwong steeds dichter naar een doel te lopen dat zijn verstand juist probeerde te vermijden. Daarom waren de kraaien gestopt de man die onder de as en het roet zat te volgen. Omdat hij nog leefde, natuurlijk, maar ook omdat ze met hun vooruitziende blik allang begrepen hadden waar zijn omzwervingen zouden eindigen. En daar wachtten ze hem op.

De plek waar de jongeman na dagen en dagen rondgedoold te hebben uiteindelijk terechtkwam, was bezaaid met kraaien. Op de kozijnen, de balkons, de daklijsten. Ze waren ervan overtuigd dat er, op welke manier dan ook, iets te bikken viel.

De smerig uitziende man klemde een doos tegen zijn borst. De doos was niet opzichtig. Hij was eenvoudig, van hout, zwaar, op diverse plekken bekrast en gesloten met een slotje waarvan de man de sleutel kwijt was. Dat was niet het enige wat hij kwijt was.

Op een dag had de man zich gerealiseerd dat hij geen pen en papier bij de hand had. Zo lang hij zich kon heugen, had hij dat altijd gehad. Op een dag, zwervend door Dent de Nuit, was de man erachter gekomen dat hij zijn huissleutels verloren had. Mijn huis en sleutels zijn ver weg, had hij tegen zichzelf gezegd. Uiteindelijk was het zelfs zo erg dat hij zijn naam kwijt was.

Dat was lastig te verteren voor iemand die er trots op was meer woorden te kennen dan de hele Bibliotheek van Alexandrië bevatte. Orde was zijn kracht. Catalogiseren en lijstjes maken hadden altijd een geruststellend effect op hem gehad. Zo kon hij chaos de kop indrukken. Hij schoor zich bijvoorbeeld altijd 's morgens. Nu groeide zijn gezichtshaar in het wilde weg. Hij waste altijd op maandag. De geur van pasgewassen kleding verjoeg zijn angsten en demonen van wanorde. Nu stonk hij. De chaos had gewonnen.

Hij herinnerde zich dat hij zichzelf een keer in een etalage had gezien. Dat was de dag waarop hij zijn naam was vergeten. Omgeven door zonnestralen, die zo zwak waren dat ze eigenlijk geen verwarmend effect hadden, terwijl er een vrouw overstak, een schreeuwende kwajongen achter zich aan slepend, had hij zijn uitgemergelde spiegelbeeld gezien en zich afgevraagd wie die poppenkastpop in 's hemelsnaam was. Dat was hij. Zo was de man uiteindelijk in zijn persoonlijke paradijs aangekomen. Zonder pijn, zonder herinneringen en zonder naam.

Laplante stond al een tijdje op hem te wachten.
'Boekverkoper,' riep hij.
De man reageerde niet.
Laplante stond op, dronk uit een fles, legde deze op de resten van een zuil en ging weer zitten.

De boekverkoper leek hem niet op te merken. Hij staarde naar een punt in de verte, ergens tussen de Jager en de horizon.

Laplante knipte in zijn vingers.

'Ik ben al dagen naar je op zoek.'

De verkoper knipperde.

Laplante stond op en rekte zich uit.

'Weet je wie ik ben?'

Geen antwoord. De man zette zijn bril recht. De bril waar hij niet meer door kon zien.

'Ik ben de laatste echte Jager hier.' Hij was dronken en slingerde. 'Je zult je wel vereerd voelen dat je me mag ontmoeten.'

Laplante zag dat de man zijn ogen samenkneep, alsof hij het beeld probeerde scherp te stellen.

'Kom naar voren.'

De man gehoorzaamde.

Laplante leunde tegen de resten van de zuilengalerij. Hij dacht met plezier terug aan die nacht. Aan hoe de castraten probeerden het vuur te blussen in plaats van de benen te nemen. Tonnen papier blussen. Onmogelijk. Beestachtige Literatuur had achtenveertig uur gebrand. Spiegelmann was degene geweest die opdracht had gegeven het vuur te doven. Hij wilde niet dat de hele stad in vlammen opging.

'Herken je me?'

De man schudde zijn hoofd.

'Heb je je tong verloren?'

'Nee, meneer,' antwoordde hij met hese stem.

'Mooi. Weet je waarom ik hier ben?'

De man drukte de doos instinctief stevig tegen zijn borst.

'Nee, meneer.'

'Ik zocht jou.'

'Ik ben hier, meneer.'

'Je bent niet goed snik, hè?' grijnsde Laplante, waarna hij uithaalde met zijn vuist en de boekverkoper tegen de grond sloeg. 'De grote baas heeft me gestuurd. Weet je hoe die heet? Primus, heet hij, en hij heeft niet eens de ballen om zo'n armzalig mannetje als jij op te sporen. Weet je dat?'

Hij gaf de man opnieuw een klap.

De boekverkoper knikte aandachtig, maar bevond zich in een wereld aan de andere kant van het universum. 'Bram Stoker. Engelse klassiekers. Verhalende horror. Of fantasy. We hebben er drie exemplaren van. Waarvan één uit 1900, meneer. Ze zeggen dat...'

'Hou je muil!' brulde Laplante.

De woorden van de boekverkoper, maar vooral de onverschillige manier waarop hij ze had uitgesproken, hadden de alcohol uit het bloed van de Jager doen verdwijnen. Een magische ontnuchteringsformule. Handig, dacht Laplante, die nog nijdiger werd, maar niet op dit moment. Op dit moment wilde hij alleen...

Hij stopte. Hij liet het vieze haar van de man los en sperde zijn ogen wijd open.

'Weet je? Ik moet eigenlijk gaan, vriend. Primus vermoordt me.'

'Nee, meneer.'

Laplante wierp hem een boze blik toe. De man ijlde. Er was geen spoor van sarcasme in zijn opgezwollen gezicht te bekennen.

'Zwijg.'

'Ja, meneer.'

'Ik zou me eigenlijk uit de voeten moeten maken, maar...' In een flits greep hij de boekverkoper opnieuw bij zijn haren. 'Misschien kan ik dat wat jij daar hebt wel gebruiken.'

Hij probeerde de houten doos in handen te krijgen, maar tevergeefs. De man verzette zich. Laplante pakte hem bij zijn oor.

Zijn mes glom vervaarlijk. Hij sneed.

Laplante liet hem zijn afgesneden oor zien. Met of zonder bril, dit was niet te missen.

'De volgende keer snij ik lager. Geef me het Dertigtal.'

'De munten zijn niet te koop, meneer,' mekkerde hij met mechanische stem, zonder enige vorm van intonatie. Alsof de pijn die hij voelde doordat zijn oor was afgesneden hem niets deed.

'Maar, als u mij toestaat, zie ik dat u net als ik een ongewone passie hebt. Als u wilt...'

Laplante gaf hem een schop.

Hij hoorde het kraakbeen breken.

'Ik snij je vingers een voor een af, ellendeling.'

Hij had hem meteen kunnen vermoorden, maar haatte het om beetgenomen te worden. Gek of niet, dat mannetje kleineerde hem. En daarom moest hij lijden.

'... kan ik u doorverwijzen naar mijn zeer gewaardeerde collega. Een ambachtsman die handelt in messen. Messen in allerlei soorten en maten, maar vooral antieke.'

Laplante ademde de geur van as in. Hij gaf de man nog een knal en slaakte een kreet van afgunst. Hij keek hem in zijn ogen, terwijl hij gewoon door-ratelde. De Jager greep zijn wijsvinger en draaide hem om. De vinger brak met indrukwekkend gemak.

'Fernando,' fluisterde hij, terwijl hij het mes voor de neus van de man hield, 'ik ga je nu heel erg pijn doen.'

Fernando viel uit zijn paradijs. Hij zag het beestachtige gezicht boven hem en herkende het. Hij herkende de geur van as. Hij herinnerde zich de vlammen, de boekhandel. As.

Hij schreeuwde.

Laplante zei niets.

Fernando sloeg hem hard in zijn gezicht met de massief houten doos. Bloed sijpelde uit een oppervlakkige wond.

Laplante wankelde. Hij dacht dat hij een Jager was.

'Je kunt niet...'

Dat kon hij wel.

Fernando greep het mes. Hij rukte het uit Laplantes handen.

'Hoeren...'

Het mes gleed door pezen en kraakbeen zonder onderscheid te maken. Het sneed door het vlees van de boekverkoper, maar ook door dat van de Jager. Maar uiteindelijk was de Jager degene die eindigde als voer voor de kraaien.

Fernando, terug in Dent de Nuit, rende weg. Hij vluchtte uit zijn waan-zinnige paradijs en terug de hel van as in. Als een zwaluw in de herfst zocht hij zijn verloren waanzin. Hij kon weer zien. Hij herinnerde zich zijn naam weer. Fernando, de boekverkoper.

46

Op een dag had Charlie, zijn vader, hem een geweldig chocoladeijsje gegeven. De hoorn was gigantisch en het ijs begon al te smelten. Het was zomer en warm. De kranten spraken van een hittegolf. Eentje zoals ze die tientallen jaren geleden voor het laatst hadden meegemaakt. Zijn moeder zei dat het elk jaar hetzelfde liedje was. Toch was het echt heet.

Caius lag op bed, met een pijnlijk infuus in zijn arm. Het geluid van de steeds trager vallende druppeltjes versterkte het gevoel dat het bloedheet was.

Het ijsje was zo lekker dat Caius het meteen had verorberd. Toen het op was en hij naar zijn vader had gekeken, had hij gezien dat hij huilde. Maar niets van dit alles was waar.

Op een dag hadden Charlie en Emma hem naar school gebracht, naar zijn nieuwe school: het Instituut voor Jonge Moeders. Caius' eerste school. Het hoofd, dat ook wiskundelerares was, een non zo rimpelig als een gedroogde pruim, was blij geweest met het resultaat van zijn toelatingstest. Ze had onvergetelijke woorden gebruikt. Caius was zo trots geweest dat hij de rest van het gesprek niet meer had gehoord. Hij had ook gezien dat zijn ouders blij waren.

Caius leerde altijd graag. Als hij leerde, voelde hij zich ouder. Hij dacht altijd dat volwassen worden betekende dat hij meer zelf mocht beslissen. En dat hij die uitdrukking op het gezicht van zijn ouders zou zien, die ze hadden toen de non vertelde dat zijn test bij de beste hoorde die ze ooit had gelezen.

Ook daar was niets van waar. Hij had nooit een toelatingstest gemaakt. Er was geen non geweest. En niemand had trots gekeken. Misschien had de school zelfs niet bestaan.

Niets. Al zijn herinneringen waren nep. Alles in zijn hoofd was onzin.

Hij keek naar zijn handen. Hij zag geen vlammetjes. Hij merkte alleen op dat hij een paar schaafwonden had en dat er iets zwarts onder zijn nagels zat. Menselijke handen. Jongenshanden. Nephanden.

'Bellis... Ik wilde niet... Bellis.'

De Caghoulard kwam naar hem toe en pakte zijn hand. Dat was zijn antwoord.

Er was eens een mus bij hem op de vensterbank komen zitten. Hij was nog ziek en had er een eeuwigheid over gedaan om op te staan en naar het musje toe te lopen. Het was lente. Buiten regende het. Zo'n harde regenbui die ervoor zorgde dat bloemen en twijgjes uitkwamen. Het musje bleef stil zitten.

Op dat moment kwam zijn moeder binnen. Ze gaf hem een uitbrander; hij mocht zich niet inspannen. Hij mocht zich niet bewegen. De dokter. De vogel was weggevlogen.

Het was een nare herinnering. De eerste keer dat hij zich verlaten voelde. Hoewel Caius wist dat het geen echte herinnering was, maakte het hem verdrietig.

'Wonderkind.'

Caius draaide zich met een ruk om.

De gedrongen figuur kwam naar hem toe. Heel even had Caius het idee dat zijn hart uit elkaar klapte.

'Gus?'

Het was Gus niet.

Nu zag hij hem scherp. De man rook naar de dood. Ook Bellis rook het. Hij was op zijn hoede en gromde. Het was dezelfde geur als die boven de stad hing. Zijn verdomde geur. De geur van het Wonderkind.

'Ik ken jou,' zei hij, 'maar ik weet niet...'

'Suez,' verklaarde de man. 'Ik ben Suez. Jij bent Caius, hè?'

'Ja.'

Nu wist hij het weer.

'Je handen...'

Suez liet hem zijn stompjes zien. Er zaten met bloed besmeurde slagershaken aan, die fonkelden.

De eigenaar van de Obsessie glimlachte. 'Pilgrind heeft zijn werk goed gedaan.'

Bellis blies.

Suez boorde zijn ogen in die van de Caghoulard. 'Waarom leeft hij nog?'

'Bellis is mijn vriend.'

Suez liet zijn stompjes zakken. 'Vriend?'

'Hij heeft me helpen vluchten.'

'Uit rue Félix, toch?'

'Hoe weet je dat?'

Suez schudde zijn hoofd. Hij zag er moe uit. Doodmoe zelfs. 'Dit is niet het moment om je dat uit te leggen.'

Caius stampvoette. 'Dat is het wel.'

Suez moest een glimp opgevangen hebben van iets afschuwelijks in Caius, want hij deinsde achteruit.

'Niemand kan die rotstraat meer vinden, die rue Félix.'

'Wij zijn...'

'Waarschijnlijk is het door Spiegelmanns Wissel niet mogelijk de straat uit te komen. Wie weet. Misschien dacht hij dat je niet in staat was te ontsnappen.'

'Toch ben ik hier.'

'En je bloedt.'

'Dat is niet belangrijk.'

'Dat is het wel. Ik heb gezien wat je hebt gedaan.'

Caius werd rood. 'Dat gaat je niets aan.'

'Kende je haar al lang?'

'Nee.'

'Iedereen heeft zo zijn verdriet, Caius. Het gaat wel over.'

Caius balde zijn vuisten. 'Ik wil het niet.'

'Dat weet ik. Maar zo werkt het. Dat waar je niet door sterft laat littekens achter. Het gaat wel over.'

'Maar het is niet goed.'

'Er zijn veel dingen in deze wereld die niet gaan zoals ze zouden moeten gaan, Caius. Niet hier.'

'Wat is er aan de hand?'

'Ik weet er maar weinig van.'

'Meer dan ik.'

Suez keek hem doordringend aan. Eindelijk begreep Caius het: Suez zag hem als zijn gelijke. Hij was geen jongetje meer. Hij wist niet of hij moest huilen of lachen.

'Pilgrind zou...'

Caius onderbrak hem. 'Ik wil Pilgrind niet zien.'

Suez leek oprecht verbaasd. 'Waarom niet?'

'Ik moet nadenken. Ik heb onuitspreekbare dingen gezien. Ik wil niemand zien, Suez. Niet nu.'

'Heb je een plek waar je heen kunt?'

'Nee.'

'Wil je een tijdje bij mij blijven?' Hij keek even naar de Caghoulard. 'Jullie allebei?'

'Zul je je mond houden?'

'Ik zal zwijgen als het graf.'

47

Dit was de eerste keer dat Schmidt zich schaamde tegenover zijn vader. Hij schaamde zich zo erg dat het pijn deed. Hij schokte over zijn hele lichaam. De training om een Jager te worden was lang en vernederend geweest. Hij had enorme vermoeidheid moeten verdragen en straffen die vaak door de voor hem staande grillige, gemaskerde man werden uitgevoerd. In een volkomen lege kamer.

Primus zat met zijn armen over elkaar, Schmidt op zijn knieën. Hij had niet de moed om omhoog te kijken. Hij wist wat hij in de ogen zou zien van de man die hij vader mocht noemen: teleurstelling. Hij stierf nog liever.

Schmidt had hem tijdens zijn training duizend verschillende namen gegeven. Hufter toen hij hem bij zijn familie weghaalde, beul toen hij hem afranselde en schoft toen Primus hem liet zien hoe weinig zijn wil waard was.

Langzamerhand zag hij echter in dat in de beledigingen en de pijn, met het grootste gemak toegebracht, lessen schuilgingen. Lessen die kostbaarder waren dan zijn zweet en dan de levens die Primus hem beval te beëindigen.

Hij had dieren gedood.

Primus had hem naakt in een dierentuin achtergelaten. De opdracht was duidelijk geweest: dood de welpen, of sterf in de dierentuin. Het was afschuwelijk geweest die zachtbehaarde koppen met stenen te splijten. Ze waren, zich van geen kwaad bewust, bijna miauwend op hem af gekomen.

'Heb je het nu begrepen?' had Primus hem gevraagd toen Schmidt onder het bloed de kooi uit stapte.

'Ik heb ze gedood.'

Primus had hem een klap gegeven. 'Heb je het begrepen?'

Maar Schmidt had het nog steeds niet in de gaten. Hij had gedacht aan het gemak waarmee hij de jonge, weerloze beesten had gedood. En hij zag er niets glorieus in. Niets wat hem trots maakte.

'Nee,' had hij geantwoord.

Primus had naar de moeder gewezen. De leeuwin die, midden in de nacht, de karkassen van haar kinderen besnuffelde, die ze met zoveel moeite op de wereld had gezet. En toen had Schmidt het begrepen.

'Ik begrijp het, vader.'

Zonder te letten op de tijd en zich druk te maken om de mogelijkheid dat de bewakers op het gejank van de leeuwen af zouden komen, had Primus hem aangekeken en om uitleg gevraagd.

'De moeder heeft haar welpen niet verdedigd,' had Schmidt gezegd.

'Dit is de realiteit.'

'Zijn er nog meer?' had de albino gretig gevraagd.

'Dit is er nog een.' Primus had hem geslagen.

Voor het eerst had Schmidt geen pijn gevoeld. Hij had het meteen begrepen.

De enige werkelijkheid was de pijn.

Op dat moment, in de lage zaal van rue Félix 89, verlangde Schmidt, geknield tegenover zijn zwijgende Vader, er sterk naar pijn te voelen en klappen te krijgen van de handen die hij nooit eerder zonder handschoenen had gezien. Zo moest het zijn.

Niemand mocht Primus aankijken. Dat stond in de Bijbel.

'Nou?' vroeg Primus.

Zijn stem klonk als een klap met de zweep.

'Philippe is dood.'

'Dood?'

'Eervol, vader.'

'Eervol...'

Klonk er sarcasme door in zijn woorden? Schmidt slikte. 'Ik heb zijn leven beëindigd.'

'Je hebt hem uit zijn lijden verlost, zul je bedoelen.'

Schmidt had meteen spijt van zijn fout en probeerde het goed te maken. 'Vergeef me.'

'Ga verder.'

Schmidt zag dat Primus zijn excuses niet geaccepteerd had. Hij probeerde niet te laten merken dat dit pijn deed en hem verdrietig stemde. Huilen en beven was voor mensen en voor wolven. Hij was geen van beide. Hij stond erboven. Hij stond boven alles en iedereen. Ook dat stond in de Bijbel. In Primus' Bijbel.

'Een wezen met zes armen. Het leek wel een godin.'

'Was ze dat?'

'Ze is dood.'

'Heb jij haar vermoord?'

'Ja, vader.'

'Heb je haar hoofd meegenomen?'

'Helaas...'

Primus boog zich naar hem toe. 'Helaas, Schmidt?'

Hij had hem geen zoon genoemd. De albino snikte geluidloos.

'Waar is Laplante?'

Schmidt ademde diep in. Hij moest rustig en duidelijk antwoorden. 'Laplante heeft de Caniden losgelaten. Het Wonderkind was in het slachthuis. We denken dat hij een groep Vluchtelingen is tegengekomen en zich bij hen heeft aangesloten.'

'Dood?'

'Dood.'

'En toen?'

'Laplante was... dronken, vader. Ik weet dat het mijn taak was hem te straffen, maar ik moest de Caniden tegenhouden. De orders waren hem niet te doden en niet te vangen.'

'Dat waren de orders, zoon. Heb je ze opgevolgd?'

Een schok. 'Ja, vader.'

'Ga door, Schmidt.'

Het voelde alsof hij in elkaar werd geschopt.

'Laplante is de boekverkoper gaan zoeken. De Portugees.'

'Dat had ik niet opgedragen.'

'Dat weet ik, vader. Dat was mijn...'

'Hou op met goedpraten!'

Schmidt zweeg.

Primus' schreeuw botste tegen pleisterwerk en hout, en verdween in de diepten van Spiegelmanns gebouw. Schmidt dacht in de verte een Caghoulard te horen die honend lachte.

Die beledigende lach gaf hem de kracht die hij nodig had om verder te gaan met zijn verhaal.

'Ik denk dat hij het zilveren Dertigtal wilde ruilen.'

'Waarom?' Primus klonk geïnteresseerd.

'Omdat hij wist hoe erg zijn straf zou zijn.'

Primus' schaterlach had veel weg van het geblaf van Cerberus. 'Dacht hij echt dat ik hem zou vergeven als hij mij die zilveren munten gaf?'

'Ik denk, vader... Ik denk dat hij ze aan hém wilde geven.'

Primus verstijfde. 'Durf je zijn naam niet uit te spreken?'

'Jawel, vader.'

'Wie bedoel je dan met "hem"?'

'Spiegelmann.'

'En denk je dat?'

'Wat, vader?'

'Denk je dat ik orders aanneem van de Verkoper?'

Schmidt wist wat het antwoord moest zijn. Dat stond in de Bijbel. 'Ik denk niet, vader. Ik ben uw arm.'

'Heeft hij het Dertigtal te pakken gekregen of...'

'Nee. Hij is dood.'

Primus klapte dicht. Hij schudde zijn hoofd en sloeg een hand voor zijn gezicht. Een zwak gebaar, bijna vrouwelijk. Zijn pilotensjaal verschoof echter geen millimeter. Pas later, denkend aan deze ontmoeting met Primus, realiseerde Schmidt zich dat Primus het niet had kunnen geloven en zich zelfs verheugd had over wat hij hem vertelde.

'Heeft hij hem vermoord?'

'Nee, de boekverkoper heeft hém vermoord.'

'Een geschifte boekverkoper heeft een Jager vermoord?'

'Ja. De Caniden hebben zijn lichaam gevonden. Naast de resten van boekhandel Beestachtige Literatuur. Laplante moet lang op hem gewacht hebben. Ik weet dat het Dertigtal belangrijk was, maar...'

'Ik vergeef je dit niet, Schmidt.'

Zijn ogen werden vochtig. Hij haalde het zwaard van zijn voorouders uit de schede en gaf het aan de Jager.

'Ik zou u willen vragen dit zwaard te gebruiken, vader.'

'Stop het maar terug, ik laat je leven. Je hebt een nieuwe opdracht, zoon.'

Schmidt keek meteen omhoog. Zag hij daar genegenheid in Primus' ogen? Of was het waanzin?

Hij verdreef deze beschamende gedachte. Dit was niet iets wat een Jager mocht denken. Een vergeven zoon zeker niet.

'Ik doe alles voor u. Nu en voor altijd.'

'Spiegelmann wil het Dertigtal, koste wat kost. Vind het en breng het naar hem.'

'Naar hem, vader?'

Primus stond op.

'Ik heb een missie, zoon. Al heel lang. Ik moet wraak nemen.' Schmidt voelde de rillingen over zijn rug lopen en zijn buik ineenkrimpen. Het kostte hem moeite niet te gaan braken, daar, tegenover zijn vader. 'Mijn wraak. Eindelijk.'

Dat waren de laatste woorden van Primus' Bijbel.

48

O m bij Suez' schuilplaats te komen, moesten ze een sluiproute nemen. Aan alles was te zien dat er een oorlog woedde.
Bellis jankte toen ze langs het dode lichaam van een Caghoulard liepen, die leek te zijn doorboord met een kogel van een groot kaliber. Suez deed alsof hij niets hoorde.

Hij was met zijn hoofd bij de ondraaglijke situatie waarin ze zich bevonden. Bij de duizenden ogen die hen bespiedden, bij de verklikkers, belust op de erkentelijkheid van Spiegelmann, bij zijn overleden of stervende vrienden.

De magere jongen hoorde het gejank van de Caghoulard ook niet. Caius zag voortdurend voor zich hoe Lucylles lichaam verdween, opging van de ene in de andere hemel, omgeven door bloemblaadjes met een opaalachtige glans.

De echo van Bellis' verdriet kon opgeteld worden bij de pijn en het leed van de andere twee. Hij weerkaatste tegen de stenen en de dakpannen, om daar vervolgens te blijven hangen, plakkerig als een spinnenweb.

Een spinnenweb dat de wijk aan zich deed kleven: bedrog, verraad en hinderlagen. Met in het midden de onzichtbare spin: Spiegelmann.

Toen ze bij Suez' schuilplaats aankwamen was Caius buiten adem.
'Het stelt niet veel voor,' waarschuwde de barman.
Dat was niet gelogen.
Caius keek naar het verduisterde dakraam en volgde Suez, die hem vervolgens aan een wiebelende tafel zette.
Iemand had vaantjes op het hout genageld, maar die waren inmiddels zo oud dat het onmogelijk was te ontcijferen voor welke sport ze behaald waren. Caius bekeek ze langdurig. De Caghoulard stond naast hem.
Suez gaf geen uitleg. Hij trok de koelkastdeur open en haalde er voor Caius de restjes van een gebraden kip, gewikkeld in aluminiumfolie, en een blikje cola uit. Ten slotte pakte hij voor zichzelf een blikje bier.
'Het is niet meer zo lekker, maar...'

De kip was vet en koud, maar Caius was te uitgehongerd om kieskeurig te zijn. Hij verslond de kip in een oogwenk en nam daarna ook het blikje bonen aan, dat de man met de punten van de haken aan zijn polsen openmaakte. Suez keek, met zijn armen over elkaar, hoe de jongen at.

'Voor je vriend heb ik niets in huis.'

'Wonda.'

'Dat geeft niet,' antwoordde Caius. 'Wil je op jacht, Bellis?'

Bellis knikte. 'Honger.'

Suez wees naar een opening in de muur. Een gat dat zo goed en zo kwaad als het ging was afgedekt. 'Je kunt dat gat gebruiken.'

Dat liet Bellis zich geen twee keer zeggen.

'Hij doet voorzichtig, maak je geen zorgen.'

'Ik maak me meer zorgen dat hij ons verraadt,' antwoordde Suez somber.

'Heb je zijn gezicht gezien?'

'Ja.'

'Zijn soortgenoten hebben het weggegeten.'

Suez huiverde.

'Hij had een naam,' vervolgde Caius, 'maar was die kwijtgeraakt. En ik heb hem weer aan hem teruggegeven.'

'Dus ben jij zijn nieuwe meester.'

Caius schudde zijn hoofd en glimlachte. 'Nee. We zijn vrienden.'

'Als jij het zegt. Ik vind het moeilijk te geloven.'

'Wat is er aan de hand, Suez?'

De man zuchtte. Met onverwacht gemak haalde hij een zilveren sigarettenhouder tevoorschijn, pakte er een sigaret uit en stopte die in zijn mond. Vervolgens hield hij een aansteker die naar benzine rook voor Caius' neus.

'Kun je me even helpen?'

Als het een grapje was, had Caius het niet in de gaten.

Hij pakte de aansteker en stak de sigaret aan.

'Dank je.'

Caius nipte van zijn cola.

'Wil je weten wat er aan de hand is? Weet je echt helemaal niets?'

'Nee.'

'Vertel me eerst wat je denkt dat er gaande is. Het is lastig uit te leggen.'

De zware stem van Suez leek over te slaan. Hij keek voortdurend naar de haken aan zijn stompjes. Hoewel ze gebruikt konden worden als verschrikkelijke wapens, waren het nu alleen maar aandoenlijke aanhangsels.

Hij kan er niet eens zijn tranen mee drogen, bedacht Caius. Hij had spijt van de toon die hij tegen de eigenaar van de Obsessie had aangeslagen. Hij probeerde vriendelijker te klinken.

'Spiegelmann heeft een oorlog ontketend in Dent de Nuit. We hebben lichamen gezien. En kruizen.'

'Buliwyf.'

'Ik weet het. Bellis heeft het me verteld.'

Een grijns. 'Hij is bang, hè?'

'Als de dood,' gaf Caius toe. 'En ik ook.'

'Waarom?' De ogen van Suez boorden zich in de zijne.

'Omdat de Buliwyf die ik dacht te kennen...'

'Nooit zoiets zou doen?'

'Precies.'

'Dat komt door de oorlog. Spiegelmann is ongelooflijk machtig. Dat hij Dent de Nuit niet met de grond gelijk heeft gemaakt – en ik bedoel van boven tot onder – komt alleen maar doordat hij dat niet van plan is. Aanvreters, Gruwelaars, Caghoulards... Mazarin zweert een Kalibaan te hebben gezien.'

'Nog een?'

'Het zijn zeldzame wezens, maar de Kalibaan die jij hebt gedood is niet de enige. Mazarin is trouwens stervende,' voegde hij er in gedachten verzonken aan toe.

'Het spijt me.'

'Zo gaat dat in tijden van oorlog,' antwoordde Suez kort. 'Eerst heeft Spiegelmann alle plekken waar wij ons veilig voelden in de fik gestoken. Onze geheime schuilplaatsen. Allemaal. Hij heeft er niet één overgelaten. Dat heeft hij gedaan om te laten zien dat hij ons in de gaten had. Vervolgens heeft hij de boekhandels in brand gestoken. Ik...'

'Beestachtige Literatuur...' mompelde Caius geschokt.

'Afgebrand. De hele zuilengalerij is verwoest. Er is alleen nog as van over.'

Caius voelde zijn ogen branden. Al die boeken. Verbrand.

'Toen heeft hij de Wisselaars gevangengenomen die' – hij stopte even om naar het juiste woord te zoeken – 'achter Pilgrind stonden. En heeft hen vermoord. Niet dat hem dat veel moeite heeft gekost.'

'Waarom niet?'

'Ze waren allemaal al halfdood,' antwoordde hij. 'Of gek. Er zijn er niet veel zo goed aan toe als ik.'

Caius wist niet wat hij moest zeggen.

Hij liet de tijd voorbijglijden. Net als het bloed dat hij zag, zodra hij zijn ogen sloot. Dat dieprode, kokende stroompje. Hij probeerde er niet aan te denken.

Suez doofde zijn sigaret. 'Daarna zijn de Vluchtelingen naar Dent de Nuit gekomen.'

Caius werd getroffen door een hevige steek in zijn buik.

'Ik heb ze gezien.'

'We dachten eerst dat ze alleen in legendes voorkwamen. Pilgrind geloofde me niet. Hij is, na dat wat er in het oude slachthuis gebeurd is,' – hij zuchtte diep – 'alleen maar aan het aftakelen.'

'Pilgrind?'

'Ja, hij wordt ouder waar je bij staat.'

'Maar hij...'

Suez glimlachte. 'Probeer het maar eens te verklaren.'

Caius deed zijn best te begrijpen wat Suez wilde suggereren. Hij achtte het onmogelijk dat de Baardman verouderde. Hij was in de herinnering van Spiegelmann natuurlijk al oud, dus moest hij zeker ouder zijn dan honderd. Maar Pilgrind had hem ooit gezegd dat hij de laatste was die zich druk hoefde te maken over wat er wel mogelijk was en wat niet. Bovendien was Pilgrind een zeer goede Wisselaar.

Caius sloeg zijn ogen op.

'Zijn handen.'

'Je bent warm.'

'Dat wezen dat...'

'Yena Metzgeray.'

Caius onderdrukte een huivering.

Zijn hart ging als een dolle tekeer. Hij voelde dat iets zich in hem nestelde.

Het werd niet licht. Het duister heerste. Totale duisternis.

'Metzgeray heeft de handen van alle Wisselaars afgehakt, behalve van één.'

'Van twee, om precies te zijn. Hij heeft Gus van Zant en Mathis Grünwald gespaard. Zij gebruikte haar krachten al jaren niet meer. Haar handen bevatten geen Wisselresten meer. En daarom telt zij niet als Wisselaar.'

'Gus...'

'Hij heeft Gus op een andere manier verminkt. Daarom kun je hem ook tot de slachtoffers rekenen.'

'Dan blijft alleen Pilgrind over.'

'Ja.'

Suez leunde achterover, tegen de rug van de stoel. Hij liet de jongen nadenken. Hij las verbijstering in zijn bleke gezicht. Een deel van hem verheugde zich daar enigszins over.

'Pilgrind is geen Wisselaar,' mompelde Caius.

'Hij is een Portier.'

Hij wist het. Hij had het gezien. In het door Russen bezette Berlijn.

'Maar een Portier...'

'Een Portier is ook een Wisselaar.'

'Dat lijkt wel een raadsel.'

'Dat is het ook. In alle opzichten.'

'Wat bedoel je?'

'Kun je me nog even helpen?'

Weer de aansteker.

Deze keer moest Suez de jongen helpen richten. Zijn handen trilden hevig. De barman inhaleerde diep en hoestte. Een lelijk rokershoestje.

'Pilgrind is geen Wisselaar, daarom heeft Yena Metzgeray hem ontzien.
Hij heeft hem niet eens opgezocht. Portiers zijn anders dan Wisselaars. Veel
machtiger. En ongrijpbaarder. Niemand weet wat ze allemaal kunnen en
niemand wil dat weten, geloof me. Niemand weet werkelijk wat een Portier
is. Velen denken dat Pilgrind alleen maar een Wisselaar is. Angstaanjagend
machtig, maar niet meer dan een Wisselaar. In werkelijkheid zijn ze gewoon
bang voor hem. En wie bang is verspreidt onzin om de realiteit te verhullen.'

'En de Wissel dan?'

'Natuurlijk kan niemand zich losmaken van de Wissel.'

Hij wel. Hij kon dat, dacht Caius. Maar hij zei niets.

Suez blies een wolkje rook uit. Hij wachtte tot het het vieze dak raakte en
Caius het begreep.

Toen ging hij verder. 'Pilgrind heeft vele namen en veel macht. Dat wist
je, hè?'

'Hij heeft gezegd dat...'

'Dat doet er niet toe. Vraag je af waarom. Vraag je af waarom hij zo snel
ouder en zwakker wordt.'

Een truc, in een truc, in een truc. Dent de Nuit bestond uit raadsels, mysteries en valstrikken. Ook hier, in deze schuilplaats, die stonk naar tabak en
bier, waar de gigant hem aanstaarde met ogen die leken te schitteren, voelde
Caius zich alsof hij klem zat in een val.

Hij knipperde met zijn ogen.

Stemmen. Gefluister. Verhalen.

De Baardman.

Namen. Verhalen. Veel namen. Nog meer verhalen.

'Een legende. Pilgrind is een legende.'

'Dat klopt.'

'Maar dat is niet...'

'Mogelijk?'

Caius voelde de wereld schudden. Wat had hij graag gewild dat hij Suez niet tegen was gekomen.

Ieder woord dat hij zei, sneed door zijn ziel. Iedere zin voelde als een zweepslag tegen zijn hart.

'De mensen hebben het niet meer over de Baardman. Of over de Buikspreker, of...'

'Ze hebben het over mij.'

'Over het Wonderkind.'

'En als er niet meer over Pilgrind gesproken wordt, gaat hij...'

'Dood.'

'Maar dat...'

'Is niet mogelijk?'

Caius schudde zijn hoofd.

'Maar dat mag niet.'

Nog meer bloed. Het bleef maar vloeien.

Slachtoffers van het Wonderkind. Caius kneep zijn ogen dicht.

49

Zoals in de Hidiraczee niets stierf en alles werd vervormd, zo bestonden er in oude steden ook plekken waar wezens een langdurig leven genoten.

En zoals de zee de plek voorbij alle plekken was, de onmetelijke vlakte die alle onmetelijkheid met elkaar verbond, zo diende elk stuk van Dent de Nuit een ander gedeelte. Elke rotsspleet vormde een spiegel voor een grote trap en elke fontein de spuitende echo van een verblind raam. Alles was een echo.

Het was de echo van Mathis' voetstappen, de vrouw van de tatoeages, die haar vergezelde op haar lange tocht van rue des Anges naar het kleine De la Cour-plein, waar een oude, gesloten wasserette stond, en dan naar rue d'une Femme Galante nummer 11, een dubbelzinnige straatnaam die verwees naar een steegje dat zo smal was dat zonnestralen zelfs op het middaguur moeite hadden er naar binnen te dringen. Er werd veel over dit steegje gesproken, vooral door de oudste inwoners van Dent de Nuit.

Als de ene plek de andere diende, als Dent de Nuit de vreselijkste wijk van alle wijken in Parijs was, dan was dit steegje het vreselijkste onder de vreselijke stegen. Op nummer 11 hadden, om een of andere vreemde reden, de meest bizarre vormen van zelfmoord plaatsgevonden.

Mathis dacht aan de dood, maar had de dood niet als doel. Ze had andere dingen aan haar hoofd. De dood was slechts een grijze vlek die af en toe het liedje dat ze zachtjes neuriede verstoorde, terwijl ze stilstond voor de grote massief houten deur. Ze fatsoeneerde haar haar, zuchtte en duwde tegen de deur.

Hij was open, zoals altijd. Nummer 11 verwelkomde iedere wandelaar op zijn eigen manier. Man of vrouw, Wisselaar of dichter, hij ontzegde niemand de doorgang.

Zijn ijzige adem deed iedere gast opschrikken die de drempel over stapte. Mathis kreeg kippenvel, maar ging toch naar binnen.

Grünwald kende de huid goed. Ze wist hoe hij kon sidderen, nu eens vanwege pijn, dan weer door genot, en wist hoe hij reageerde op de punt van haar instrumenten.

Ze kende angst. Het zweet dat van haar voorhoofd droop was hiervan getuige en symbool. Maar inmiddels was ze gewone angst voorbij. Ze was
doodsbenauwd. Ze stond op het punt om de duistere schim van haar geheugen te ontdekken. Het onbekende, de belangrijkste bron van vrees.

Ze herinnerde zich niets meer van haar laatste Oproeping. Net zomin als
ze zich iets herinnerde van haar ouders, haar geliefden en de gedichten die
ze ongetwijfeld aan de maan en de bloemen had geschreven.

In haar wervelkolom woelde iets beestachtigs, een reptiel. Een trillende
duivel die ze eerst had veracht, vervolgens had aangespoord en uiteindelijk
had gesmeekt zijn plannen te laten varen.

Ze wist niet wanneer dat gevoel zich had aangediend, maar vanaf het moment waarop Gus van Zant in haar leven was gekomen, waren de gedachten
aan haar gedichten aan de maan, aan eerste glimlachjes en aan haar oude
naam verdwenen. Als dat liefde was, kijken naar een oneindige toekomst,
in plaats van van dag tot dag, dan was het liefde die haar dreef.

Meer nog. Dat wat de vrouw dreef, terwijl ze de steile trap tot de vliering
op klom, was het verlangen om naar die toekomst terug te keren. Gus was
er immers erger aan toe dan wanneer hij dood zou zijn.

Uitgeput ging ze in het midden van de vliering zitten en legde ze haar leren tas op de plankenvloer. Haar neus prikte door het stof. Niet meer dan
een lichte ergernis. Gus van Zant betekende de toekomst. En als dat waar ze
zich voor klaarmaakte ervoor zou zorgen dat ze, verblind door de liefde,
geen toekomst meer had, was dat niet erg. Alles draaide om de liefde.

De Celibe kon Gus terughalen. Het was een wezen met veel macht, dat uit
de diepten gevist was van wat sommigen de Zwartheid en anderen simpelweg het Niets noemden.

Een van de dingen waar het wezen toe in staat was, was Gus, de man met
de donkere bril, naar deze wereld terughalen – Mathis voelde het in haar on-
derbuik. Het kon hem zijn lichaam en geest teruggeven. Ze verfoeide de zeekat. Ze haatte hem. Bijna net zo erg als ze Caius Strauss haatte.

Ze zwoer zichzelf, als ze de Oproeping zou overleven en de Celibe niet al
haar herinneringen zou opslokken, zelfs voordat ze Gus in haar armen zou
sluiten, eerst het Wonderkind op te sporen en te doden. Hoe mysterieus en
machtig hij ook mocht zijn, het bleef een jongen van vlees en bloed. Net als
zij en Gus. Net als iedereen. En vlees had geen geheimen voor de vrouw van
de tatoeages.

Mathis wist veel. Ze had alles nogmaals bestudeerd. Ze had boeken gelezen die een andere vrouw, van wie in haar geen spoor meer te vinden was,

ook had doorgebladerd en bekeken. Ze had met Wisselaars en Manufacten-dealers gesproken. Ze had rondgevraagd. Ze wist wie ze geweest was: een machtige Wisselaar. En ze voelde dat ze dat nog steeds was, ondanks de zachtmoedigheid van Yena Metzgeray, die haar, in de nacht waarin hij de handen van alle Wisselaars had afgehakt, had gespaard. Of beter nog: on-danks de minachting van Yena Metzgeray jegens een Wisselaar als zij, die al haar kracht was kwijtgeraakt. Ze voelde zich toch nog steeds een Wisselaar. Dat was ze in haar oude leven geweest en zou ze dus ook nu weer zijn.

Eerst herhaalde Mathis zacht de verschillende fases van het ritueel. Dat gaf haar enigszins kracht. Toen trok ze haar schoenen uit, omdat ze zich op een heilige plek bevond en die zonder schoenen hoorde te betreden.

Vervolgens trok ze een cirkel. Een cirkel die nergens voor nodig was. Die haar niet zou beschermen of enig voordeel zou opleveren. Het was net als met de tatoeages van Gus: nauwelijks wapens in een door zwaar wapenge-schut gedomineerd gevecht.

De cirkel hielp haar zich te concentreren. Alles draaide bij het Oproe-pingsritueel om de concentratie. Ze trok de cirkel met een vinger waarop speeksel zat.

'Celibe. Celibe.'

Ze zei het onbewust.

Ze stond op en kleedde zich uit, zonder enige schaamte. Ze gooide haar kleren in een hoek en ging weer zitten. Haar zweetlucht vermengde zich met de muffe stank van stof. Ze smeerde haar lichaam in met honing en kaneel, wat prettig aanvoelde. Ze moest zichzelf dwingen niet in lachen uit te bar-sten. Ze vond zichzelf er belachelijk uitzien, maar wist dat dit een funda-mentele handeling was. Een lach van een veroordeelde. Toen ze klaar was, veegde ze het stinkende stof uit haar ogen en maakte de laatste druppels ho-ning op. Ze klapte een paar keer in haar handen om de restjes los te krijgen.

Ze had vuur nodig, dat was haar herhaalde malen verteld. Mathis twijfel-de niet over de werking van vuur. Vuur was machtig. Het bracht licht en schroeide onzuiverheden weg. Door vuur ontstonden beschavingen. Het zou werken als een lichtbaken voor het wezen dat ze wilde oproepen.

Ze gebruikte een olielamp van terracotta.

Bij het mengsel van honing en kaneel voegde zich nu ook stof en nog meer zweet. Uiteindelijk pakte ze voorzichtig een potje. De laatste handeling voor de Oproeping en het element dat haar de meeste tijd en energie had gekost. Ze had het in een zachte, donkere, dikke lap gewikkeld om te voorkomen dat het brak en de inhoud ervan verloren ging. Toen ze zeker wist dat ze het potje goed vasthad en haar trillingen en gelach redelijk onder controle had, wikkelde Mathis het af. Het was een glazen potje met daarin een beest dat naar haar leek te sissen.

Misschien kwam het door het plotselinge licht, of door de vreemde energie die in de lucht hing, of doordat de zoete geur van de honing haar irriteerde. De spin, een tarantula, staarde haar kwaad aan.

Ze was mooi. Een schitterend exemplaar. Een vrouwtje, zoals aanbevolen, omdat de Celibe alleen van vrouwtjes hield en niet reageerde op wezens van zijn eigen sekse. Gesteld dat de Celibe een sekse had.

Mathis probeerde haar hart te kalmeren en draaide langzaam het deksel los. Ze moest kracht zetten; haar armen waren plotseling slap geworden. Ze lachte niet meer. Ze draaide het deksel los. De tarantula had het in de gaten en boog haar poten. Ze hief haar kop. Acht ogen waar haat uit droop. Mathis vond dat het leek alsof de spin gif huilde. De spin maakte zich klaar om te springen. Kon een spin springen? Mathis wist het niet. Zo goed als ze zich had verdiept in het oproepen van de Celibe, zo onnauwkeurig was ze geweest in het samenvoegen van de elementen.

Ze zou snel inzien wat ze verkeerd had gedaan. De honing, de kaneel, de cirkel en de spin vormden slechts het kader, het decor. Ze had het onderschat. Alles op aarde had een betekenis, maar dat wilde nog niet zeggen dat alles te bevatten was. Zelfs niet als het uit de zee kwam waarin niets stierf en alles veranderde.

Er waren verschillende ingrediënten nodig om de Celibe op te roepen. De vrucht van een vrouw. Planten en bijen. En acht ogen.

De tarantula sprong niet. Ze bleef Mathis stil gadeslaan. Misschien voelde ze zich ontheemd.

Mathis zette het potje vlak bij haar bovenbenen, die gespannen waren van angst.

De spin strekte haar poten en spuugde een stofje uit. Op haar manier was ze prachtig. Het leek alsof ze de mogelijkheid overwoog haar vrijheid te herwinnen. Acht ogen die haar opnamen.

Op dat moment hoorde Mathis iets zoemen. Een vlieg. Ze joeg hem weg. De spin was razendsnel. Het stofje schoot in de lucht en bleef plakken aan het groene lijfje van de vlieg. De vlieg zoemde. Het spinrag spande aan. Alles in slowmotion.

De spin sleurde de vlieg naar beneden.

Hoe lang had de spin niet gegeten? Mathis voelde zich schuldig. Ze had dit exemplaar van een tandeloze Wisselaar gekocht die vóór de nacht van

Yena Metzgeray handelaar in Manufacten en opium was geweest. Ze had dit wezen, dat van een ander continent kwam, ver weg van Dent de Nuit, van haar vrijheid beroofd. Ze had de spin in een glazen potje gestopt en er totaal niet aan gedacht het beest te voeren. Er was in haar hoofd simpelweg geen ruimte voor dat soort gedachten. Ze kon alleen maar aan Gus, de zeekat, en aan de Celibe denken.

En aan het Wonderkind natuurlijk.

Alles bleef in slowmotion gaan. De vlieg. Het spinrag. De spin trok, terwijl ze haar poten kromde. Het spinrag stond onder spanning.

De vlieg bleef roerloos, verstijfd, in de lucht hangen. Acht stomverbaasde ogen. Toen volgde er paniek. De vlieg liet niet los. Het spinrag ging niet kapot. Het gezoem werd scherper.

De vlieg trok. Prooi en jager wisselden van rol. Er kwamen nog meer vliegen aangevlogen. Tientallen. Honderden. Een dikke groene zwerm. Van de spin bleef slechts een dof geluid en een brandlucht over.

De vliegen waren overal. Ze zagen Mathis.

Nu begreep Mathis de reden achter de honing. Maar het was te laat. Ze schreeuwde niet.

50

Terwijl Suez wegging om te informeren naar de toestand waarin Mazarin verkeerde en om de strategieën te bespreken met het handjevol strijders dat onder leiding stond van Buliwyf, haalde Caius zich het gezicht van Buliwyf voor de geest en dat wat hij tegen hem had gezegd. Hij realiseerde zich dat hij te maken had met vele leugens.

Pilgrind zelf was een leugen. Zo werkte het met legendes. Roddels werden nog meer roddels en uiteindelijk werkelijkheid. Uiteindelijk namen ze de vorm van vlees en bloed aan, en werden ze vernietigd.

Ze vernietigden het leven van een magere jongen. Dat had hij immers zelf gezien. Ze speelden een wreed spel met hem. 'Wreed' was het enige juiste woord voor het spel waar de Baardman de andere jongen, Wolfi, aan onderworpen had. De jongen die later Spiegelmann zou worden. Hij speelde met de ambitie die voortkwam uit zijn angst en eenzaamheid. Woorden die Caius goed kende.

Hij stond op en liep naar het enige raam dat Suez niet volledig had afgedekt. De wind blies er ijzige vlagen tegenaan. Dent de Nuit was onherkenbaar.

Het deed pijn aan zijn ogen.

Caius liep weg van het raam, spelend met de spijker. Hij was er niet meer bang voor. Sinds hij Lucylle had begraven was het gevoel dat er zand langs zijn vingertoppen liep verdwenen. Daarvoor in de plaats was het verdriet gekomen. Oneindig veel verdriet. Alle dingen die hij aan Lucylle had willen vertellen, met haar had willen delen, waren niet waar. Alles was een leugen. Een leugen in een spel met spiegels, waar hij niet meer uit kon komen. Caius bevond zich in een labyrint en hij wist de weg naar de uitgang niet. Misschien was het niet mogelijk aan de waanzinnige situatie waarin hij zich bevond te ontsnappen. Zelfs Lucylle leek op dat moment slechts een op de muur geprojecteerde schaduw. Niets meer dan een wezen dat naar hem had geglimlacht en niet bang voor hem was geweest.

'Wonda.'

De Zwartgekapte had tot nu toe gezwegen.

'Suez?'

'Die is weg.'

Bellis liet zijn tanden zien.

Caius raadde zijn gedachten. 'Ja, naar Buliwyf.'

'Wonda.'

De Caghoulard reikte hem iets aan wat in een plastic zak zat gewikkeld. Het stonk naar vlees.

'Is dat voor mij?'

'Wonda.'

Caius nam het aan.

Het was een kraai. Hij gleed bijna uit zijn handen. Zijn darmen bungelden eruit, zijn bek hing open. Een uitdrukking die angst of verbazing kon betekenen.

'Dank je.'

Dit was niet alleen een kraai. Dit was eten. Een cadeau. Voor hem.

De jongen voelde dat er een gat in zijn hart ontstond. Niet het donkere, zwarte gat van de honger die hem kwelde omdat hij daarvoor openstond. Het was een gat dat hem pijn deed, maar op hetzelfde moment een warm gebaar tijdens een kille nacht. De jongen schudde zijn hoofd, overweldigd door emoties.

'Wonda?'

Caius veegde een traan weg. 'Dank je.'

De Caghoulard glimlachte weemoedig, niet zeker of zijn gift werd gewaardeerd of niet.

Caius stak zijn hand uit en aaide die van de Caghoulard. Bellis was stomverbaasd. Niemand had hem ooit gestreeld. Uiteindelijk lachte hij breeduit. Hij had het begrepen.

Dat gezichtloze wezen, met zijn uitstekende botten, dat zich niet goed kon uitdrukken, was het laatste wat hem verbond met de werkelijkheid. Caius woog de kraai lachend op zijn hand.

De werkelijkheid was niet veel meer dan een eiland in een oceaan. Een oceaan van waanzin. Sterker nog, bedacht hij, plotseling moe, geschrokken en bibberend van de kou: een eiland in de Hidiraczee. Bevolkt door nachtmerries, door Spiegelmann.

'Ik vermoord hem, Bellis.'

Bellis schrok op.

'Met mijn handen,' zwoer hij. 'Ik weet hoe het moet.'

Hij hoefde alleen het zwarte gat te gebruiken. Zijn honger. Dat gat in zijn borst hoorde bij hem als de tanden waarmee hij knarste. Net als zijn talent om gedachten te lezen. Dat zwarte gat zat in hem en hij was niet bang het te gebruiken. Integendeel.

'Meester.'

'Spiegelmann. De Verkoper. Ik vermoord hem.'

'Slecht.'

'O, Bellis,' fluisterde Caius droevig, waarna hij zich op het armzalige bed van Suez liet vallen. 'Hij heeft geen idee waar ik toe in staat ben.'

De Caghoulard waakte over de magere jongen tot deze in slaap viel. Dat gebeurde al snel. Caius was doodmoe.

Bellis zou zelf ook wel wat willen rusten. Daar waar zijn soortgenoten hem hadden afgeranseld, maakte de kwetsbaarheid een nest en uit dat nest, dacht Bellis, kwamen lange slangen en die slangen drongen zijn beenmerg binnen. En daar groeven ze en aten ze. Hij wilde niets liever dan naast het Wonderkind kruipen en slapen, maar hij moest nog veel doen.

Zijn vrijheid had een nieuw bewustzijn bij hem aangewakkerd, nieuwe emoties, die hij nooit eerder had gevoeld. Door zijn vrijheid had hij nieuwe geuren kunnen opsnuiven. En omdat Bellis een nachtwezen was, was hij gewend meer op zijn reukvermogen te vertrouwen dan op zijn zicht. Zijn zicht kon hem bedriegen. Vooral wat betreft Wisselaars en het Wonderkind.

Hij moest de kaarten die in zijn geheugen stonden verkennen en controleren. De straten die hij op zijn duimpje dacht te kennen, waren door de oorlog veranderd. Ze zaten onder het bloed.

Toen hij aan dit bloed dacht, begon zijn maag te knorren. Zijn vermoeidheid verdween. De Caghoulard was weer klaarwakker en gespannen. Hij stond op, maakte zo min mogelijk geluid om het Wonderkind niet wakker te maken en glipte door het gat in de muur.

Caius was alleen.

51

Toen Fernando bij de stervende Mazarin aankwam, werd hij hardhandig vastgegrepen door een woesteling. Eén teken van Buliwyf en hij was weer vrij.

'Hij liep op zo'n manier dat...' probeerde de man zich te verdedigen. 'Ik dacht dat hij een spion was.'

Buliwyf stak de boekverkoper zijn hand toe. 'We dachten dat je dood was.'

Fernando staarde naar de hand van de Lykantroop alsof hij zich niet meer kon herinneren wat dit gebaar betekende.

Buliwyf gaf Fernando niet alleen een hand, maar omhelsde hem ook. Daarna bood hij hem een stoel aan en gaf hij de sterke man opdracht om iets te drinken te halen.

'Iets sterks, wat de pijn stilt,' zei hij. 'Wat je maar kunt vinden.' Toen, alsof hij zich er op dat moment pas van bewust was tegen wie hij sprak: 'Goed dat je hem hierheen hebt gebracht, Alex.'

De gigant leek blij dit te horen.

Fernando kreunde. 'Wie is dat?'

'Mazarin.'

'Waardoor is hij...' Zijn stem brak.

'Hij lijdt niet. Hij is aangevallen door een Aanvreter, die wij hebben kunnen doden voordat hij... Maar dat is niet van belang.'

'Nee, dat is niet belangrijk.'

Fernando staarde voor zich uit. Hij kon zijn blik niet afwenden van de slijmerige verwondingen op het lichaam van de Wisselaar en drukte zijn houten kistje stevig tegen zijn borst.

'Wat is er met jou gebeurd?'

'Ik ben...' Fernando dwong zichzelf zijn gesprekspartner aan te kijken, maar het lukte hem niet.

Buliwyf hielp hem de cognac te drinken en gaf hem een paar pillen. De boekverkoper weigerde de pillen door kort met zijn hoofd te schudden. Hij goot de drank in één keer naar binnen. Hij hoestte en veegde zijn mond af.

Hij leek er jonger uit te zien door de cognac. Hij kreeg weer wat kleur in zijn gezicht.

'Deze...'

'Het Dertigtal?'

Eerst de rook. Onverwachts en bijtend. Geschreeuw. Angstig, plotseling, geschreeuw.

De wraakactie was begonnen.

52

De geest uit het verleden stapte door Dent de Nuit alsof de wijk van hem was.

De Caghoulards die hem op een respectvolle afstand volgden, wisten dat ze kanonnenvoer waren, maar het kon hun niets schelen. De geest uit het verleden was verbonden met hun meester, en voor hun meester zouden ze hun leven geven. Bovendien hing de geur van bloed in de lucht. Deze rode elektriciteit beloofde een bloedbad en maakte dat hun neusvleugels begonnen te trillen.

Dit was geen nacht zoals alle andere. Dit was een bijzondere nacht. De geest verborg voor de laatste keer zijn gezicht. Spoedig zou zijn pilotensjaal afvallen. Hij zou wraak nemen. Hij had vaak zijn naam veranderd. Na zijn wraak zou hij geen Jager meer zijn. Hij zou een legende worden. Een spottende legende.

Hij gniffelde, terwijl de Caghoulards benzine rond het gebouw gooiden waarin Buliwyf en zijn medestrijders samen waren gekomen. Het was nooit een geheime plek geweest. In Dent de Nuit zaten overal ogen en oren. Primus herkende elk voetspoor en kon iedereen voor hem laten buigen. Voor hém, niet voor de Verkoper. Of tenminste, dat was wat hij graag dacht. Hij gaf het sein.

De benzine ontvlamde.

53

'Verdomme!' schreeuwde de Lykantroop. 'Wegwezen hier!'

Het ging er hard aan toe. Armen en klauwen, haken en dolken, een aantal pistoolschoten en wat knallen van zwaarder geschut. Wisselflitsen en as die in hun ogen brandde. Geschreeuw. Nog meer bloed. Het bloed bleef eindeloos vloeien.

Nauwelijks buiten, hoestend vanwege de rook die hij had ingeademd, werd de Lykantroop opgewacht door een stel Caghoulards, die grijnzend naar zijn keel uithaalden. Tevergeefs. Buliwyf hakte met een snelle polsbeweging van één zijn hoofd af, terwijl hij een ander bewusteloos schopte. Alex, de woesteling, maakte hem vervolgens af.

Buliwyf keek om zich heen en probeerde de situatie te bevatten. De strijd was nog niet gestreden. Het was een wreed en snel gevecht, zoals alle gevechten in Dent de Nuit. Uit zijn ooghoek zag hij een Caghoulard in elkaar zakken en een ander zijn tanden in de keel van een dode Wisselaar zetten.

Het beloofde een strijd te worden zonder winnaars en verliezers. Er waren te weinig Caghoulards om de verzetsstrijders uit te roeien en deze laatsten waren te slecht georganiseerd om het legioen van Spiegelmann op een overtuigende manier te kunnen aanvallen.

Maar het was geen gevecht zoals alle andere, realiseerde de Lykantroop zich nu.

Primus floot. De Caghoulards trokken zich terug.

Stilte en ontstelde blikken. De Wisselaars keken om zich heen en zochten Buliwyf. Buliwyf zocht zijn vijand en vond hem.

'Hond.'

De donkere figuur staarde hem aan, vervuld van haat. Buliwyf herkende hem meteen. Hij had hem al een paar keer vluchtig gezien als hij van de zijkant zijn verwoestende leger gadesloeg. Het was hem nooit gelukt hem te bereiken. Nu stond hij hier voor hem.

Nee, meende Buliwyf, dit werd geen gevecht als alle andere. Hij glimlachte. Hij keek kort omhoog om Moeder Maan te bedanken. Ze stond er niet.

'Jager. Ik ben al lang naar je op zoek.'

'Wat de ziel verbergt,' grijnsde Primus, 'onthult het bloed, nietwaar?'
Buliwyf gebaarde zijn broeders aan de kant te gaan.

'Alex, Saul. Bescherm Fernando.'

Hij trok zijn jas uit en zette een stap in de richting van Primus. De Jager stonk naar de dood. Buliwyf werd er misselijk van. De laatste die hij had zien sterven was Mazarin. Het was hem en zijn vrienden niet gelukt hem te redden. Te veel vlammen, te veel chaos. Typisch voor een Jager.

Ergens aan de hemel moest de maan staan. Hij zag haar nog steeds niet. Buliwyf was verontrust.

Toch klonk hij vastberaden: 'Dat is een uitdrukking die wij gebruiken. Jij hebt water door je aderen stromen, Jager. Ik zal het bewijzen.'

Primus lachte honend. Hij spreidde zijn armen, haalde een zilveren dolk, die in alles op die van Buliwyf leek, tevoorschijn en gooide het wapen op de grond. Een ingestudeerd gebaar, bijna pathetisch.

'Deze heb ik niet nodig, hond.'

Buliwyf gromde, legde zijn hoofd in zijn nek en liet zijn tanden zien. Zelfs zijn medestrijders huiverden.

'Ik maak je dood, hond.' Primus' vlammende gele ogen bleven strak op die van Buliwyf gericht. Buliwyf vertrok geen spier.

'Wil je niet vechten, hond? Ben je bang?'

De Lykantroop bleef grommen. Een laag, angstaanjagend geluid dat onderdrukte angsten aanwakkerde. Achter Buliwyf klonk een stem. 'Buliwyf!'

'Splendide,' groette Primus haar. 'Ben je gekomen om je geliefde de laatste eer te bewijzen, meid?'

'Als je niet snel opdondert, is je einde nabij,' dreigde ze.

'Het spijt me, ik blijf hier. Buliwyf is een trofee die ik niet kan opgeven.'

Rochelle maakte aanstalten hem aan te vallen, maar de Lykantroop was sneller. Hij ging tussen haar en de Jager in staan.

In Buliwyfs woedende blik ging een bevel schuil.

'Hij is van mij.'

Rochelle knikte en beet op haar lip. Ze vervloekte zichzelf en ging aan de kant.

'Goede voorstelling, hond. Melodramatisch op het juiste moment,' zei Primus spottend. 'Toch red je daar je leven niet mee. Ik vermoord je, met mijn blote handen. Om jouw soort te doden heb ik geen wapens nodig.'

Primus gooide iets op de grond. Een klein oortje, als dat van een kind. Van een puppy.

Buliwyf hield het niet meer. Hij voelde de wolf in hem ontploffen van woede. Hij kon hem niet meer in bedwang houden. Hij was sterker. Sterker dan hij ooit gedacht had. De wolf zag het oortje en voelde de pijn van generaties van zijn soortgenoten door zijn aderen stromen. De wolf kreeg de overhand. Buliwyf hoorde zijn botten kraken en van vorm veranderen. Hij voelde hoe zijn gezicht transformeerde in een snuit, hoe zijn rug kromboog en hoe ieder bot, ieder stuk kraakbeen verboog en vervormde.

De wolf kwam tevoorschijn en de pijn was schrijnend. Toch voelde hij meer dan alleen pijn.

Het voelde prettig om de wolf te zijn. Hij gromde.

Niemand had Buliwyf ooit in deze hoedanigheid gezien. Er was geen greintje menselijkheid meer aan hem te ontdekken. Hij was een wolf. Een reusachtige, roodharige wolf met gele ogen.

Primus bewoog zich langzaam, bijna sensueel. Voorzichtig maakte hij de sjaal los die zijn gezicht bedekte en langzaam maar zeker kwam het tevoorschijn. Het gezicht van Primus.

Rochelle hield haar adem in. Ze had nog nooit zo'n ontsierd gezicht gezien. Het zag eruit als een karikatuur. Het was zo erg verbrand dat het onherkenbaar was geworden. Van Primus' neus was alleen nog een stompje over, zijn lippen waren voor een groot deel aan elkaar geschroeid en zijn huid was gesmolten, kapot. Alleen zijn ogen fonkelden.

De wolf aarzelde. Die ogen.

'Ben je bang, hond?'

Die ogen...

Rochelle sloeg een hand voor haar mond.

'Buliwyf...'

Buliwyf huilde. Er liepen tranen over zijn snuit.

'Buliwyf!' riep Rochelle verbijsterd.

Maar de Lykantroop bleef staan. Hij jankte en draaide zich naar haar om. Opnieuw ontmoetten hun ogen elkaar.

'Ga weg, Rochelle,' gebood de wolf met ijzige stem.

Rochelle trilde. Opnieuw waren de woorden overbodig.

'Vaarwel,' mompelde de Lykantroop. Hij staarde opnieuw naar zijn teruggekeerde verleden.

Primus kwam dichterbij. Zijn voetstappen galmden over het lege plein.

De Caghoulards liepen geschrokken weg.

Alex en Saul, een gevaarlijk uitziende Wisselaar, grepen Fernando vast en sleepten hem weg. De boekverkoper en de doos met het Dertigtal. Dat deden ze omdat het hun was opgedragen, maar ook omdat ze het niet konden aanzien dat hun vriend stierf. Tranen in hun ogen en de bittere smaak van een nederlaag in hun mond.

Toen Primus op minder dan een meter afstand van de Lykantroop stond, stak hij zijn hand op. De wolf bewoog zich niet.

Primus aaide hem zachtjes over zijn snuit. Hij liet de tranen over zijn vingers lopen en likte ze vervolgens op.

'Niet erg zout, hond,' zei hij. 'Dat valt me een beetje tegen.'

Hij raakte hem hard, op zijn snuit.

Buliwyf wankelde opzij.

Primus schopte hem met de ijzeren neus van zijn laars en brak een paar ribben van de Lykantroop.

De wolf hoestte, maar deed niets terug.

'Bloed smaakt beter.'

Hij schopte hem opnieuw.

'Je hebt een smerige ziel, hond.'

Hij greep hem bij zijn nek en tilde hem van de grond.

'Je hebt een zwarte ziel.'

Hij bukte om in de ogen van de wolf te kunnen kijken en spuugde.

'Je bent de dood niet waardig.'

Hij slingerde hem tegen een muur. Het geluid was afgrijselijk.

Rochelle hield opnieuw haar adem in. Ze wist waar Buliwyf toe in staat was. Ze had zijn kracht gezien. Ze had hem wezens zien doden. Meer dan eens. Ze hield ook van deze verschrikkelijke kant van hem, maar vond het toch moeilijk om aan te zien. Pilgrind had hem een strijder genoemd. En dat was hij.

Nu deed hij echter niets om zich te verdedigen. Ook niet toen Primus – nog steeds uitermate kalm, alsof hij met iets onbelangrijks bezig was – hem nogmaals aanviel. Hij incasseerde elke slag en trap, zonder te stoppen met huilen.

Rochelle boog haar hoofd, terwijl het gejank van de wolf hartverscheurender werd naarmate Primus vaker op hem insloeg.

'Buliwyf,' smeekte ze.

De Lykantroop keek haar aan. In zijn ogen las ze een wanhoop die nog zwarter was dan de hemel die het decor vormde van dit bloedbad. Hij werd opnieuw tegen de muur aan gesmeten. Hij liet een grote bloedvlek achter. Primus lachte.

De Caghoulards stonden er stil bij. De nacht hield zijn adem in.

De Jager met het verminkte gezicht richtte zich tot Rochelle. 'Splendide.

Wat de ziel verbergt, onthult het bloed. Lees in het bloed van je geliefde wat hij jarenlang verborgen heeft gehouden.'

Hij gaf Buliwyf opnieuw een dreun. Hij leek niet te kunnen stoppen.

'Buliwyf, ik smeek je,' mompelde Rochelle.

Buliwyf jankte.

'Het heeft geen zin te smeken, lieve Rochelle,' grijnsde Primus. 'Hij wil dood.'

De ogen van de Lykantroop ontmoetten opnieuw die van de Splendide.

Vergeef me, smeekten ze.

Primus greep de wolf en smeet hem tegen de grond. Hij sloeg hem nogmaals. En nog drie keer. Maar net toen hij hem opnieuw wilde grijpen werd hij geroepen.

'Primus.'

De Jager liet de wolf los. De straatstenen kleurden bloedrood. Rochelle kende dat bloed. Het was háár bloed. Het was het bloed dat door haar aderen stroomde en haar ziel, de ziel van een gedoemd wezen, verwarmde. Dit wezen riep de Jager.

'Primus.'

De stem van Rochelle. Zelfs Buliwyf had moeite hem te herkennen. Hij was vervormd door haar woede. Onherkenbaar.

Primus draaide zich om.

Rochelle omhelsde hem.

54

Pilgrind had geen vin verroerd. Hij was stil blijven zitten, met zijn ogen dicht. Hij had de hinderlaag en de gevechten gevoeld. Hij had ze zich voorgesteld. Zijn voorstellingsvermogen was legendarisch. Legenden waren door fantasie vervormde werkelijkheid. Hij had de gevechten gezien alsof hij er zelf getuige van was geweest.

Hij had alle tabak opgerookt. De sterke sigarettengeur hing nog in de kamer. De peuken lagen voor zijn voeten, als offers aan een heidens afgodsbeeld. Een afgodsbeeld waar niemand meer in geloofde.

Vreemd genoeg voelde hij zich bijna euforisch. Alsof zijn gebreken, die hem aan de ene kant deden lijken op een kadaver, hem aan de andere kant volbliezen met een enorm krachtige energie die op het punt stond te ontploffen. Van het ene op het andere moment.

Hij had Mathis over de prijs van de tarantula horen onderhandelen. En omdat hij nog steeds de Baardman was, wist hij ook dat de Wisselaar om aan dit dier te kunnen komen had gedood en gelogen.

Hij wist dat, op dit moment, diezelfde Wisselaar bij wie Mathis de spin had gehaald, gekeeld en afgekloven in een stroompje bij rue d'Auseil lag. De man had de pech gehad een handjevol verveelde Caghoulards tegen te komen. Ze hadden hem aan stukken gescheurd en vervolgens opgepeuzeld.

Wat Mathis niet wist, was dat de Wisselaar niet alleen Manufacten verkocht, maar ook gebruikte. Daarom had hij niet in de gaten gehad dat hij in een val liep en had het hem geen enkele moeite gekost iemand te doden voor de tarantula. Hij had geld nodig.

Dat verklaarde ook waarom deze Wisselaar, die als bijnaam Mankepoot had, in tijden van oorlog en met bloed besmeurde muren en straatstenen niet wegvluchtte uit Dent de Nuit, maar er juist naartoe ging. Dat iemand twee handen had, wilde niet per definitie betekenen dat hij zijn hersens goed kon gebruiken. Zijn dood was slechts een van de vele. Onbelangrijk, vond Pilgrind.

Dat was het mooie aan de toestand waarin hij verkeerde. Hij voelde zich boven iedere moraal staan. Leven en dood, moord en mededogen, waren voor hem hetzelfde. Ze zweefden wachtend boven de buurt. Zijn gedachten gingen uit naar slechts één ding. Iets wat alleen Koning IJzerdraad had voorvoeld. Bij de peuken voor de voeten van de afgod die aangetast was door de tijd, lag ook bloed. Bloed dat inmiddels gestold was. Net als dat op de handen van de oude man. Koning IJzerdraad wist het. Hij keurde het niet goed. Sterker nog: hij was laaiend.

Dankzij het metalen figuurtje kon de Baardman zich nauwkeurig voorstellen wat er gaande was. Zijn gevoeligheid, zijn ogen die alles omhelsden. Hij wist hoe Buliwyf werd toegetakeld. Hij wist hoe Rochelle leed en wat ze van plan was. Hij wist waar Caius toe in staat was. Hoewel zelfs hij nooit, maar dan ook nooit, zou kunnen begrijpen wat de magere jongen met zijn woede kon aanrichten. Namelijk het laatste taboe doorbreken, het duisterste van allemaal. Necromantie. Het oproepen van de doden. Hen wegrukken uit het paradijs, de hel of het niets. Hen dwingen hun eigen wil te volgen.

Pilgrind dacht, roerloos, aan Mathis. Hij wist van de spin en van de honing. Dit was de reden voor het vergoten bloed. En voor de woede van Koning IJzerdraad. Koning IJzerdraad had geen mond, maar als hij die wel had gehad, had hij de longen uit zijn lijf geschreeuwd, net zo lang totdat de trommelvliezen van de Baardman waren gesprongen. Als hij handen had gehad, en genoeg kracht, had hij Pilgrind achtergelaten in zijn onderbewustzijn, met zijn ongevoeligheid voor het leed van anderen, en had hij Mathis belet een Celibe op te roepen. Niets ontging het figuurtje. Niet wat de vrouw uit de Zwartheid opriep, en ook niet wat Pilgrind dacht. Met zijn minuscule metalen pootjes bewerkte hij de handen van de Baardman. Tevergeefs. Pilgrind was niet meer gevoelig voor pijn. Niet voor die van Gus, en ook niet voor die van Mathis. Laat staan voor die van hemzelf. Pilgrind had Gus nodig. Hij had kracht nodig. En hij wilde dat de grenzen tussen de Tuinen, tussen de werelden, vervaagden. Hij wilde een Gat kunnen maken dat zo diep was dat het uitkwam bij het strand. Hij was zwak. Om zo'n soort Gat te kunnen openen, had hij een Celibe nodig. Zijn plannen waren wreed.

Zodra Pilgrind het gezoem van de vliegen hoorde, maakte hij zich klaar. Onder zijn baard vormde zich een grijns. Toen de geur van brandende honing zijn neus bereikte, begon zijn goede oog te schitteren.

Koning IJzerdraad gooide met vonkjes naar Pilgrind, maar het had geen zin.

Op het moment dat de Baardman de stem van de Celibe hoorde, sprong hij op. Hij voelde geen honger meer en rook niets anders dan die geur. De geur van Wisselaarsbloed, de geur van honing en de geur van de zee. Het

Gat was open. De grenzen waren vervaagd. Dit was het moment.

'Sla! Godallemachtig, sla!' schreeuwde hij.

Het leek bijna alsof Gus hem gehoord had. Of misschien was hij nooit opgehouden met de klok te luiden.

Koning IJzerdraad plofte op de grond. Wanhopig, of misschien was de duistere energie die dreigend boven de stad hing simpelweg te veel voor hem. Pilgrind keurde hem geen blik waardig.

'Nog een keer, vriend. Nog een keer.'

Het beest waarin Gus veranderd was, reutelde gepijnigd. Hij boog zijn rug en probeerde zich los te maken van het verwisselde staal. Het lukte hem bijna.

Pilgrind baadde in het zweet.

'Schiet op,' mompelde hij. 'Schiet op.'

De lucht knetterde door de energie. De grenzen vervaagden. Toen de slagen zo hard waren dat zelfs de schuilplaats op zijn grondvesten begon te trillen, sperde de Portier de werkelijkheid open, als een mes een stuk vlees. En hij zag het strand. Hij zag Gus.

Hij liep dichter naar hem toe. Hij was daar. Hij wankelde.

'Pilgrind... hoe...?'

'Dat is niet belangrijk.'

'Ik...'

'Ga door met slaan.'

Gus ging verder met het luiden van de klok.

Ongelooflijk genoeg kon Gus, ondanks het kabaal, de woorden van de Baardman luid en duidelijk verstaan. Achter hem een vieze, oude kamer. En een glimlachende Koning IJzerdraad.

'Wat is er allemaal aan de hand?'

'Ik heb je nodig, Gus.'

'Ik ben dood.'

'Nee, nog niet.'

'Wat ben ik dan?'

'Sla tegen de klok, verdomme!'

Pilgrind verbleekte.

Gus sloeg.

'Wat moet ik doen, Pilgrind?'

'Je moet je klaarmaken voor het volgende deel.'

'Ik begrijp het niet.'

Pilgrind schudde zijn hoofd. Het was niet Gus die het niet begreep, hij was zelf degene die zich niet kon focussen. De Hidiraczee had een hypnotiserende werking. De zee leidde hem af van wat hij wilde zeggen. Zijn woorden werden zinloos, zijn ideeën een moeras waar niet aan te ontsnappen was.

Hij probeerde zich te concentreren.

'Ik zal hem proberen te overtuigen.'

'De jongen.'

Pilgrinds ogen lichtten op. 'Het Wonderkind.'

Gus sloeg en sloeg tegen de klok.

'Ik had hem kunnen doden. Je had me mijn gang moeten laten gaan.'

'Het is onmogelijk het Wonderkind te doden. Hij is... het lot. Je kunt het lot niet doden.'

'Wat moet ik doen?' donderde Gus.

'Maak je klaar voor de zee en...'

Gus onderbrak hem. 'Hoe ben je hier terechtgekomen?'

'De lucht is ijl.'

'Niet zo ijl dat hij je hierheen kan brengen. Je bent zwak.'

'Dit is niet het goede moment om het hierover te hebben.'

Gus was snel. De zee had geen invloed meer.

Zijn brein draaide op volle toeren. Plotseling begreep hij wat er in Dent de Nuit gaande was.

'Iemand roept iets op uit de Zwartheid. Daarom is de lucht in de wijk zo ijl, toch?'

'Dit is niet het moment, jij... Gus, verdomme. Denk aan Caius!'

'Ik heb hem gezien, Pilgrind.'

'Waar?'

'Hier en...' Gus sperde ongelovig zijn ogen open. 'Mathis!' brulde hij plotseling. 'Vervloekte gek die je bent! Mathis is een Celibe aan het oproepen!'

'Sla, of...'

Gus greep hem bij zijn kraag. 'Zeg op!'

'Sla op die verdomde klok!'

Gus schudde hem door elkaar als een lappenpop. 'Zeg het!'

'Ze is er inderdaad een aan het oproepen. Maar ik ga haar tegenhouden. Niet...'

Gus gaf hem een klap in zijn gezicht.

Vervolgens keek hij Pilgrind argwanend aan, met tranen in zijn ogen, en begon weer op de klok te slaan.

Het zand begon opnieuw te branden. De zilte smaak van de zee trok in hun huid.

'Je bent erg overtuigend, Baardman,' zei Gus minachtend. 'Was het jouw idee om een Celibe op te roepen? Nee, dat geloof ik niet. Het was haar idee. Jij hebt alleen niet ingegrepen.'

'Gus, probeer het te begrijpen. Er woedt een oorlog in Dent de Nuit.'

Gus wees naar de horizon. 'Daar ook.'

Pilgrind schrok op. 'Muziek?'

Gus spuugde op de grond. 'Heb je het niet gehoord?'

Pilgrind beet op zijn lip. Ja, hij had het gehoord.

'Gus.'

Gus hield op met slaan. Van zijn handen was alleen nog openliggend vlees over, waar de botten uitstaken.

'Vaarwel.'

'We moeten praten, Gus. Ik wil het je uitleggen.'

Het strand verbleekte.

'Het enige wat jij moet doen, ouwe, is Mathis redden. Als er nog iets van haar over is.'

'Gus...'

Het strand was veranderd in een vlakte met gebroken lijnen en schaduwen.

'Vervloekte oude vent.'

Het Gat ging dicht.

Koning IJzerdraad wachtte hem op.

De lucht trilde door het gezoem van miljoenen vliegen. Vliegen vervuld van angst. Pilgrind schudde zijn hoofd.

'Celibe!' riep hij.

Meteen stonden ze oog in oog.

55

Caius werd wakker, wreef zijn ogen uit en zag Suez naast hem zitten. De barman staarde naar hem.

De kraai was verdwenen.

'Mazarin gaat het niet redden, zeiden ze.'

'Het... Het spijt me.'

'Wat weet jij van pijn, Wonderkind?'

De stem van Suez klonk koud en angstaanjagend.

'Suez...'

'Geef antwoord als ik je wat vraag.'

'Ik weet het niet.'

'Dat is geen antwoord.'

Caius voelde dat hij tegen de muur gesmeten werd. Zodra hij er contact mee maakte, stond de wereld op zijn kop. Het duurde even voordat hij weer de nodige kracht had om te ademen.

Suez hing dreigend boven hem. Hij was groot en breed. Zijn haken glommen venijnig.

'Ik kende Mazarin al mijn hele leven. Het was een goede jongen. Weet je wat hem de dood in heeft gejaagd?'

'Nee.'

'Een Aanvreter. Mazarin gaf me rugdekking. Dat was Buliwyfs idee. Een goed idee. Terreur bestrijd je met terreur. We zouden dat souterrain binnengaan en het in brand steken. Waarom? Omdat daar binnen Gruwelaars sliepen. En wat zouden we daarmee opschieten?'

Een pauze.

'Niets, Wonderkind. Maar het zou de Jagers flink opfokken. Ze zouden zich kwetsbaar voelen. Maar er is iets misgegaan. En nu is Mazarin dood. Weet je hoe een Aanvreter doodt?'

Gus' woorden doken in zijn hoofd op.

'Mijn ouders zijn op die manier gestorven.'

'Ze kussen.'

'Ik heb ze gezien.'

Suez gaf hem een stomp. Zijn ogen bleven leeg. Dit was nog het ergste: Suez' ogen waren leeg.

'Mazarin was een goede kerel. En Albertina was een prima meid. Ze hield wel van een drankje, maar was een formidabele Wisselaar. De Caghoulards hebben haar vermoord. Ze hebben haar opgegeten. Francis was ook een goede vent. Of eigenlijk, een goede jongen. Hij was nog maar zeventien. Hij hield van schuine moppen. Hij was de enige die erom kon lachen.'

Hij hield een haak voor Caius' neus. Steeds dichterbij. Caius probeerde opzij te stappen, maar Suez duwde hem tegen de muur.

De barman haalde zijn gezicht open met zijn haak. Bloed. Een druppel.

'Het is mijn schuld.'

Suez knikte.

'Ik wilde het niet.'

'Ik wil dit ook niet doen, maar ik moet.'

'Ga je me vermoorden?'

'Ik moet wel.'

'Waarom?'

'Omdat het oorlog is, Wonderkind.'

'Ik heet Caius.'

'Ooit bestond er een jongetje dat zo heette. Een jongetje dat ik nooit vermoord zou hebben. Maar alles is veranderd. Alles. Gus wilde jou vermoorden.'

Hij liet de haak nog steeds niet zakken.

'Suez, alsjeblieft.'

'Vluchtelingen. Weet je wat dat betekent? Dat de oorlog nu op diverse plekken woedt. Hoeveel zullen er sterven? Duizend? Honderdduizenden? Miljoenen? Hele werelden vervagen. Kun je het je voorstellen? Vluchtelingen sterven, terwijl wij hier staan te praten alsof het niets is.'

Zijn lach klonk hol. Suez was net een lijk. Een pratende dode. Een dode die hem wilde vermoorden.

Caius voelde zijn vingertoppen sissen. Het gat in zijn borst eiste bloed.

'Suez, ik wil je geen pijn doen.'

Suez staarde hem stomverbaasd aan. 'Jij, mij?'

Caius bracht zijn handen naar zijn borst, boven het teken.

'Ik heb het niet onder controle,' zuchtte hij.

'Daarom moet je sterven.'

Er zat bloed op de haak. De haak bewoog omhoog.

Er sijpelde bloed uit het teken. De lucht werd ijskoud.

Suez gromde. Caius sloot zijn ogen.

Niets. Caius deed zijn ogen weer open.

De man hoestte bloed op.

'Wonda.'

Het bloed was warm.

'Wonda.'

Suez brulde, draaide zich om en stak zijn mes uit. Te laat. Te oppervlakkig. De Caghoulard trok het mes uit zijn schouderblad, stak het in Suez' hals en duwde. Nog meer bloed op Caius. Het bloed spetterde. De Caghoulard sloeg opnieuw toe. Suez zakte ineen. Bellis gromde.

De barman was dood.

Caius zag de vlammetjes uit zijn vingers komen, maar besteedde er geen aandacht aan. De vlammetjes doofden. Het werd weer donker. Hij was alleen met het lichaam van Suez. En met de hijgende Caghoulard. En met zijn honger. Het gat.

'Spiegelmann.'

De Caghoulard piepte. Dat was niet de stem van de jongen.

'Ik wil Spiegelmann, Bellis.'

Bellis trilde. Hij liet het mes vallen.

'Ik wil Spiegelmann zoeken.'

Bellis rolde zich op, zo ver mogelijk bij Caius vandaan.

'Hier, Bellis.'

Hij moest wel gehoorzamen, hij kon niet anders.

'Ik wil Spiegelmann. Ik wil rue Félix. En ik heb jou nodig.'

'Wonda.'

'Ja, Bellis. Je hebt gelijk, ik ben het Wonderkind.'

Hij raakte het lichaam van Suez aan.

'O, wat heb je gelijk, Bellis.'

Het kadaver verging tot as. De as veranderde in een vlinder. Miljoenen vlinders die omhoogvlogen.

De Caghoulard volgde ze met zijn ogen. Toen de wittige wolk het plafond raakte, vatte het vlam.

Bellis maakte zich klein.

Vonkjes vielen rond het Wonderkind. Niet één raakte hem. Het leek alsof ze bang waren te dicht bij de jongen te komen. De Caghoulard voelde dat hij te maken had met iets kwaadaardigs. Iets waar zelfs zijn oude Meester, de Verkoper met zijn plastic glimlach, rillingen van zou krijgen. Maar toch was dit Caius Strauss. De magere jongen.

'Ik kan rue Félix nooit vinden. Niet alleen. Wil je me helpen, Bellis?'
'Wonda.'
Ondanks zijn angst, ondanks alles, zou hij hem helpen.
Caius glimlachte. 'Goed dan, Bellis, zoek iets voor me uit. Ik wil weten wat rue Félix 89 eerst was, voordat het een gevangenis werd.' Bellis begreep het meteen en rende weg. 'Zoek uit wat het was voordat Spiegelmann het in handen kreeg.' Hij glipte naar buiten en verwondde zich daarbij aan de staalplaat die als deur fungeerde. 'Geef me een aanwijzing. Al is hij nog zo klein.' Bellis rende naar het eind van de steeg. Zijn hart ging als een dolle tekeer. Zijn ogen vonden waar hij aan dacht. Het lukte hem met zijn vingers het putdeksel open te wriemelen. 'Voordat er kakkerlakken zaten. Voor alles, Bellis.' Hij liet zich in het riool zakken. Dat was niet zo moeilijk. De eerste wist te ontsnappen. De tweede trapte hij kapot. 'Ik wil weten wie het bedacht heeft, Bellis.' De derde, in zijn vuist geklemd. 'Laat het me zien en ik zal hem vinden. En wanneer ik hem vind, Bellis,' zei de stem in de duisternis van zijn gedachten, 'zal ik antwoorden krijgen. Ik weet hoe ik dat moet doen. Ik hoop alleen dat hij ze me niet wil geven.' Hij klom omhoog in het traliewerk, tot aan het lichtgat. En keerde terug. Buiten adem.
'Een kakkerlak.'
Wat een wijs antwoord, dacht Caius.
Hij stond op. Hij opende zijn linkerhand. De vlammen ontstonden meteen.
Hij opende zijn rechterhand. De vonken sprongen van de ene handpalm naar de andere.
'Geef maar.'
Zo kreeg het Wonderkind zijn antwoord. Dit was het begin van zijn wraak. Hij riep degene op die rue Félix 89 had ontworpen. Een dode. Een demon.

56

De pijn sloeg onmiddellijk toe. Het zilver in zijn huid werd de enige werkelijkheid op de wereld. De jongen had nog nooit zoveel pijn geleden.

Iedere zenuw smeekte om genade. Zo maakten de Jagers een Canide van een Lykantroop. Met de zilveren ketting hitsten ze het beest op en vernietigden ze de mens in hem. En als het beest op het toppunt van zijn woestheid was, martelden en vernederden ze hem.

Toen de pijn zakte, zag de jongen de met sterren bezaaide hemel. Hij lag op zijn rug op de grond, vastgeketend met zware kettingen. De hemel leek hem licht en oneindig leeg.

Vlak nadat hij naar de hemel keek, hoorde hij het gekreun van een meisje. Niet van zomaar een meisje, maar van een Lykantroop.

'Nee,' huilde de jongen.

Een van de Jagers kwam naar hem toe.

'Deze is wakker.'

'Nu al?'

De Jager greep hem bij zijn haren en schudde hem door elkaar.

'Jij bent sterk. Je...'

Het kind begon te schreeuwen. De Jagers grinnikten.

'Wat doen jullie met haar?'

'Hij praat nog,' zei de Jager stomverbaasd.

'Doe zijn ketting om en laat hem met rust.'

'Ja, baas,' snoof de eerste.

'Laat hem kijken. Als hij zo sterk is als jij zegt, wordt het een geweldige Canide. Laat hem kijken, Andersen.'

'Zoals je wilt, Primus.'

Kettingen werden losgemaakt en rinkelden. De hemel draaide rond en een fel licht prikte in zijn ogen. Toen begon alles opnieuw te draaien en had hij weer pijn. Niet zo erg deze keer. Oneindig veel minder dan door het zilver.

Hij zag drie mannen rondom een vuur staan. Eén daarvan was degene die hem bij zijn haren had gegrepen. Lang, blond, met een sik.

Een ander kwam dichterbij. Hij keek hem doordringend aan met zijn roofvogelachtige ogen. Hij was gespierd en droeg een wit shirt, waarvan hij de mouwen had opgestroopt. Zijn snijtanden ontbraken.

'Dag, hondje.' Hij gaf hem een schop.

'Ga eens opzij.'

De derde Jager was groot en robuust. Hij had een pilotensjaal om zijn nek, een litteken in zijn gezicht en blauwe ogen, net als hijzelf.

'Weet je hoe ik heet?' vroeg de derde Jager.

'Primus,' mompelde de jongen.

'Weet je wie ik ben?'

'Degene die...' stamelde de jongen.

'Degene die je zusje heeft vermoord.'

Feliz dacht aan zijn zusje. Belle. Zijn kleine Belle. Hij dacht aan de dag waarop hij weg was gegaan en haar alleen thuis had achtergelaten. Hij had haar later gevild aangetroffen. Ze had zich niet weten te verdedigen. Ze was nog maar een kind.

De jongen sperde zijn ogen wijd open. Het vuur, de sterren. De pijn. Het stalen gezicht van Primus, de legendarische Jager.

'Hoe heet je, jongen?'

Het kostte hem moeite zich zijn naam te herinneren, maar het lukte hem toch. Het zilver had veel herinneringen uitgewist, maar niet die aan zijn naam.

'Adolfo Feliz Canibal.'

De twee andere Jagers lachten. Primus vertrok geen spier.

'Ik ga je vermoorden,' zei hij.

Nog meer geschater. Weer bogen de vlammen en de sterren in het oneindige niets. Opnieuw gehuil.

Het gehuil van een meisje.

'Kijk, jongen.'

Feliz keek omhoog en zag dat het niet zijn zusje was. Ze had wel ongeveer dezelfde leeftijd. Ze zat vast aan een metalen paal. Hij herkende het metaal. Op de plek waar het zilver haar raakte, siste haar huid.

'Laat haar met rust.'

'Zoals je wilt,' zei Primus.

Hij stond op, pakte zijn zilveren dolk en liet die over haar voorhoofd glijden. Haar gegil steeg op tot aan de sterrenhemel.

'Laat haar met rust!'

'Hond!'

Primus bewoog snel. Bliksemsnel.

Zilver om zijn nek. Zilver dat in zijn nekvel sneed. Zilver dat de jongen en de wolf tot waanzin dreef.

Hoe lang duurde het?

De sterren waren nog zichtbaar toen de pijn zakte. Van het vuur was nog maar een hoop smeulende takken over. En van het meisje, een obscene kruising tussen dat wat ze ooit geweest was en een wolf. Wolvenharen en een snuit, maar ogen die doodsangsten uitstonden. Menselijke ogen.

'Welkom terug, jongen.'

Feliz probeerde antwoord te geven en jankte. Primus glimlachte. Het zilver begon effect te krijgen. Vroeg of laat zou de wolf de overhand nemen. En vervolgens zou de wolf worden getemd.

Vroeg of laat zou hij een Canide worden, maar dat kon hem niets schelen. Zijn zusje was dood.

En dat meisje...

'Ze wist het niet,' zei Primus hoofdschuddend. 'Ze had geen idee. Dat gebeurt wel eens, wist je dat?'

Andersen gaf het meisje een trap. Ze gaf geen kik. Haar stilte was erger dan duizend schreeuwen. Ze hield alleen haar hoofd schuin.

Ze was net een pop, zag Feliz. Met glazen ogen. Ze waren verstard en straalden tegelijkertijd angst en verbijstering uit.

Feliz wilde het uitschreeuwen, maar kon alleen maar janken als een wolf.

'Het probleem is,' zei Primus, 'dat ze zwak is. Ze zal nooit een Canide worden. Hoe hard we haar ook dwingen, de wolf wil niet naar buiten komen,' voegde hij eraan toe, terwijl hij nog een houtblok op het vuur legde. De vlammen werden direct hoger. 'Geen tanden, geen oren, geen vacht. We hebben niets aan haar,' concludeerde Andersen.

Hij sneed haar keel door.

Buliwyf strompelde naar de Splendide, die Primus omhelsde. Primus trilde en zag bleek. Bijna blauw zelfs. Zijn aderen waren duidelijk zichtbaar en hij had een huiveringwekkende grimas op zijn gehavende gezicht.

Buliwyf liep naar hen toe.

'Laat hem los,' smeekte hij met de stem van de wolf. 'Laat hem los.'

Het had geen zin. Rochelle was onverzoenlijk en Buliwyf was te zwak om zich te verzetten tegen de verschrikkelijke kracht van de vrouw met korenkleurige haren. De kracht van de Splendides. Hun verdoemenis als wapen. Ze liet hem zijn pijn herleven. Zijn tergendste pijn ooit.

Het zilver betekende pijn. Een onderwijzende pijn, die leerde wreed te zijn en te vergeten. Alles te vergeten. De gezichten van familieleden en vrienden. Het verleden. Zelfs het heden.

Feliz probeerde zich ertegen te verzetten, maar het zilver drilde hem. Zo kwam het dat hij op een dag alleen was met Primus, aangelijnd, en zijn naam, verleden en verstand was verloren.

Hij was een volmaakte Canide. Zo behendig en meedogenloos dat Primus hem voor zichzelf wilde houden. Andersen was het op dat punt niet met hem eens.

Andersen was oud nieuws. Feliz had hem vermoord op bevel van Primus, met plezier. Hij had er een klopje voor op zijn snuit gekregen.

Die dag had Primus zijn oog op een jonge Lykantroop laten vallen, een makkelijk doelwit. De Lykantroop was niet voor hem, maar voor zijn Canide. Het zou zijn eerste zijn. 'Dit is je eindexamen,' zei Primus. 'Eens zien of je slaagt.'

'Dood hem,' gebood hij Feliz. En hij liet hem los.

De pijn zakte.

Feliz viel aan.

De jonge Lykantroop probeerde zich te verweren. Hij vocht als een leeuw. Als een echte strijder. Feliz werd herhaalde malen geraakt. De pijn was bij lange na niet zo erg als die werd veroorzaakt door het zilver, maar hij werd zwakker. Hij voelde Primus' doordringende blik op hem gericht. Hij voelde hem oordelen.

Het zilver had hem zijn baas leren gehoorzamen. Primus was zijn baas en Feliz wilde hem tevredenstellen. Dat was zijn plicht.

De Lykantroop bleek echter sterker dan hij. Feliz eindigde op de grond, verslagen.

Primus kon het niet aanzien en liep weg.

Feliz wachtte op de genadeklap, maar die bleef uit. De jonge Lykantroop aarzelde. In plaats van de keel van Feliz door te snijden begon hij te huilen.

Tranen zo pijnlijk als het zilver. Het zilver had hem geleerd te vergeten, de tranen leerden hem te herinneren.

Ooit kende hij woorden, dacht de Canide, terwijl Feliz uit het voorgeborchte, waar hij door de marteling naartoe verbannen was geweest, zijn rentree maakte. En kon hij ze gebruiken.

'B...'

'Mond dicht,' smeekte de jonge Lykantroop.

'Buli...wyf.'

'Hou je mond, alsjeblieft, vriend.'

'Buli...wyf.'

'Ik dacht dat je dood was, Feliz. Dood. Je bent...'

Feliz wist alles weer. Hij kende ook de woorden weer. Ook deze woorden.

'Maak er een eind aan.'

De Lykantroop luisterde niet; hij liet zijn dolk op de grond vallen en vluchtte. En zo lukte de enige vriend die Adolfo Feliz Canibal ooit gehad had wat het zilver niet was gelukt: hem tot waanzin drijven.

Hij trok nieuwe lessen uit zijn waanzin. Nieuwe wreedheden en nieuwe plannen.

Hij doodde Primus. Hij doodde ook de andere Jager, degene zonder snijtanden. En hij zwoer wraak te nemen. Dit gaf hem nieuwe kracht. Hij leerde kleine schilfers zilver te slikken. Dat hem in kleine doses hielp mens te blijven.

Hoewel het pijn deed, stonden deze schilfers hem toe te bedriegen en een ander te worden. Hij verminkte zijn gezicht, stal een sjaal en werd Primus.

De wolvenmoordenaar.

Dit waren Primus' laatste woorden: 'Zelfs nu is het je niet gelukt me te doden, klootzak.'

Rochelle liet het levenloze lichaam van Feliz op de grond vallen. Ze bracht haar handen naar haar gezicht en huilde.

Haar tranen sneden door Buliwyfs ziel als puur zilver.

57

Necromantie. Doden oproepen. Doden en demonen. Eén demon. De Architect.

De Architect heette William Hakanasson. Hij had gemillimeterd rood haar, een spitse kin, die bedekt was met een patente baard in dezelfde kleur, en kleine, priemende ogen.

Toen Bellis hem zag, kreeg hij direct een steek in zijn maag. Caius gaf geen kik.

De hele ruimte was vervuld van de aanwezigheid van de Architect, de man die rue Félix 89 en de Dom van Dent de Nuit had gebouwd.

'Zeg het eens,' spoorde Caius hem aan.

De figuur met het kortgeschoren haar hield zijn wijsvinger voor zijn mond.

'Nog niet,' antwoordde hij. 'Kijk.'

Caius keek en begreep het.

Hij begreep dat Hakanasson naar Dent de Nuit was gekomen, nadat zijn vader, die samen met hem een schipbreuk had overleefd, had besloten hier een handwerkwinkeltje te openen.

Caius probeerde hem af te kappen. Hij wilde niets weten over Hakanasson.

De demon grijnsde. De doden willen praten. Altijd.

Caius wilde weten hoe hij bij Spiegelmann kon komen, maar de Architect was niet te stoppen. Hij wilde zijn verhaal kwijt.

Het was een sterke demon.

Zijn verhaal vloeide uit zijn lichaam als een lichtstroom.

Stefan Hakanasson, de vader van William, was een beschaafde man. Hij hield van boeken in het algemeen – zijn collectie dikke pillen lag per tien opgestapeld in de gangen van het huis waar de weduwnaar en zijn zoon woonden –, maar waardeerde wiskunde in het bijzonder. Hij vond dat die de menselijke bekrompenheid oversteeg en zo de maagdelijke grond van het pure idee aanraakte. Zijn zoon William, een jongen die net als zijn moeder mager en sproeterig was, neigde al op jonge leeftijd sterk naar zowel de schilderkunst als de wiskunde.

Stefan, een praktisch ingestelde man, die dacht dat een leven als schilder niets voor zijn enige zoon zou zijn, stuurde hem naar Carcassonne – een lange reis met paard en wagen door bossen en over heuvels, met heimwee en een brok in de keel –, waar hij, ver weg van de bewoonde wereld, werd opgenomen door een gemeente van dominicanen. William groeide op bij deze sobere mannen, die hardvochtig probeerden ketterij uit te roeien, hun geloofsleer verspreidden, en op strenge wijze de jongen de basis van zijn scholing bijbrachten. Hij leerde Latijn, grammatica, Grieks, retorica, aardrijkskunde, wiskunde, muziek, meetkunde en tekenen. Iedere nacht snoof hij de geur van papier op en voelde hij dat zijn vingertoppen onder de inkt kwamen te zitten. Iedere nacht zei hij formules op, die hij in de ochtend weer kwijt was. Iedere nacht bevond hij zich in Carcassonne, onder het toeziend oog van de dominicanen en een enorm vierkant houten kruis, dat tegen de muur van zijn piepkleine cel stond.

Natuurlijk besteedde hij met zijn onderwijzers ook uren aan het lezen, bestuderen en becommentariëren van de Heilige Schrift. Eén vers in het bijzonder sprak tot zijn levendige tienerverbeelding. Een zin uit het Boek der Romeinen, die zijn leraar, een abt uit Marseille die leed aan een ernstige vorm van dementie – hij kon zijn ontlasting niet meer ophouden en vergat de wc te gebruiken, stonk naar geit en uitwerpselen, maar zijn ogen schitterden als hij zijn discipel hielp herinneren wat voor een eeuwige marteling ketters te wachten stond – hem uit het hoofd had laten leren. Het was duidelijk hoeveel er bij William Hakanasson was blijven hangen van dat vers; hij gebruikte vaak de uitdrukking: 'In mijn vlees staat een litteken gebrand dat groeit en vervormt zoals de tijd onze geest doet groeien en ons lichaam doet vervormen.'

De tekst ter hoogte van Hakanassons hart kwam niet uit een legende. Het litteken leek verdacht veel op de tekst Rom 5:12.

Caius zag het.

De figuur glimlachte. Hij knoopte zijn hemd open.

Knokige en puntige vingers, als die van een kunstenaar. Zijn gladde borst. Het litteken:

Caius had ook een litteken. Een roos. Er sijpelde bloed uit de roos.

De eerste opdracht van William Hakanasson was een houten altaarblad, met een sobere majestueuze uitstraling en niet zonder luister. Caius las zijn tevredenheid over zichzelf van zijn spitse gezicht af en zag hoe belangrijk die opdracht voor hem was. Hij zag dat de jongen het blad aan het klooster van de dominicanen in Carcassonne gaf en dat een vroom man vervuld werd van blijdschap toen hij het werk onder ogen kreeg.

De hertog van Carcassonne.

Mentor en vriend van William.

William maakte ook een aantal schilderijen, die inmiddels verloren waren gegaan, allemaal met een zwaar religieus thema, zoals *De geboorte van Jezus* en *De annunciatie*, waardoor hij in de omgeving beroemd werd.

Vervolgens sprak William zijn behoefte uit om een dominicanenhabijt te dragen – geknield, voor het graf van zijn mentor uit Marseille, die hij had bijgestaan tijdens zijn lijdensweg –, maar trok het verzoek weer in na het plotselinge overlijden van zijn vader. Stefan was een praktisch ingestelde man. Hij wilde zijn tijd niet verdoen met religie. In zijn testament, opgesteld door een gerimpelde ministerieel ambtenaar van Dent de Nuit, had Stefan Hakanasson zijn zoon uitdrukkelijk verzocht niet te buigen voor kuisheid, maar een zekere Henriette de la Cour te trouwen. William vroeg zich niet af waarom. Het interesseerde hem niet. Hij kookte van woede, maar accepteerde het testament.

'Hij had gezien dat zijn vader een vriendschap onderhield met een zekere Bernard de la Cour. Zaken, interesses. William vervulde de laatste wens van zijn vader en trouwde Henriette, een gracieus meisje van zeventien jaar, dat blind was geboren en met haar lichtblauwe kleding en de bloem in haar haar erg geliefd was bij de buurtbewoners. Mannen gingen opzij om haar te laten passeren en vrouwen hielpen haar haar schoenen moddervrij te houden. Caius vond dat ze er gelukkig uitzag.

William keerde daarna terug naar Parijs en trad in zijn vaders voetsporen: hij had een welvarend leven als winkelier, hij was een vaardig ambachtsman en een goede burger. Zo leefde hij enkele jaren (stofresten, hout, gelach, een biertje, geld dat van hand tot hand ging, rimpels in zijn gezicht).

Uiteindelijk werd zijn droom verstoord door het norse gerimpelde gelaat van vader Vittorio, abt van de dominicanen in Parijs, geboren in Arezzo, naar Dent de Nuit gekomen om hem te ontmoeten en met hem over het geloof en zijn roeping te praten. Zijn werkelijke roeping: kunst. William vroeg God om vergeving, omdat hij zijn talent in twijfel had getrokken en niet zijn hart had gevolgd.

Hij maakte een aantal schilderijen, oefende zich in de beeldhouwkunst, niet zonder succes – kruizen met reliëf, wenende madonna's, Caius bewonderde ze allemaal; één bijzonderheid bleef hem bij: hun mistroostige en heerszuchtige ogen – en kwam er na lang twijfelen, slapeloze nachten en woedeaanvallen eindelijk achter wat zijn grootste talent was: gebouwen ontwerpen.

De gestalte glimlachte, in extase.

De lucht vatte vlam.

'Ik wil dat je me erheen brengt. Ik wil naar de Dom.'

'Jij verlangt naar woede, jongen.'

Caius aarzelde, maar stortte zich toen opnieuw op de herinneringen van de Architect.

Architectuur, schreef William in zijn korte essay, bestaat uit de drie schoonheden van het menselijk vernuft, plus één. Het voegt wiskunde, kunst en muziek samen. De extra schoonheid is te vinden in het feit dat architectuur voor eeuwig is en voor iedere gelovige een levenslange inspiratie kan vormen.

Het Engelenklooster, een klein kerkje gewijd aan aartsengel Michaël dat aan de overkant van de steeg met boekhandels stond, lokte geroezemoes uit. Mensen noemden de straat de rue d'une Femme Galante. Terwijl kunstenaars en architecten vanaf dat moment hun mogelijkheden uitbuitten en de aandacht van hun publiek probeerden te trekken, bouwde William een klein kerkje dat wat structuur betreft gotisch leek, maar een stilistische stoutmoedigheid bevatte die er in vader Vittorio's ogen erg heidens uitzag. 'Hij lijkt te negeren dat het een doodzonde is een heilig gebouw te construeren dat zoveel lijkt op de weelderige tempel van Venus, wier echte naam Satan is.' Dreigende woorden van afkeer.

Caius voelde zijn woede. De woede van de Architect, omdat hij niet werd begrepen. Omdat hij was verraden. Vanaf dat moment ging Caius niet meer tegen hem in. Hij glimlachte.

'Ja.'

Die woede beviel hem.

58

De Celibe was op zijn manier een kunstenaar. Als kunst iets was zonder regels, zonder moraal en zonder angst voor pijn, iets wat de grens van het onbekende overschreed, dan was de Celibe een kunstenaar van het vlees te noemen. Het vlees, slaaf van zijn wil, werd onbekend terrein.

Onbekend: verder dan de zuilen van Hercules, voorbij Mathis' zenuweinden, huid en spieren, de vrouw van de tatoeages die haar vak verstond. Het onbekende sprak de taal van leed en vervoering.

De Celibe kwam uit de Zwartheid, een niet te definiëren ruimte zonder grenzen. Een heilige plek waar op nachtmerries lijkende wezens leefden, als je het al leven kon noemen.

De Celibe was een van deze nachtmerries en verlangde naar dat wat hem ontzegd werd: licht.

Door de Oproeping van de waanzinnige Mathis, die een al net zo waanzinnig doel had, en aangetrokken door de honing en de spin had de Celibe de mogelijkheid gekregen uit het Niets op te stijgen.

Van alle wezens verfoeide hij de spin het meest. Dit kwam misschien wel doordat wezens in het Niets, net als op elke willekeurige andere plek, opgedeeld waren in prooien en jagers. En misschien was de spin daar wel een jager, net als de Celibe. Dat was slechts giswerk. De Celibe had een ziel, maar wel een die nogal anders was dan die van de vrouw in het midden van de cirkel van stof. Datzelfde gold voor de Baardman die uit het niets opdook op de vliering van rue d'une Femme Galante. Het viel dus niet te begrijpen waarom de Celibe zo'n hekel had aan spinnen. Eén ding was echter wel duidelijk: op zijn manier was de Celibe een kunstenaar.

Daar was Pilgrind het mee eens, toen hij zag wat er met Mathis gebeurde. Ze zat voorovergebogen in de cirkel van stof, met haar mond open in een verstomde schreeuw. Haar huid glom. Het gezoem van de vliegen werkte verdovend.

Met haar benen gespreid, haar armen slungelig naast haar lichaam en haar haren kleverig van de honing, stak Mathis een hand naar de Baardman uit.

Ze vroeg niet om hulp. Ze joeg hem weg.

Pilgrind had nog niet de kracht om zijn blik af te wenden van het werk van de Celibe. Hij kon het wezen zelf nog niet zien, maar wel wat hij had gedaan. Kunst vergde tijd.

De tijd kroop voorbij. De tijd bestond uit een leger groene, gevulde vliegen dat een concert gaf. Pure kakofonie, het requiem van Mathis dat wegvloog, verscheurd van pijn en afschuw.

Op het eerste gezicht zag het er eenvoudig uit wat de Celibe deed. In elke porie van de vrouw, bloot of bedekt, stopte hij voorzichtig een witte sfeer. Iedere sfeer leefde, had tanden om mee te knarsen en te knabbelen, en bestond uit bloed of lymfvocht. Iedere sfeer groef zich in in Mathis' huid en bleef daar opgewonden zitten. Ze gaven allemaal licht. Licht dat in het Niets verboden was en waar de Celibe hier, in de tuin van de mensen, wel van genoot.

Al die volmaakte sferen vormden samen een lichtschijnsel dat de vrouw opslokte. Uit iedere sfeer ontsproot een larve. De larve verslond de sfeer, zijn moeder. Mathis herkende zichzelf in al deze wezens.

'Celibe,' riep Pilgrind, terwijl hij met zijn stok op de vloer sloeg.

De lucht stond stil. Het gezoem nam af, maar zwol daarna weer aan.

'Ik weet dat je me kunt horen, Celibe!' donderde hij. 'En je weet dat je antwoord moet geven.'

'Waarom?' vroeg een stem die door merg en been ging.

'Omdat je weet wie ik ben.'

'Dat weet ik helemaal niet,' kwetterde de stem vrolijk.

'Dat weet je maar al te goed, Celibe.'

Het gezoem werd luider en begon dreigend te klinken. Pilgrind voelde dat de Celibe hem op agressieve wijze aanraakte.

Mathis' ogen smeekten en beschuldigden Pilgrind. Ondanks haar pijn, de sferen en de larven die daaruit voortkwamen, had ze nog genoeg kracht om degene die haar wilde redden te haten. Zo werkte de liefde.

'Baardman,' gromde de Celibe.

'Laat haar met rust.'

'Waarom? Wat krijg ik daarvoor terug?'

'Laat haar gaan.'

Er scheerde iets langs zijn baard. Een vlieg die geen vlieg was, maar een samensmelting van Mathis' vlees en dat van de Celibe. Een hels elfje met insectenvleugels.

Pilgrind greep het wezen uit de lucht en liet het aan de Celibe zien. Het fladderde en vocht. Pilgrind drukte het plat tussen zijn wijsvinger en duim. Het ontplofte. Druppels scharlakenrood sap kwamen op zijn lippen terecht.

'Word je er misselijk van, Baardman?'

Pilgrind beantwoordde de vraag door zijn lippen af te likken. Het smaakte bitter.

'Jíj bent misselijkmakend.'

Mathis stak haar arm uit naar de resten van het elfje, haar dochter, en barstte in huilen uit.

Met een korte beweging tekende de Baardman een lus in de lucht. Hij hoorde de Celibe rillen.

Het deed pijn naar de Celibe te kijken. Het was alsof hij keek naar iets wat de geometrie niet toestond. Het wezen was niet van deze wereld.

De lucht etterde een groene vloeistof, die de Baardman herkende.

'Je bent bang, hè Celibe?'

'Niet voor jou.'

Pilgrind sloeg met zijn stok op de grond. Er ontstonden vonkjes, die één oog van de Celibe doorboorden. De Celibe krijste met zijn schelle stem.

'Hou op! Deze wereld is vijandig.'

'Je vergist je, Celibe. Dat ben ik.'

Hij trok.

De Celibe krijste.

'Portier.'

'Ik hoor dat je me begint te respecteren.'

'Deze vrouw' – hij sprak het woord 'vrouw' op zo'n obscene manier uit dat de Baardman er misselijk van werd – 'heeft me opgeroepen.'

'Met een spin en een beetje honing? Ik geloof er niets van.'

'Dat is het ritueel.'

Pilgrind gaf een ruk. De lucht scheurde als een stuk papier. Het geluid was afgrijselijk. Het klonk net als een bot dat versplinterde.

Het regenboogkleurige lichaam van de Celibe zakte in elkaar. De lichtjes rondom Mathis gingen uit. De eitjes in haar poriën knisperden en ontploften. Mathis kreunde en huilde.

De hybride larven die al geboren waren, de monsterlijke elfjes, begonnen om hun vader te roepen. Een concert van gekrijs, gezoem en scheurende kwabbige vleugels. De hel was er niets bij.

'Dat kan niet in zo'n korte tijd,' zei Pilgrind. 'Er zijn drie dagen nodig om je aan te roepen, Celibe.'

Mathis sperde haar ogen wijd open. 'Vervloekte...'

Een ruk van de Baardman. Het hoofd van de vrouw hing naar beneden.

De Celibe schaterde. 'Heb je haar vermoord, Portier?'

Pilgrind zorgde ervoor dat de Celibe weer gehoorzaamde. Hij voelde de kracht uit zijn lichaam wegvloeien, maar kon toch nog het hoofd bieden aan dat gruwelijke wezen. Hij sloeg er nogmaals op in. Hij verheugde zich over zijn pijn.

'Geef antwoord op mijn vraag.'

'De Zwartheid is geen prettige plek.'

'Is dit een raadsel?' riep de Baardman uit. 'Leg je mij raadsels voor, Celibe?'

De Celibe beefde. Zijn onzichtbare lichaam beefde. Zijn blinde ogen, het gebouw en de hybride larven trilden. Vele kletterden tegen de grond, alsof ze afgeschoten werden. De geur van verderf was sterker dan de scherpe geur van de Celibe.

'Er wordt veel over je gesproken in het Niets.'

'Terecht.'

'Vele wezens zullen je komen opzoeken.'

'Laat ze maar komen.'

'Eerder dan je denkt.'

'Wat wil je daarmee zeggen?'

De Celibe lachte. 'Ben je bang?'

In plaats van antwoord te geven trok Pilgrind aan het onzichtbare touw en dwong de Celibe naar zijn vrije linkerhand toe te komen. Lachend boog hij zijn wijsvinger.

De Celibe kronkelde, maar kon zich niet uit Pilgrinds greep losrukken. Hij was te sterk. Het wezen had een vreemd, akelig gevoel dat het nog nooit eerder had gehad. Het voelde zich kwetsbaar. Het verweerde zich en probeerde los te komen. Pilgrind was onvermurwbaar. Zijn kromme wijsvinger werd gigantisch. De Celibe boog zijn hoofd. Hij sloot al zijn ogen, maar ze waren zo teer, ondanks de oogleden die ze bedekten. Zo verdomde kwetsbaar.

Pilgrind trok.

De hybride larven schreeuwden en krijsten. De volgende dag zouden er veel katten- en vleermuizenlijkjes aangetroffen worden onder de vensters van het appartement in rue d'une Femme Galante.

'Spreek nu.'

Pilgrind zette zijn nagel op een van de ogen van de Celibe.

'Rustig maar, Portier.'

Pilgrind drukte op het ooglid.

'Waarom ben je zo snel uit de Zwartheid gekomen? Deze vrouw interesseert je totaal niet.'

'Dat is waar.'

'Spreek!'

Hij stak zijn vinger dieper in het oog.

'De Hidiraczee is vervuild,' krijste de Celibe. 'Dat komt door jouw pupil. Er woedt een oorlog. De hele Zwartheid is in rep en roer. Oorlog. Dat jongetje... verwoest alle werelden. Sommigen zeggen dat binnenkort alle Gaten wijd open zullen staan.'

'Hij is nog geen Wonderkind.'

'Nee, nog niet. Maar precies op dit moment is hij dat wel aan het worden.'

Pilgrind aarzelde. Deze keer deed het gelach van de Celibe hem duizelen. Het wezen rukte zich los. Pilgrind werd weggeslingerd. Eén moment van afleiding, van verbazing, en de Celibe was weer vrij. Zo ging dat met wezens uit het Niets. Ze waren onvoorspelbaar. De Celibe wierp zich op Mathis en greep haar vast.

De huid van de vrouw sidderde. Van genot? Van afgunst? Pilgrind probeerde op te staan, maar de duizend ogen van de Celibe deden hem verstijven. De Baardman voelde zich alsof een onzichtbare hand hem platdrukte.

De Celibe tilde de vrouw op en gooide haar tegen de verste muur. Mathis kreunde. Haar botten waren gebroken.

'Celibe!'

Pilgrinds Wissel siste in de lucht.

De Celibe schreeuwde van pijn.

'De regels gaan veranderen, Pilgrind!'

Een ijzig moment.

'Dit zal je berouwen, Baardman.'

Dit was het laatste wat er van de Celibe overbleef: een bedreiging.

Alleen Pilgrind en Mathis waren nog in de kamer. Vlees. Dood vlees. Honing. Ammoniak, de geur van de Celibe.

'Help me, Pilgrind...'

Pilgrind liep naar de vrouw toe.

'Weet je nog hoe je heet?'

'Ik weet... alles nog,' antwoordde ze.

Pilgrind realiseerde zich dat er van de weelderige, koperkleurige haardos van Mathis niets meer over was. Haar schedel glom van het zweet. Er zat geen haar meer op. Ook haar wenkbrauwen waren verdwenen.

Mathis herinnerde zich alles. Ze herinnerde zich de Oproeping. Dat God haar beschermd had en alles wat de Celibe haar had aangedaan. Pilgrind dacht dat hij gek werd.

59

Woede. Een vernietigende nectar die mannen en vrouwen veranderde in bekrompen, scherpe objecten. Metaal zonder draad.
Het Wonderkind liet zich echter iedere druppel smaken.

Plotseling verdwenen al zijn angsten, alsof zijn woede was veranderd in brandstof. Ineens leek het idee te zijn bedrogen en misbruikt niet meer zo belangrijk.

Hij was nep. En door deze conclusie voelde hij zich vrij.

Vader Vittorio, die zich verraden voelde door de zo getalenteerde, zwijgzame architect, was van plan het klooster neer te halen en Hakanasson tot afzwering te dwingen, maar gelukkig voor de Zweed werd vader Vittorio getroffen door een ernstige vorm van tyfus en stierf hij zonder zijn plannen geconcretiseerd te hebben.

De opvolger van vader Vittorio, ene vader Michel, een jezuïet die opener en geleerder was, waardeerde het klooster echter evenzeer als de dominicaan het gebouw verafschuwde. Daar waar vader Vittorio godslastering zag, zag vader Michel het gekwelde innerlijk van een raskunstenaar op zoek naar perfectie. Daar waar tijdgenoten vonden dat de kunstenaar tradities krenkte, zag vader Michel, als geraffineerd wiskundige, duizelingwekkend algebraïsch denken, een sublieme, spirituele aanblazing in combinatie met een zeer moderne logica.

Kortom, vader Michel werd William Hakanassons voornaamste – zo niet zijn enige – supporter. Het tweetal werd vaak samen gezien, wandelend, discussiërend over kunst, poëzie en theologie, maar bovenal over wiskunde en meetkunde. Aangezien de bibliotheek van de Orde van Jezus de grootste en minst gecontroleerde van Parijs was, mocht William die consulteren wanneer hij wilde, dag en nacht. Parijs prevelde.

Dent de Nuit wachtte.

Aan het eind van 1655 vond vader Michel, na een lang en fel debat waarin zijn positie en autoriteit onder de loep werden genomen, de noodzakelijke fondsen om zijn lieveling zijn talent ten volle te laten benutten: de bouw van de Bloed van Christus-kathedraal, een enorme vesting van het geloof. Het project werd tot in de kleinste details door William zelf uitgetekend en uitgevoerd. De kunstenaar wilde, behalve door zijn mecenas, door niemand op de vingers gekeken worden. Voorzichtig koos hij een veilige, onopvallende plek om de kathedraal te bouwen: in het centrum van Dent de Nuit. Een plek die zeer onbehaaglijk was, weinig bezocht door gelovigen en geleerden, laat staan door edelen en rijke kooplieden. In de buurt wemelde het van de sinistere figuren en er deden bijzondere legendes de ronde, maar toch had zijn vader Stefan er troost en een nieuw vaderland gevonden. William zag erop toe dat het project vorderde en zocht onvermoeibaar naar de juiste materialen. Hij ging zelfs onvermurwbaar door toen hij tijdens het uitgraven van de fundamenten van de kathedraal op de resten stuitte van gemeentegraven uit de tijd van de pestepidemie in de veertiende eeuw. Hij moest verder graven, dat was hem opgedragen. Hij moest doorwerken. Het was zinloos de lichamen te verplaatsen.

Caius knarsetandde.

Er sijpelde bloed uit het teken op zijn borst. Bellis kreunde. De Architect opende grijnzend zijn mond. Het verhaal vloeide uit hem. Het was zijn verhaal. Hij besprenkelde zich ermee.

Hakanasson was zelfs zo onvermurwbaar dat mensen achterdochtig begonnen te worden. Ze begonnen over hem te roddelen. Ze vroegen zich af waarom de Architect niet wilde dat de graven geruimd werden en de lichamen geborgen. Waarom wilde hij dat zijn meesterwerk in de dood en verrotting geworteld stond? Dat waren niet de enige roddels.

De Architect knikte.

Hij glimlachte en vervolgde met saaie stem zijn verhaal.

Tijdens de vier jaren die nodig waren om de kathedraal te bouwen, ontstonden er vele vreemde legenden rondom de Zweed. Dat had waarschijnlijk ook iets te maken met zijn niet-Franse achtergrond. Vooral de dood van zijn vrouw Henriette, over wie werd gezegd dat ze vermoord was door op de vlucht geslagen dieven, de spoorloze verdwijning van zijn Hongaarse obers William tolereerde geen Franssprekende bediening, omdat hij bang was dat zijn ideeën anders bestudeerd en weggekaapt zouden worden – en tot slot het gedrang van smoezelige figuren op het bouwterrein werden vaak besproken. Smoezelige figuren met, zo verhaalden de kranten, dichtgenaaide lippen.

Toen in 1659 de laatste hand werd gelegd aan de kathedraal, wist inmiddels heel Parijs van het bestaan van de bizarre kunstenaar. Iedereen sprak over William. Gespuis riep zijn naam om kinderen uit hun slaap te houden, vrouwen kwebbelden over zijn mannelijkheid – die scheen onbedaarlijk te zijn –, ouderen spraken kwaad over zijn vader en over hoe hij boeken verzamelde die de Kerk had verboden – iets wat filologen luidkeels ontkenden – en de adel keuvelde over zijn genie en zijn liefdevolle relatie met vader Michel. In 1659 had vader Michel glazige ogen vanwege een ernstige vorm van staar en toen de kathedraal hoogstpersoonlijk door de aartsbisschop van Parijs ingewijd werd en de eerste officiële mis plaatsvond, stond de oude jezuïet in tranen de muur te strelen en in zichzelf te mompelen.

Toen kwamen natuurlijk de kritieken: een reusachtige aanfluiting, een loodgrijze steen in het midden van een door barbaren bewoonde buurt, een verspilling van moeite en geld, een kettergebouw dat meer weg had van de obelisken die geliefd waren bij de Egyptenaren dan van een kerk voor God. Er bestonden geen afbeeldingen van het werk. De kerk leefde slechts voort in vage herinneringen.

Toen de kathedraal af was, werd William Hakanasson getroffen door een gevoel van melancholie en werd hij nogal somber. Hij voelde zich alsof hij na de afronding van zijn meesterwerk geen energie en creativiteit meer had. Kribbig en vuil geworden, ging hij steeds minder vaak zijn huis uit. De inwoners van Dent de Nuit roddelden nog steeds over de kunstenaar, en bleven ver uit de buurt van de kathedraal. Ze baden liever in oude gemeentelijke kapellen – er woonden echter maar weinig gelovigen in de wijk –; die waren nederiger en rustiger. Na de dood van de jezuïet, die het toch nog lang had volgehouden, in 1665 verslechterde Williams gezondheid.

Caius sperde zijn ogen wijd open. Hij was stomverbaasd.

Pijn. Erger nog. Gevangenschap. Hij werd vastgenageld door Williams woede.

De Architect grijnsde. De grijns van de man met de zeis. Caius probeerde naar achteren te lopen. Onmogelijk. Hij dook in hem en zag alles.

Het eerste kind werd in maart van het jaar 1665 dood aangetroffen. Dat kwam veel voor. Kinderen stierven bij bosjes in die tijd. In mei van dat jaar werd het tweede kind gevonden, geheel leeggebloed. Hij klemde een rode knikker in zijn hand. Er begonnen nog meer vreemde verhalen de ronde te doen in Dent de Nuit.

De zomer van 1665 leek enigszins vredig te verlopen, totdat er in september opnieuw kinderen werden gevonden.

Eén kind, zoon van een schoenmaker, werd op enkele meters van de kathedraal gevonden, leeggebloed, en het volgende werd half oktober aangetroffen, met naast het lichaam een rode knikker.

Op eerste kerstdag werd de biddende menigte die was samengekomen in de kathedraal door de aartsbisschop uitgenodigd te rouwen. Kranten beweerden dat vele inwoners de kathedraal voor het einde van de mis verlieten. Het is eenvoudig te raden wat de reden was voor dit onbezonnen gebaar. Het was immers met de goedkeuring van de aartsbisschop dat William Hakanasson naar hun wijk was verhuisd.

De jaarwisseling werd niet gevierd. Een ongebruikelijke stilte drukte de gemoederen. Ze wachtten af.

Begin 1666 werd er een dubbele moord gepleegd. Twee kinderen. Gruwelijk verminkt en leeggebloed. Op de plek waar hun ogen hadden gezeten, zaten twee rode glazen knikkers. Volgens het volk kon er maar één het gedaan hebben. Het was onbegrijpelijk dat William Hakanasson deze periode had overleefd. Misschien was hij te diep in zijn depressie verzonken om de beschuldigingen op te merken. Toen de inwoners van Dent de Nuit, woedend en opgehitst door de ouders van de slachtoffers, het gebouw binnendrongen om het recht te laten zegevieren, troffen ze hem van top tot teen aangekleed aan, klaar om te gaan schilderen. William Hakanasson werd door de menigte doodgeslagen, zijn lichaam met een essenhouten palet doorboord, zijn hoofd afgehakt en verbrand. Zijn lichaam werd uiteindelijk in de Seine gedumpt. Niemand zette meer een voet in de kathedraal. Zeventig jaar lang deden de inwoners van Dent de Nuit alsof ze het stenen gevaarte in het centrum niet zagen.

Ze wachtten. Ze mompelden.

Het kon niemand wat schelen toen in 1731 de Bloed van Christus-kathedraal instortte door een aardbeving, zelfs de gemeente niet, voor wie de ruïne inmiddels meer een obstakel was dan iets om trots op te zijn. Velen vroegen zich af waarom de aardbeving bijna de hele wijk intact had gelaten en zich alleen op de kathedraal had uitgeleefd. Die was heel krachtig met de grond gelijkgemaakt. Natuurlijk spraken de krantenkoppen over de wil Gods. Over het lot. Maar er waren Wisselaars die er anders over dachten. Zij zagen het als de volmaakte uitvoering van een vernietigende Wissel.

Dat was wat de menigte zag in het huis van de Architect. En dat was waar Caius zich bevond, gevangen in deze menigte. Hij zag Hakanasson, met dichtgenaaide lippen en een kaalgeschoren hoofd.

'Moordenaar!'

Toen het schilderij.

'Kindermoordenaar!'

Een schilderij dat werd vergruisd in de wind en werd vervloekt.

'Werk van de duivel!'

Het was rond en vervormd, en leek de blik van de kijker te filteren. 'Een knikker! Kijk, een rode knikker!' In het midden van de kathedraal flakkerde een vuur. Daaromheen dansten figuren die gewaden aanhadden die geen enkele inwoner van de wijk ooit had gezien. 'Heksen!' 'Ketters!' 'Demonen!' Eén had het gezicht van een wolf, droeg een zwarte broek van een vreemde stof en had lang haar, dat hij los droeg als een vrouw. 'Tovenaars!' De vrouw was gekleed als een prostituee. Ze droeg een kleurrijke doek, die haar borsten amper verhulde.

'Hoer!' 'Heks!'

Hakanasson had oog voor detail. Hoe langer de toeschouwers naar de vreemde details keken, hoe meer ze er ontdekten.

'Tovenarij!' Hier een gevorkte voetafdruk en het metaal van een lege kooi. 'De geit!' 'De zwarte geit met haar lammetjes!' Daar een boos oog, pentagrammen en letters op de tongen van de joden. 'Moordenaars van Jezus!' En dan de gezichten. Wat de demonen ook aan het doen waren, ze brachten geen vreugde teweeg. 'Paria's!' 'Bedriegers!' Hun glimlach was veel te breed en hun ogen stonden vol tranen en paniek.

'De hel!' 'Hij heeft de hel geschilderd!'

Het bewijs voor deze veronderstelling lag in de vlammen in het midden van het schilderij. In het demonische gezicht van een oude man die boven de grond zweefde. Een parodie op de kruisiging.

Caius schreeuwde het uit.

Dat was zíjn gezicht.

60

Alex voelde dat er iets niet in de haak was. Maar omdat de oorlog in Dent de Nuit tot in zijn aderen was doorgedrongen, had hij niet in de gaten dat zijn intuïtie juist was, maar te laat kwam.

Naast hem liep Saul, die de boekverkoper aanspoorde door te lopen. Dit was echter lastig voor de jongen, zonder schoeisel, op het plaveisel.

De geluiden van het gevecht tussen Buliwyf en Primus waren inmiddels verstomd, maar Saul voelde zich alsof een leger Jagers hem op de hielen zat. Hij begreep niet waarom hij van de Lykantroop die vreemde vogel met zijn leven moest beschermen, maar had geleerd op zijn oordeel te vertrouwen. Als Buliwyf zei dat hij belangrijk was, was hij belangrijk.

Zonder de Lykantroop zouden ze geen hoop meer hebben.

Saul was een gewone, zwijgzame man. Voordat Spiegelmann de wijk binnen was gevallen, was hij een gelukkige boekhouder. Hij werkte voor twee verschillende bedrijven, controleerde hun rekeningen, ging na of ze niet meer uitgaven dan ze ontvingen, of de werknemers volgens hun contract werden uitbetaald en vele andere kleine dingen die hem op dit moment, nu hij eraan terugdacht, totaal onbelangrijk leken.

Saul was een Wisselaar en dat hielp hem bij het werk dat hij deed voor de oorlog. Nu betreurde hij al die verspilde Wissels. Hij had herinneringen gebruikt om een facturering te kwadrateren, voor niets.

Terwijl hij langs een grote, vernielde, uitgebrande vrachtwagen liep die de Quai des Fevres blokkeerde, vocht Saul tegen zijn tranen. Zonder Spiegelmann had hij nooit iemand als Mazarin leren kennen. Saul behoorde tot de mensen die in pak liepen, Mazarin tot de sluwe vossen die naar hond stonken en onder bruggen woonden.

De oorlog had hen samengebracht. De oorlog veroorzaakte vele dingen, maar bovenal bracht hij mensen samen.

Dit was niet het moment om de sterfgevallen, slachtoffers, herinneringen en het verdriet te revancheren. Ze hadden een missie. Fernando verstapte zich en het scheelde weinig of hij ging samen met Saul onderuit.

'Ik kan niet...'

'Je moet!' beval Alex, de woesteling.

Fernando stapte opzij, alsof hij bang van hem was.

'We moeten rusten.'

'Geen denken aan. Weet je niet meer wat Buliwyf gezegd heeft?'

'Kijk naar zijn voeten.'

Alex gehoorzaamde en deinsde terug.

Fernando keek hen bijna verontschuldigend aan. 'Ik wilde niet...'

Zijn voeten zaten onder de schaafwonden en blaren.

Alex keek omhoog naar Saul. 'We moeten een Wissel produceren. Ik heb geen verband bij me en zijn voeten zijn helemaal stuk.'

'Laten we hier stoppen en bedenken hoe we dit gaan aanpakken.'

Alex keek om zich heen. Hij had ook haken in plaats van handen, net als de meeste Wisselaars die aan Buliwyfs zijde streden. Hij sloeg ze tegen elkaar.

Vonkjes.

'Ga zitten, Fernando.'

'Sorry, ik...'

Saul was degene die de boekverkoper kalmeerde. 'Maak je geen zorgen. Ik zorg dat het goed komt. Je moet nu even uitrusten, goed?'

Fernando lachte naar hem. 'Hoor je dat niet?'

Saul wist maar al te goed waarnaar de jongen verwees.

'Nee, maar ik weet zeker dat Buliwyf het redt.'

Met een beweging die hij had afgekeken van Alex viste hij een sigaret uit zijn jaszak en stak hem aan. Jouw vertrouwen is hartverwarmend. Primus...'

'Is alleen maar een praatjesmaker,' vulde Saul aan.

'Ja, maar Mazarin is dood. En wij binnenkort ook.'

'Primus is dood.'

Er klapte iemand in zijn handen.

Alex sprong op.

Fernando slaakte een kreet van schrik.

'Wie is daar?'

Niemand antwoordde. Plotseling realiseerde Alex zich iets. Het was muisstil. Het was waar dat er in tijden van oorlog stilte heerste, maar dat gold niet voor Dent de Nuit, ook niet tussen de voortdurende hinderlagen door. Zachte voetstappen. Kraaiengekras. Smeltende sneeuw. De wind. Maar nu kon je op de Quai des Fevres een speld horen vallen.

Behalve het applaus.

'Vriend of vijand?' vroeg een iele stem.

'Fernando,' riep Saul, 'maak je klaar om weg te rennen.'

'Ik?'

'We hebben geen tijd. Je moet nu wegrennen. Denk niet aan de pijn en vlucht!'

Alex was de eerste die stierf.

De albino Jager kwam uit het duister tevoorschijn.

Op dat moment begreep Saul twee dingen. Eén: zijn tijd was gekomen. Twee: de albino was volkomen de weg kwijt. Ook Fernando was zich bewust van Schmidts waanzin. Hij herkende zijn eigen waanzin in de zijne. En het was juist deze obscene vorm van broederschap die hij voelde jegens de moordenaar die zijn leven redde. Hij slaakte een kreet. Terwijl Saul zich op de Jager wierp, in een laatste wanhopige poging tijd te winnen, drukte Fernando, de pijn negerend, het doosje met het Dertigtal tegen zich aan en rende de andere kant op dan waar ze vandaan waren gekomen.

61

'**J**e liegt!'

De Architect spreidde zijn armen. Het regende stukken bepleistering en kalkgruis.

'Je liegt!' schreeuwde Caius met alles wat hij in zich had. De pijn op zijn borst was niets vergeleken met de angst die hij voelde. Iets in hem voerde hem weg. Ver weg. Dat wat eerst zijn honger had gestild, maakte hem nu misselijk. Dat wat hem eerst energie had gegeven, verzette zich nu.

Er klonk muziek in zijn hoofd. Vervormde en angstaanjagende muziek. Een symfonie zonder betekenis. En toch op een of andere duistere manier heel verleidelijk. Zo verleidelijk dat de magere jongen hem alleen kon verdragen als hij zich vasthield aan de heersende woede.

Woede was er in het hol genoeg. De bloedrode, nijdige ogen van Suez, het zoveelste slachtoffer dat drukte op het geweten van het Wonderkind. De woede van iemand die alles verloren had. Zijn café, zijn vrienden, zijn handen om mee te strelen, zijn handen om zich mee te verdedigen. Dan was er de woede van de Caghoulard. Een verfijnde woede, waar hij geen controle over had. De woede van een dier dat zich in het nauw gedreven voelde. Met zijn rug tegen de muur, zijn klauwen in de aanslag, drongen de geuren van angst, van een Wissel, van nog iets subtielers, maar daarom nog niet minder verontrustend, zijn neus binnen.

Bellis was bang. Hij zou de Architect neer willen slaan, hem de mond willen snoeren.

Ook wilde hij Caius neerslaan; ondanks het op vriendschap lijkende gevoel dat hij voor hem had, vormde Caius op dat moment een verontrustende bedreiging.

Verder was er natuurlijk Caius' woede, maar bovenal die van William Hakanasson.

Het was de woede van de Architect die de muren deed barsten en de jongen zo hevig deed smachten als hij nog nooit eerder had gedaan. De woede van een dode. Iemand die vierhonderd jaar geleden was gestorven. Opgeroepen door het Wonderkind. De herinnering van de laatste architect van Dent de Nuit. De herinnering van een genie dat zijn talent had zien verdwijnen door de twee deuren die leidden tot waanzin: de mystiek en de wiskunde. Het talent van een grote, krankzinnige kunstenaar, vermengd met het bloed van onschuldige mensen.

'Caius Strauss, jij hebt me opgeroepen. Nu moet je iets voor mij doen.'

Caius knipperde met zijn ogen. Het Zwart. Daar was het weer.

Hij was Caius Strauss niet meer, hij was het Wonderkind.

Het Wonderkind grijnsde. 'Denk je echt dat je mij om een gunst kunt vragen?'

De demon knikte. 'Ja.'

Uit het niets verschenen kettingen. Iedere ring representeerde de schreeuw van een gefolterd kind. Het waren rode kettingen uit het binnenste van de hel. Ze sisten nog van het bloed. Ze wikkelden zich om de armen van de magere jongen. Ze sneden door zijn huid, vlees en zenuwen. Caius schreeuwde. De kettingen smulden van zijn pijn en omstrengelden zijn armen nog steviger.

De demon glimlachte, bijna vertederd.

De kettingen knetterden en slingerden Caius tegen een verre muur. Daar bleef hij liggen. Waar de jongen de muur geraakt had, vlak onder het plafond, krulde de kalk op en bladderde af.

'Ja,' herhaalde de demon. Vervolgens sperde hij zijn mond open. Geen enkele menselijke schedel zou ooit zo'n groot gat kunnen hebben. Op de plek waar zo-even nog de kleine mond van de Architect zat, was plotseling een muil ontstaan.

Op dat moment kreeg in het lichaam van Bellis de adrenaline de overhand. Hij stond op. Hij had geen pijn meer, was zelfs niet meer bang, hoewel het zijn angst was geweest die zijn botten had doen kraken, hem had doen schreeuwen en hem het met bloed besmeurde mes had doen pakken waarmee hij Suez' leven had beëindigd. Hij hield het stevig vast en ging door zijn knieën, klaar voor een dodelijke sprong.

Caius hield hem tegen, zonder te praten of zich te bewegen. Bellis voelde dat hij tegen de grond werd gedrukt. Het mes ketste tegen de muur, waardoor de demon opschrok. Bellis kreunde. Caius sperde zijn ogen open van verbazing.

Hij had geen bruut gebaar gemaakt om het wezen met het verminkte gezicht te dwarsbomen. Hij had alleen gezien wat de Caghoulard van plan was en had gedacht: niet nóg meer bloed. En vervolgens was Bellis gevallen.

De demon maakte een zuigend geluid. De scène had hem niets opgeleverd; demonen konden wreed zijn, maar waren niet meer dan herinneringen gevoed met het bloed van onschuldige slachtoffers. Er was slechts één ding dat hen aanzette te handelen en andere wreedheden te begaan: bloed.

De geur van Caius' bloed, het bloed dat onder zijn jack vandaan sijpelde, uit het teken, dat inmiddels gitzwart was – en dat meer leek op een vreemde constellatie botten dan op een litteken, alsof zijn ribben een nieuwe vorm aan hadden genomen –, was bedwelmend, meer nog dan dat van de kinderen die hij had geofferd voor zijn bijgeloof en waanzinnige ambitie. Bloed. Bijzonder bloed.

Er gleed een rode, sponsachtige tong uit de bek van de demon, met kleine, kromme tanden als die van een barracuda. De tong rolde zich uit als een wijnrank.

William Hakanasson hunkerde naar wijn. Zijn tong raakte nu het gezicht van de jongen aan, die tegelijkertijd verward was, boos, doodsbang en opgetogen (opgetogen omdat hij een nieuwe kracht achter het teken voelde opborrelen, iets wat zijn blik verruimde en het teken steeds moeilijker kon verhullen). Hij aarzelde.

'Wat ben jij, jongetje?'

Caius gaf geen antwoord.

De tong gleed omlaag en weifelde. De tandjes op de tong waren scherp als scheermessen. Ze kwamen steeds dichterbij. Ze scheerden langs zijn huid en sneden de stof open. Het teken barstte uiteen in het gezicht van William Hakanasson. De demon likte een druppel op. Eén druppel van het bloed van Caius Strauss, het Wonderkind.

Hij verstijfde alsof hij in aanraking was gekomen met puur gif. De kettingen vielen rinkelend uiteen op de grond en lieten brandvlekken achter. Het gerinkel illustreerde het geschreeuw en de wanhoop van de demon.

De Architect vouwde zijn tong naar binnen, sloeg zijn handen om zijn hals en viel op zijn knieën.

'Wat ben jij? Wat ben jij?'

Caius boog voorover, op dezelfde manier als Yena Metzgeray zich over zijn slachtoffers boog.

'Wil je daar nog meer van, kindermoordenaar?' vroeg het Wonderkind minachtend.

'Wat ben je? Zeg me in 's hemelsnaam wat je bent!'

Het gezicht van de demon kleurde blauw. Het bloed van het Wonderkind vergiftigde hem. De boosdoener was het microscopische druppeltje bloed dat zich door zijn lichaam verspreidde, en dat vernietigde als een van dichtbij afgeschoten kogel. William had in vierhonderd jaar niet zoveel pijn geleden. Hij was echter door zijn trots een tovenaar, een meinedige en een moordenaar geworden en deze trots weerhield hem ervan zich aan de voeten te werpen van iemand die in zijn ogen nog steeds een gewoon jongetje was. Iel, bleek en met zulke heldere ogen dat hij er misselijk van werd.

Hij bekeek de jongen met hetzelfde gemak als hij dat bij stenen deed toen hij nog leefde. In een kei zag hij een kapiteel, in een brok marmer een kruis. In een put het fundament voor het paleis van Ozymandias. Hij las angst en woede in het gezicht van de jongen. De demon kende deze emoties zelf maar al te goed. Ze maakten hem tot wat hij was.

Maar hij las ook een soort honger van zijn gezicht af. Een niet te stillen honger. Verschrikkelijk. Gruwelijk.

Hij snapte het niet.

'Wat ben jij?'

Geen enkel wezen dat in het Niets leefde, kende zo'n honger.

'Ik ben het Wonderkind.'

Deze woorden zeiden de demon niets.

'Laat me gaan.'

Caius schudde zijn hoofd. 'Nee.'

'Je doet me pijn.'

'En ik ben nog niet klaar met je. Je moet iets voor me doen.'

'Nee!'

Caius pakte de spijker. Hij was gloeiend heet.

De spijker van Spiegelmann. Hij zwaaide ermee als met een dolk.

'Je moet mc meenemen.'

De demon probeerde te grijnzen. 'Naar de hel?' Hakanasson zag dat de jongen even van zijn stuk was gebracht en zette de aanval in. 'Ik kom uit de hel, wist je dat?'

'Nee, naar rue Félix.'

'Die straat ken ik niet.'

Het bloed van het Wonderkind deed minder pijn. Deze jongen had hem fysieke pijn laten voelen, hoewel zijn lichaam al eeuwen vergaan was. Hier moest hij voor boeten. De demon, de Architect, maakte zich klaar om toe te slaan.

'Je moet me naar de Dom brengen.'

'Kun je daar niet in je eentje heen?'

Caius kneep in de spijker.

'Architect,' zei hij, terwijl hij voelde dat de demon steeds kwader werd. 'Doe wat ik zeg.'

De demon probeerde eronder uit te komen.

'Ik...'

Hij kon niet anders.

Caius greep de woede van de kunstenaar. Het was eenvoudig. Hij kon de woede zien, net zo duidelijk als hij de stukken kalk zag vallen en Bellis zag beven in een hoek. Hij zag zijn furie en stelde zich voor dat hij hem in zijn hand had gevangen. Zijn hand vatte vlam. Hij opende hem en liet het zien.

Een rode knikker. Dezelfde rode knikker die William achterliet naast zijn slachtoffers.

'Kijk.'

'Nee...' kreunde de demon.

Zijn leven en zijn woede waren in de knikker gesloten. Caius slikte hem in. De demon trilde.

Caius greep hem bij zijn hoofd en drukte de spijker in zijn schedel. Het maakte geen geluid. De demon schreeuwde niet. Hij trilde en sperde zijn ogen open. De kalkstukken vielen niet meer. Caius voelde zich goed. Sterker nog: hij had zich nog nooit zo goed gevoeld.

'Breng me erheen.'

De demon knikte.

Caius wenkte Bellis. 'Kom, we gaan.'

Zodra ze Dent de Nuit in liepen, merkte Caius dat er ook andere wezens op zijn verzoek hadden gereageerd.

Kakkerlakken. Miljoenen. De beestjes richtten zich op om de duistere figuur goed te bekijken. Ze zagen dat hij gezelschap had van een schim, rood als het bloed dat iedere centimeter van de wijk bedekte. Maar de schaduw loste langzaamaan op. William Hakanasson was stervende. Dit was de eerste keer dat de kakkerlakken assisteerden bij de moord op een demon. Dit was ook de eerste keer dat ze een Caghoulard de hand van een jongen zagen vasthouden. Dat kon dan ook geen gewone jongen zijn. Net zoals dat het gelach dat in rue Félix klonk, niet van een normaal mens kon zijn.

Het was het geschater van Herr Spiegelmann.

62

Pilgrind hield Mathis stevig vast. Zij probeerde alles om zich los te wurmen. Ze had slijm aan haar mond hangen, het enige rode aan haar bleke verschijning.

Ze was zwak. Zo zwak dat Pilgrind even moest snikken. Daardoor kwam dat wat er van de vrouw over was tot bedaren. Ze had geen haar meer. De inktkunstenares vlijde zich tegen de borstkas van de Portier, als een kind dat troost zoekt na een lange, zenuwslopende droom.

Pilgrind kon haar versnelde hartslag voelen. Hij voelde hem in zijn botten. Erger nog: hij voelde haar huid sidderen, alsof ze nog contact zocht met de Celibe. Ondanks alles. Er glipte nog een snik over zijn lippen.

Grünwald keek op naar het gezicht van de Baardman. Pilgrind haalde zijn neus op en probeerde te glimlachen.

Hij dacht aan Gus. Hij deed het voor hem. Dat was niet waar. Niet alleen voor Gus. Ook voor zichzelf. Hij moest zich vastklampen aan dat laatste sprankje menselijkheid dat hij in zich had, dat Spiegelmann uit hem wilde rukken, daar was hij zeker van.

'Och, kleintje...'

'Baardman.'

'Weet je wie ik ben?'

Ze knikte.

Pilgrind liet voorzichtig haar onderrug los en concentreerde zich. Hij had slechts één betekenisloze herinnering nodig om een warme deken voor Mathis te produceren. Een tweede herinnering, nog minder belangrijk, was nodig om haar wat water te kunnen geven. Ze deed haar best om te drinken. Ze was koortsig. Pilgrind vocht tegen zijn tranen. Al deze pijn in naam van de liefde, dacht hij. In naam van het Wonderkind, van een niet te stoppen dreiging.

'De Celibe...'

'Rustig maar.'

'De vliegen.'

'Drink.'

Ze weigerde. 'Heb ik hem gered?'

Pilgrind voelde dat zijn bloed stopte met stromen. 'Ik heb Gus gezien,' zei hij.

Liegen ging hem heel makkelijk af, dacht hij. Hij kon de waarheid inmiddels niet meer vertellen tegen Gus' naakte geliefde. Maar iets in zijn geschokte gezicht moest hem verraden hebben; de vrouw begon wilde bewegingen te maken. Ze zette het water neer.

'Hier?'

'Op het strand.'

'Welk strand?'

'Eerst moet je wat drinken.'

Ze gehoorzaamde.

'Bij de Hidiraczee. Zonder jou had ik nooit met hem kunnen praten.'

'Gaat het goed met hem?'

Pilgrind dacht terug aan het misselijkmakende gezicht van zijn vriend, aan de manier waarop hij zijn rug naar hem had toegekeerd zodra hij had begrepen wat hij van plan was. De Baardman had een knoop in zijn maag. En een brok in zijn keel.

'Ik weet het niet.'

'De Celibe...'

'Dankzij de Celibe heb ik met hem kunnen praten. Hij zei' – hij bevochtigde zijn lippen – 'dat hij van je houdt.'

Liegen.

'Echt waar?'

Liegen. 'Hij zei dat jij de vrouw bent van wie hij houdt.'

Mathis glimlachte. 'Dan was het allemaal de moeite waard, nietwaar?'

Nog een leugen. Liegen zou hem veranderen in iemand als de Verkoper. Liegen zou hem leegmaken. Veranderen in een lege pop. Leugens zouden al zijn namen vernietigen, een voor een. Hij zou geen identiteit meer hebben. Leugens zouden van hem maken wat hij al was: een wezen dat zo bekrompen was dat het het zelf niet eens meer in de gaten had. Liegen, liegen en nog eens liegen. Om de wereld te verbergen die alleen hij kende. Het geheim dat van Portier op Portier was doorgegeven. Het geheim van het Wonderkind.

Mathis kwam tot bedaren.

'Ik moet gaan. Er is iets aan de hand. Spiegelmann...'

'O, Pilgrind,' zei ze. Ze stak haar hand uit om door Pilgrinds baard te strijken, die steeds witter begon te worden. 'Je weet dat dat niet kan. Je zou... weerloos zijn.'

Inderdaad weerloos.

'Vertel me over Spiegelmann.'

Een legende. Een verhaal. Een Baardman-verhaal. Om kracht uit te putten.

'Ik heb hem niet gedood. Als ik dat wel had gedaan, waren er veel minder slachtoffers gevallen. Was er minder bloed vergoten en was er veel leed voorkomen. Het was maar een mager jongetje, met veel talent. Verloren.'

'Je bent geen moordenaar.'

De Baardman kon niet meer liegen. 'Dat ben ik wel. Ik was moe, net als nu. Ik was oud. Ik had een Leerling nodig. Ook in die tijd werd er veel bloed vergoten. Mensen waren krankzinnig en slachtten elkaar af. IJzer tegen ijzer en metaal tegen vlees. Ik was moe van alles wat er toen gebeurde. Maar ik ben een Portier.'

'Een Portier?'

'Ja. En Portiers gaan niet dood. Niet door ijzer of staal. Niet in de wereld waar ze zijn geboren. Om te kunnen sterven heeft een Portier een Leerling nodig. Dat is de regel. Hij moet al zijn verhalen aan deze Leerling overdragen, voordat hij zijn plaats inneemt.'

'En dan?'

'Dan doodt de Leerling de Portier.'

'Heb jij dat ook gedaan?'

Pilgrind knikte. 'Ja, ik heb mijn Meester gedood. Maar oordeel niet, alsjeblieft. Dat is de regel. De Portier vraagt zijn pupil een einde aan zijn leven te maken. En ik wilde sterven. En dat jongetje... Dat jongetje was een ongelooflijk machtige Wisselaar. Veel machtiger dan ik. Hij was grof en had een geduldige leraar nodig. Maar hij was gek.'

'Je hebt hem niet gedood.'

'Ik heb hem onderworpen aan de Ceremonie. Hij had hem bijna doorstaan. Ik had hem moeten doden, maar al dat geweld en leed om me heen... De gedeporteerden, de soldaten die van jack wisselden om alleen maar te kunnen overleven. Al die neergeschoten mensen en die stapels lijken. De buitensporig dikke muizen. Vuur uit het oosten, vuur uit het westen, zelfs de hemel stond in brand. Ik dacht dat de kou hem wel fataal zou worden. Ik heb hem daar achtergelaten, tussen het puin. Maar hij heeft het overleefd.'

Even was hij stil.

Pilgrind dacht dat de vrouw in slaap was gevallen. Ze had haar ogen dicht en haar borst ging zachtjes op en neer. Hij streelde over haar bezwete voorhoofd.

Ze hield zijn hand tegen. Zonder haar ogen te openen.

'Ik zie hem, weet je dat?'

Pilgrind verstijfde. 'Wie?'

'Gus.'

'Dat is niet...'

'Hij luidt een klok. Hij is op een prachtig strand.' Ze glimlachte. 'Hij zegt iets.'

Pilgrind hield zijn adem in.

Mathis fronste haar voorhoofd. 'Hij zegt dat je moet gaan. Dat jullie elkaar snel zullen zien. En hij zegt...' Ze lachte nogmaals. 'Het doet er niet toe.'

Door deze glimlach wist Pilgrind dat het hem was vergeven. De knoop in zijn maag werd kleiner. Hij verdween niet, dat lag niet in de aard van de Portiers. Niets mocht vergeten worden, want alleen op die manier konden ze genoeg Wisselenergie produceren om een Gat te openen en te wachten op het onvermijdelijke, maar er vloog iets duisters bij hem weg. Het was alsof zijn ziel lichter was geworden en of daardoor zijn zintuigen weer net zo scherp waren als vroeger. Zoals toen de hele stad zijn naam fluisterde en hem voedde en nieuwe kracht gaf. Hij hoorde Koning IJzerdraad hem roepen vanuit de schuilplaats, hij hoorde de tranen over Rochelles gezicht rollen en het verscheurde gejank van Buliwyf.

Hij hoorde het hart in Caius' borst kloppen.

Hij liet Mathis slapen. Hij riep Koning IJzerdraad en smeekte hem over de vrouw te waken. Hij stond op. Hij pakte zijn stok en liep naar buiten. Dat geluid. Hij keek om zich heen. Kakkerlakken. In een rij als de zielen die wachtten op Charon met zijn boot.

Ze wezen de weg.

Lichtflitsen doorkliefden de lucht. Ze vulden de ruimte tussen het zwart en het rood. Meer nog dan flitsen waren het bloedvaten en aderen, alsof Dent de Nuit was veranderd in vlees en bloed. De Wisselaars achter de luiken en de Caghoulards tussen het puin hadden een lege blik in hun ogen.

Iedereen staarde naar een punt in de verte.

Rue Félix.

Opnieuw zichtbaar.

'Hou vol, jongen.'

63

Iedere kakkerlak in Dent de Nuit bevatte een herinnering. De jongen had in zijn woede zowel alle oude muren als alle nieuwe door elkaar geschud. Er was geen woning, winkel of ander bouwsel in de wijk dat niet doordrongen was van herinneringen.

Van herinneringen van levende mensen, maar vooral van die van de doden. Die laatste waren versmolten met de donkere rugschilden van de kakkerlakken.

Versmelting.

Herinneringen van mensen die in een graf lagen waarbij niemand meer bloemen legde, herinneringen van kinderen die gestorven waren na hun eerste schuchtere gehuil, herinneringen van vrouwen die op de hoek van een straat waren aangevallen.

Geen enkele van deze herinneringen was liefdevol, dat was duidelijk. Slechte herinneringen werden meestal weggedreven als onbevoegden, als splinters in een teen, of de foto van een verrader.

Het Wonderkind verspreidde muziek die over de boulevards schalde als een vals koor en steegjes deed opzwellen als een dikke, donkere regenbui. Een melodie die Caius' woede verbeeldde, geselde de straten, de pleinen en de verborgen loggia's.

De slechte herinneringen hadden op deze woede gereageerd. De pasgeborene die was overleden tijdens een overstroming had de vioolsolo. De vrouw van wie de keel was doorgesneden op de plek waar bloemen inmiddels verast waren, bespeelde de altviool. En dan waren er nog de koperblazers, wier geschal door merg en been ging vanwege een opgegeven strijd of een uit een mouw verschenen kaart. Trommels en pauken verbeeldden de hinderlagen die 's nachts in Dent de Nuit gelegd werden.

Maar dat was slechts het opvallendste deel van het concert en de mars. Het concert van duizend woedeaanvallen bij elkaar en de mars van duizenden kakkerlakken die overal vandaan opdoken. Ze hadden de putdeksels omhooggetrokken, ondanks het ijs dat erop zat, ze gluurden uit de spleten in de muren, met gebogen poten en slechts één doel: rue Félix.

Het was geen paradox dat de woede op zoek ging naar de weg die de architecten de Straat van het Geluk hadden gedoopt. Het was altijd al zo dat tegengestelden elkaar aantrokken. Dit gold voor de zomer en de winter, maar ook voor metaal en huid. En voor Caius en Spiegelmann.

Toen de laatste flits van de wolk die ooit een demon was geweest en lang daarvoor de architect van Dent de Nuit, was verdwenen, na Spiegelmanns Wissel opengescheurd te hebben die hij had geproduceerd om zijn schuilplaats te verbergen, zag Caius de straat.

Hij zag rue Félix 89. Hij zag voor zich hoe het eruit moest hebben gezien toen William Hakanasson theologie met necromantie en zijn Wissel met de wiskunde had doen versmelten.

Het leek meer op een fort dan op een kerk, meer een plek met een deprimerende invloed dan met een verheffende. Het gebouw had spitsen die de galgen waaraan veroordeelden bungelden in herinnering brachten en raampjes die zo smal waren dat het venijnige ogen leken. Vervolgens zag hij voor zich hoe het was toen het klaar was. Hij vond dat het eruitzag als een gevangenis. Net zo sober en hard. Hij dacht bijna het gejammer en geklaag van de gevangenen te horen toen zijn handen, zonder dat hij het doorhad, een blauwig vuur begonnen te verspreiden. Hij zag in een flits de menigte, de inwoners van Dent de Nuit, de eerste en laatste gevangenis van de wijk, die geen enkele koning of minister had durven bouwen, in brand steken.

Natuurlijk zag hij ook hoe het bloed van de gevangenen zich vermengde met dat van de bewaarders; hun bloed was gelijk.

Hij zag in een volgende flits hoe nummer 89 opnieuw werd opgebouwd. In een flits die de kakkerlakken en Wisselaars ontging, die misschien uit waanzin het spektakel kwamen bekijken dat Dent de Nuit in een sinister rood en zwart schijnsel hulde. Hij zag hoe bouwvakkers alles in het werk stelden om een school te bouwen, hoe deze school vervolgens een overheidsgebouw werd en uiteindelijk een toevluchtsoord.

De muziek zwol aan.

Hij zag dronkenlappen opgaan in een wals die doordrenkt was met alcohol en wanhoop. Toen zag hij de oorlog. En nog meer oorlog. En veldslagen. Hij zag mannen met verschillende uniformen samendrommen in de zalen van rue Félix 89. Het gebouw explodeerde en werd weer opnieuw opgebouwd.

Tot nu. Tot dit afschuwelijke moment waarop de lachende pinguïnachtige figuur op de drempel verscheen, met zijn armen gespreid, zijn gezicht te wit, zijn lippen te rood en dat bizarre cilindervormige hoedje in de hand. De butler uit een victoriaanse fabel die op het punt staat zijn baas te vermoorden. Zo zag hij er in Caius' ogen uit.

De wolk loste op.

De kakkerlakken stonden stil.

Dent de Nuit zuchtte diep.

De muziek stierf weg. Zijn stem klonk honingzoet.

'Caius,' begroette Herr Spiegelmann hem. 'Caius Strauss.'

'Zo heet ik niet.'

'O nee?'

Caius balde zijn vuisten.

Hij was laaiend. Het lukte hem echter nog niet om zijn woede op dat hatelijke kereltje te botvieren.

'Ik weet niet hoe ik wel heet.'

Spiegelmann knikte, alsof dit hem diep raakte.

'Ik voel... woede.'

'Dat klopt. Dat is mijn woede.'

Spiegelmann glimlachte. 'Dat weet ik. Dat is altijd zo geweest. Ik kan je helpen.'

'Je hebt me gevangengenomen.'

Spiegelmann bracht een hand naar zijn gezicht. 'Het spijt me.'

'Daar heb ik niets aan.'

Het schijnsel kleurde donkerder.

'Ook dat weet ik. Maar het moest. Bovendien wist ik dat je zou ontsnappen.'

'Wist je dat?'

'Niets of niemand kan het Wonderkind tegenhouden.'

Hij sprak deze zin, die opzettelijk vaag was, met een vreemde ondertoon uit; de magere jongen merkte het niet.

'Waarom niet?'

'Zou je het hebben begrepen?'

'Wat?'

'Dat wat je hebt geleerd?'

Caius voelde een rilling over zijn rug lopen. 'Dat alles sterft? Was dat wat ik moest inzien?'

Al het glas om hen heen barstte door zijn furie.

Bellis sloeg zijn handen voor zijn gezicht.

'Dat ook. Ik zie dat je een nieuwe kameraad hebt.'

Bellis trilde. Hij kende dat maanvormige gezicht dat witter dan wit was maar al te goed. Hij wist wat er achter die glimlach schuil kon gaan. Hij verborg zich achter de benen van het Wonderkind.

'Bellis,' riep Spiegelmann, 'je hebt je werk geweldig gedaan.'

Caius verstijfde.

De Verkoper lachte. 'Niet boos worden op die arme Bellis, hoor. Hij was maar een pion die zich nergens bewust van was. Je gaat hem toch niet straffen?'

Dat wilde hij wel. Hij wilde hem pijn doen. Zijn hart uit zijn borstkas rukken.

'Och, kleine.'

Caius schudde alles van zich af. Hij nam Bellis doordringend op en las afgrijzen in zijn ogen.

'Nee.'

'Wat grootmoedig van je, heel goed. Wat grootmoedig. Als een prins!' riep hij, terwijl hij druk zijn armen en vingers bewoog. 'Ik ben ontzettend trots op je en op wat je aan het worden bent.'

'Wat ben ik aan het worden dan?'

'Het Wonderkind.'

'En wat houdt dat in?'

'Dat wat je bent. En wordt. En altijd al geweest bent. Amen.'

'Ik...'

Spiegelmann gebaarde dat hij zijn mond moest houden. 'Kijk naar je handen. Kijk maar. Voel je dat?' Hij sloot zijn ogen, alsof hij in extase was. 'Zand langs je vingertoppen. Zacht zand, dat je even licht aanraakt en vervolgens vlam vat.'

'Hoe weet je dat?'

'Dat weet je best, jongen. Dat weet je best. Je weet dat ik als geen ander je vragen kan beantwoorden. Het doet pijn, hè jongen?'

Caius knikte werktuiglijk.

'Ik had het je willen besparen. Maar niet alle pijn is slecht, toch? Dat wat je niet doodt, maakt je sterker, zei ooit een zeer wijze Wisselaar.' Hij spreidde zijn armen. 'Ik zie dat jij dat nu ook bent: een machtige Wisselaar. Ik ben jaloers op je.'

'Dat was jij ook. Ze noemden je niet voor niets klein wonderkind. Ik heb het gezien.'

'Stom. Dat was alleen maar een stomme uitdrukking. Een klein wonderkind – wie gelooft er nou in dat soort kletspraat? Het verhaaltje van de wonderlijke jongen die ook nog wees is en ontdekt dat hij bijzondere krachten heeft? Nee, het was maar een uitdrukking.'

'Je moeder...'

'Dat was een rotmens,' spoog Spiegelmann, 'maar ik heb haar vergeven. Dat waren andere tijden. Wat had ze kunnen doen? Je hebt echter...'

'Pilgrind gezien.'

'De grote Portier. Heb je gezien wat hij me heeft geflikt?' Ook dit keer was het antwoord bevestigend.

'Hij heeft geen kwaad in de zin.'

Caius was verbijsterd. Hij had minachting verwacht, of misschien een lange rits verwensingen. Spiegelmanns gezicht vertrok van pijn. Heel menselijk.

'Ik heb hem ook vergeven.'

'Vergeven?'

'Verbaast dat je? Pilgrind wilde me vermoorden, dat weet ik. Maar ik heb het hem vergeven. Zonder hem' – Spiegelmann knipte in zijn vingers – 'zou ik niet zijn wie ik nu ben. En zou jij... niet eens hebben bestaan, jongen. Niet hier. Niet nu. Je zou alleen een hypothese of een legende zijn geweest.'

'Dus...'

'Het spijt me.' Zijn stem sloeg over. 'Ik weet dat je graag met een ander Wonderkind zou willen praten, maar dat is onmogelijk. Jij bent het enige.'

'Het enige...'

'Ja. Ik zou tegen je kunnen liegen, maar wat heb ik daaraan?'

'Niets, want...' Caius brak abrupt zijn zin af.

Hij opende zijn handen.

'Ik kan nu zelf de waarheid achterhalen.'

Spiegelmann stapte opzij.

'Kom.'

'Ik wil niet meer door jou gevangen worden genomen.'

'Ik kan je toch niet gevangen houden. Je bent mijn gast. Ik wil graag dat je iets voor me aanraakt.'

'Een voorwerp?'

'Een vaas.'

Een flits.

Een herinnering.

Of was het een droom?

'Wat voor vaas?'

'De vaas van de Roos.'

Caius raakte zijn borst zachtjes aan. 'Deze roos?'

'De Roos van Algol, mijn beschermeling,' zei hij. 'Ik wil je de dag van je geboorte laten zien. Alleen op die manier kun je alles begrijpen. Wil je dat? Wil je de geboorte van het Wonderkind aanschouwen?'

'Niemand kan zich het moment waarop hij geboren is herinneren.'

'Jij wel.'

'Maar...'

Spiegelmann liep naar hem toe en reikte hem zijn hand.

Caius pakte hem.

'Jij bent speciaal, jongen. En ik hou van je.'

Caius keek de Verkoper doordringend aan. Hij zag het magere jongetje dat slaaf was geweest en net zo erg werd bespot door een soldatenbende als door Pilgrind. Hij zag dat hij meende wat hij zei en las geen angst in zijn gezicht.

'Je bent niet bang voor me.'

'Ik ken je.'

'Ik jou niet.'

Spiegelmann glimlachte. 'Je bent bang voor de honger, hè?'

Caius kromp in elkaar. Vooral de honger terroriseerde hem.

Toen Pilgrind buiten adem aankwam bij rue Félix 89, viel zijn mond open van verbazing. Caius Strauss, de magere jongen, het Wonderkind dat de hemel boven Dent de Nuit scharlakenrood had gekleurd, de pupil voor wie hij had gelogen en gedood, omarmde de Verkoper.

64

Hoe lang bleef de Lykantroop roerloos staan kijken hoe Primus' ogen hun kleur verloren? Lang, want Buliwyf zag in die ogen, in die blik die steeds leger werd naarmate het leven uit de Jager sijpelde, al zijn nederlagen terug.

Het was hem, hij die inmiddels de pionier van de Dood was geworden, niet gelukt een eind aan het leven te maken van de enige soortgenoot die hem ooit had gerespecteerd. Hij, bij wie de jacht in het bloed zat, had niet op tijd in de gaten gehad wie er achter die pilotensjaal schuilging, namelijk Adolfo Feliz Canibal.

Hij streelde het verminkte gezicht van de Jager met een hand die nog steeds een wolvenpoot was.

De dood had het gezicht van de man die Dent de Nuit had geterroriseerd op een vreemde manier zachter gemaakt. De man wiens handen nog dropen van het bloed van Joost mag weten hoeveel wolven. In die zachtheid zag Buliwyf de gelaatstrekken van zijn vroegere vriend terug. De jongen die hem op zijn handen had leren lopen, het toeziend oog van volwassenen had leren ontwijken en onder het welwillende toezicht van de maan het woud dat zijn geboortedorp omringde in had leren glippen.

Op jacht.

Zijn vriend had hem geleerd te liegen tegen zijn docenten en hun goedbedoelde adviezen in de wind te slaan. Een Lykantroop vragen zich 's nachts niet onder de sterren te begeven is als de maan vragen te stoppen met draaien. Nu Feliz' gezicht was veranderd in een masker van afgunst en haat, treurde Buliwyf het meest om het gemis van die momenten.

In die gelaatstrekken, die onherstelbaar door de zilveren ketting waren aangetast, zag Buliwyf de onbezorgdheid van die jaren terug. Jaren die bruut waren onderbroken door Jagers, degenen die het zusje van Feliz hadden gedood. Feliz, de Lykantroop met de bulderende lach en het rockabilly-kapsel, lag daar dood. Hij was zijn vijand geworden. Erger nog: hij was een Jager geworden. Hij kon er met zijn verstand niet bij.

Om de moord op zijn zusje te wreken moest hij zijn afkomst verraden, had hij zijn eigen bloed verstoten. De Lykantroop was er zeker van dat zelfs de maan hem geen blik meer waardig zou keuren. En misschien vervloekte de maan op dit moment zijn naam wel. Buliwyf deed het in ieder geval wel duizend keer, terwijl hij daar over het lichaam van Feliz gebogen stond.

Hij had niet de moed gehad hem de eerste keer te doden, toen hij hem was tegengekomen terwijl hij op het punt stond een volmaakte Canide te worden. Als hij het wel gedaan had, zou hij meer rimpels in zijn gezicht hebben gehad en was Rochelle misschien niet verliefd op hem geworden (het is toch onmogelijk om van iemand te houden die een mes in de borst van zijn broer heeft gestoken?), maar Feliz zou gelukkig gestorven zijn.

Hij had hem echter verraden.

In zijn hart had Buliwyf altijd geweten dat die Canide Adolfo Feliz Canibal was, de Lykantroop die meer voor hem betekende dan een broer. Degene die hij niet had kunnen helpen bij zijn wraak. Adolfo Feliz Canibal was gek geworden, maar bleef een strijder.

Volgens zijn soortgenoten, die hem verstoten hadden vanwege zijn liefde voor een Splendide, was er slechts één manier om de ziel van een strijder vaarwel te zeggen: met vuur. Ze bouwden altijd, in de nacht waarop het volle maan was, kampvuren tot aan de hemel en legden het lichaam tussen de vlammen.

Er zou geen groot vuur voor Feliz komen. Daar had Buliwyf geen tijd voor. Bovendien wist hij niet of degene die hij in zijn armen had en wiegde als een pasgeboren baby, zo'n soort begrafenis wilde.

Hij had scherven zilver geslikt om geen wolf meer te zijn. Dit was de enige manier waarop Buliwyf de brandwonden die over zijn hele lichaam verspreid zaten kon verklaren. Hij had zilver geslikt om de wolf te verdrinken.

Nee, geen Lykantropen-begrafenis.

'Vaarwel, vriend.'

Hij kon geen woord uitbrengen. Hij was niet meer menselijk. Buliwyf richtte zijn hoofd op. Hij keek niet naar Rochelle. Dat kon hij niet.

'Broer.'

Hij produceerde slechts een laag gegrom.

De wolf in hem had gewonnen. Hij zou nooit meer menselijk worden.

Hij richtte zich op en liep in tranen naar Rochelle.

Ze straalde. Ze was prachtig. En droevig.

Buliwyf haatte zichzelf omdat hij haar verdriet deed. Hij haatte zichzelf nog meer toen ze, ondanks haar vloek, aanstalten maakte om zijn rode vacht te aaien. De wolf sprong bruusk opzij en liet zijn tanden zien.

'Vergeet me.'

'Dat kan ik niet, Buliwyf,' antwoordde Rochelle.

De wolf deinsde achteruit. 'Je kunt niet begrijpen wat ik zeg.'

'Dat kan ik wel.'

'Ik ben een wolf.'

'Daarom hou ik nu niet minder van je.'

'Ik heb mijn broer niet vermoord, terwijl ik dat wel had moeten doen. Dat was mijn plicht.'

'Vergeet het.'

De wolf hoorde de schreeuw. De schreeuw van een stervende.

'Ik heb een missie te volbrengen. Vaarwel, Splendide.'

Toen Buliwyf op de plek arriveerde waar het nog warme lichaam van Fernando lag, werden de woede en haat gevoed van het beest dat de overhand in hem had gekregen.

De albino Jager had de boekverkoper vermoord. Hij had hem van keel tot lies opengereten, als een vis.

En hij had het Dertigtal gestolen.

65

Caius stond nu voor de tweede keer voor dit heidense altaar. De kaarsen verspreidden een geur die de stank van verrotting of die metaalachtige, scherpe geur van bloed niet kon verdoezelen.

'Wat is dit voor een stank?'

'Bloed.'

'Wiens bloed?'

'Grotendeels dat van mij.'

Caius nam hem van top tot teen op. 'Ik zie helemaal niet dat je gewond bent.'

'Schijn bedriegt, dat weet jij maar al te goed.'

Dat wist hij. Schijn bedriegt altijd.

De omhelzing met Herr Spiegelmann had hem ontroerd. De woede die brandde in zijn borst leek te zijn verdwenen. Terwijl hij zijn gezicht tegen de schouder van de Verkoper legde, doken er duizenden herinneringen in zijn hoofd op. Zijn moeder die hem troostte na een nachtmerrie, zijn vader die hem knuffelde voor een overhoring en hem troostende woordjes toefluisterde. Hij had echter inmiddels begrepen dat die herinneringen als papier-maché waren. Decor. Achtergrond. Theater dat iets moest verbloemen. Maar wat? Hij durfde het niet te vragen. Hij was bang voor het antwoord. Maar daarom was hij juist hier. Hij zou antwoorden krijgen. Hij dacht aan de Profeet, die er alles voor over had gehad, zelfs zijn leven, om zich zijn moeder te herinneren. Misschien was die van Herr Spiegelmann wel zijn eerste echte omhelzing geweest, dacht hij terwijl de Verkoper hem hielp bij de afdaling van de traptreden.

Hij kon het niet weten.

Alsof hij zijn gedachten kon lezen, vroeg de Verkoper: 'Ben je bang?'

'Heel erg.'

'Dat hoeft niet.'

'Er zijn zoveel dingen die ik niet weet. Mijn herinneringen...'

Herr Spiegelmann knipte met zijn vingers. '...zijn vals.'

'Waarom?'

'Dat zou je aan Pilgrind moeten vragen.'

'Maar jij weet het toch ook?'

Spiegelmann haalde zijn schouders op.

Hij had het kristallen vitrinekastje, waarin het stuk van de vaas van de Roos zat, nog niet opgetild. Het was alsof hij naar een antwoord zocht waar de jongen iets mee kon.

Vreemd – de Verkoper had altijd meteen een antwoord klaar.

'Ik denk dat Pilgrind zichzelf wilde beschermen.'

'Tegen mij?'

'Je bent een intelligente jongen.'

'Niet waar.'

Spiegelmann legde zijn handen op Caius' schouders. De jongen zag een weerspiegeling van zichzelf in die grote, zilverkleurige ogen. Maar hoewel die hem tot voor kort nog vervulden van gruwel en woede, twee gevoelens die hij had leren vrezen, boden ze hem nu troost.

'Denk er maar niet over na, jongen. Ik heb veel geleden voor jou. Jarenlang gestreden. Jaren waarin ik je wanhopig heb geprobeerd te helpen. Jaren van oorlog.'

'Ik had geen...'

'Denk je dat dit een oorlog is?' vroeg de Verkoper lachend. 'Dan zit je ernaast. Dit is alleen maar de laatste veldslag van een oorlog die al jaren voortduurt. Een die al gaande was voor jouw geboorte.'

'Hoe kan dat?'

'Het zit zo. Pilgrind en Gus van Zant wisten wat ik van plan was en hebben koste wat kost geprobeerd mij tegen te houden. Maar uiteindelijk' – zijn lach werd breder – 'uiteindelijk ben jij geboren.'

'Wilde jij dat ik geboren zou worden?'

'Ja, maar ik was niet de enige.'

'Niet?'

'Alles op zijn tijd.'

'Ik wil het weten.'

Spiegelmann zuchtte, terwijl hij hem een tikje op zijn bleke wang gaf. 'Jongen, je begrijpt toch wel dat ik je niet alles meteen kan vertellen?'

'Ik...'

'Natuurlijk. Je zou me kunnen ondervragen met je vlammen. Maar met welk doel? Je zou jezelf alleen maar pijn doen. De ontdekking dat je herinneringen... Charlie, Emma... nep waren, heeft je bijna het leven gekost, toch?'

'Mij niet.'

Spiegelmann fronste zijn wenkbrauwen. 'Wat bedoel je?'

Caius veegde een traan weg. 'Suez.'

'Suez van de Obsessie?'

'Ja.'

'Heb je hem vermoord?'

Caius schudde zijn hoofd. 'Bellis heeft hem gedood, om mij te beschermen. Suez wilde...'

De Caghoulard hoorde dat het over hem ging en zette een stap naar voren, terwijl hij zich tot op dat moment afzijdig had gehouden, doodsbang om met zijn oude meester in dezelfde ruimte te zijn.

'Wonda,' zei hij.

'Je hebt het goed gedaan, Bellis.'

Bellis kon zijn oren niet geloven.

'Het is mijn schuld dat Suez gek is geworden.'

'Dat monster...'

'Yena Metzgeray...' Caius zag aan de grimas van teleurstelling op het maanvormige gezicht van Spiegelmann dat dit een pijnlijke herinnering was. 'Ik heb hem opgeroepen en veel schade aangericht, maar met een doel. Ik wilde het Wonderkind wekken.'

'Het Wonderkind wekken?' vroeg Caius. 'Maar ik ben al wakker.'

'Nog niet echt. Het Wonderkind zit in jou begraven. Wil je het zien?'

Caius staarde naar de zilveren munten. Vervolgens keek hij naar Bellis, alsof hij het wezen met het verminkte gezicht, dat doodsangsten uitstond en amper in staat was te ademen, om raad vroeg. Hij dacht aan iedereen die bij de fontein gesneuveld was, aan de hatelijke blik van Suez. Aan die van Gus toen hij, half zeekat, half mens, hem probeerde neer te schieten.

Iedereen was bang van hem. Iedereen was bang van Spiegelmann. Hoe absurd het ook was, die angst verbond hen onlosmakelijk. Spiegelmann en hij waren verbonden door een ketting die een stuk dunner was dan die tussen hem en de demon William Hakanasson, maar wel veel sterker.

Haat vormde de specie voor veel imperia.

'Ik wil het zien.'

Dat liet Spiegelmann zich geen tweede keer zeggen. Hij greep de magere jongen bij zijn schouders, draaide om zijn as en haalde dat wat er over was van de vaas waar de Roos van Algol in had gezeten uit de kristallen vitrinekast.

'Hier, hou vast.'

Caius merkte dat hij bang was.

Hij voelde het zand langs zijn vingers sijpelen, krachtiger dan ooit. De vlammen lieten schaduwen dansen in die vreemdsoortige verborgen tempel. Maar hij voelde nog iets in zich, iets wat nog donkerder was. Iets waardoor zijn borst pijn begon te doen. Het teken, niet langer een gewoon litteken, deed nu zoveel pijn dat de tranen in zijn ogen sprongen.

'Hou vast, Caius.'

Caius pakte de scherf nog steeds niet aan.

Hij had het wel gewild. Als het hem gevraagd werd, zou hij geen seconde twijfelen. Wat wilde hij nog meer dan die gouden scherf pakken en zijn ouders gezond en wel terugzien. Nee, zijn weifeling had een heel andere oorzaak. Het had te maken met dat wat hij was, of wat hij aan het worden was, als hij Spiegelmann mocht geloven. Hij was bezig een Wonderkind te worden.

Honger was de oorzaak.

De honger die hij eerder vluchtig gevoeld had. Geen honger naar eten en een lege maag, maar een die te maken had met zijn woede. Die nieuwe woede die hij door zijn aderen had voelen stromen en die zelfs een demon had gedood.

Dáár was hij bang voor.

'Je geboorte, Caius.'

Caius stapte achteruit.

'Ik wil niet.'

'Ik weet dat je bang bent, maar dat wordt alleen maar erger zolang je niet begrijpt hoe het in elkaar zit. Zodra je dat weet, verdwijnt je angst.'

Caius keek omhoog naar de Verkoper. Er was geen greintje agressie in zijn ronde gezicht te bekennen.

Alleen een intense droefheid.

'Ik wil niet bang zijn.'

'Daarom moet je de waarheid kennen.'

'Vertel jij het maar. Ik zal geloven wat je zegt.'

Spiegelmann schudde zijn hoofd. 'Dat kan niet.'

'Waarom niet?'

'Omdat je me niet zou geloven. Gebruik het Wonderkind dat in je zit om de waarheid te achterhalen, Caius. Pak deze scherf. Ik zal hier op je wachten.'

'Ik wil niet.'

'De waarheid maakt ons volwassen, dat weet je toch, jongen? Bovendien is de waarheid het beste medicijn in de hele wereld. Sterker nog,' voegde hij eraan toe, 'in alle werelden. Overal, aan deze kant en aan de andere kant van de zee, zal alleen de waarheid je troost kunnen bieden. Ik zal het je laten zien.'

Caius stak zijn hand uit. Hij vatte vlam. De vlammen omgaven Spiegelmann, die geschrokken kermde.

Bellis liet zijn tanden zien.

Er bewoog iets rond Caius' voeten.

Uiteindelijk was hij binnen.

Op de dag dat alles was begonnen. De dag waarop Spiegelmann hem had geschapen.

66

Het was dezelfde plek, maar het zag er anders uit, omdat het jaren geleden was en de tijd gebouwen aantastte.

Rue Félix.

Schoten weerklonken onder het holle gewelf met ruwe stenen. Knallen gevolgd door onmenselijk gekrijs.

Caghoulards, wist Caius. En inderdaad: daar kwamen ze uit een galerij tevoorschijn. Een tiental doodsbange Caghoulards, hun hoofd bedekt met zwarte capuchons. Ze waren op de vlucht voor Gus van Zant.

'Wegwezen! Wegwezen!' riep de man in het zwart.

Hij had in elke hand een pistool en schoot om zich heen.

De Caghoulards konden geen weerstand bieden aan zijn woede. Achter hem stond Pilgrind. Hij leunde op zijn stok. Dat was niet alleen om de getatoeëerde man te kunnen bijhouden, maar vooral omdat hij zich bijna gewonnen wilde geven. Hij was gewond.

Opgeven kwam niet voor in Gus' woordenschat. Hij schoot en schreeuwde.

'Allemachtig zeg, schiet eens op!'

'Ga jij maar vast... Ik...'

Gus stopte een pistool terug in zijn holster, wisselde vlug het magazijn van een ander, schoot het hoofd van een glurende Caghoulard eraf, pakte Pilgrinds arm en ondersteunde hem.

'Laten we...'

'De Roos...'

'Ik hoor haar, ik hoor haar.'

Caius, die onzichtbaar was, hoorde haar ook: een melodie die hij al eens eerder had gehoord, in een droom.

Gus en Pilgrind passeerden een lange rij gangen en bochten. Gus vuurde de ene kogel na de andere af en Pilgrind spuugde bloed. De Caghoulards werden neergemaaid.

De muziek werd harder.

Toen ze bij de zaal aankwamen, waar Spiegelmann het kleine altaar had opgericht, werden ze haast verblind door het licht. Een goudkleurig, boven-aards licht. Gus liet Pilgrind los.

Ze hoefden niets te zeggen. Beiden wisten wat hun te doen stond.

Gus liep naar de geknielde gestalte in het midden van de ruimte. Spiegel-mann zag hem op zich af komen.

Gus had het pistool weggestopt en een dolk met een immens, scherp lem-met gepakt.

Hij sneed door de lucht op een paar centimeter afstand van de nek van de Verkoper. Spiegelmann kon hem net op tijd ontwijken.

'Incapabele rotzakken!' schreeuwde Spiegelmann.

'Laat je het vuile werk aan anderen over, hufter?'

Spiegelmann rolde op de grond en stond in een flits weer op.

Gus gaf hem geen ruimte om op adem te komen.

Een uitval.

'Te laat, smeerlap.'

Gus schreeuwde. Nog een uitval. En een derde, en een vierde. Spiegel-mann lachte. Het bloed van de in het zwart geklede man begon te koken toen hij die schaterlach hoorde. En hoe meer Spiegelmann zijn dolk ontweek, gracieus als een ballerina, hoe furieuzer Gus werd.

De dolk sneed door de lucht en raakte maar zelden de wittige huid van de Verkoper, die telkens lachend wegdook en ronddanste alsof hij zich kostelijk amuseerde.

Het gezang kwam bij de vaas vandaan, die verborgen was achter een slui-er, zo dun als een spinnenweb. Het gezang veranderde in stof dat omhoog-zweefde. Uit de stofwolk regenden bloemblaadjes, die op hun beurt weer veranderden in vlammen.

Pilgrind verscheen in het licht.

Even leek er sprake van een patstelling.

Spiegelmann hing aan het plafond als een spin. Gus ging tekeer. Pilgrind sloeg de roos gade. Alsof de bloem hem fascineerde. Alsof zij hem veraf-schuwde. Hij slikte.

'Is het je toch gelukt, Spiegelmann...'

'Mijn beste, vervloekte, Baardman,' zei de Verkoper. 'Ben je gekomen om me te eren of om je laatste scheet te laten?'

Pilgrind drukte zijn stok in de grond. Eén beweging van de Baardman en Spiegelmann lag met zijn neus tegen de grond.

De Verkoper stond op, veegde uitgebreid zijn kleren schoon en grijnsde.

'Leuke truc.'

Gus maakte aanstalten hem aan te vliegen, maar Pilgrind hield hem tegen. 'Dat is juist wat hij wil.'

'Je hebt gelijk. Een pond getatoeëerd vlees, dat is wat ik wil...' Hij sperde zijn mond wijd open, ontblootte zo zijn enorme driehoekige tanden, bevochtigde wellustig zijn lippen en gaf Gus een knipoog. 'Tik tak, tik tak, de tijd tikt voorbij, beste vrienden...'

En dat was waar.

Hoe meer de tijd voorbijtikte, hoe strakker de sluier die de Roos bedekte zich spande. Uiteindelijk stond hij op knappen. De Roos zou spoedig opkomen. De wereld zou haar spoedig zien. Rue Félix 89 begon al te zuchten van vervoering; de Roos van Algol was geen roos. Ze was ook geen gewoon Gat. Het was het Gat der Gaten. Het Gat waardoor het Wonderkind geboren zou worden.

'Je ziet er slecht uit, ouwe.'

'Ik heb alleen wat oppervlakkige verwondingen.'

'Echt waar? Na een heldendaad als drie Aanvreters achter elkaar doden? En dat op jouw leeftijd?'

'Waarom luisteren we naar hem?' vroeg Gus plotseling. 'Laten we hem koudmaken.'

Pilgrind leek hem niet gehoord te hebben. Zijn goede oog staarde naar dat wat er over was van het jongetje dat hem had durven uitdagen, voor zijn gevoel jaren geleden.

'Je bent leeg, Spiegelmann.'

'Leeg?'

'Je bent alleen nog een leeg vat.'

'En jij bent een oude schijtluis. Tik tak.'

'Pilgrind...'

'Wacht, Gus.'

Gus spuugde op de grond. Achter zijn donkere brillenglazen zochten zijn ogen naar iets wat hem kon helpen Spiegelmann uit te schakelen. Hij wilde hem onthoofden. Hij wilde hem vermoorden.

'Gus, luister naar Pilgrind, als een braaf hondje.'

'Je gaat dood, Verkoper.'

'Ik bibber van angst. Echt waar? Dood als...' Spiegelmann bracht een vinger naar zijn mond en deed alsof hij er diep over nadacht. 'O ja, dood als Joe Blake. Waren jullie geen vrienden? Of als Tany? Dat was een leuke meid. Weet je wat ze tegen me zei voordat ze in haar eigen bloed stikte? Dat Gus me zou vermoorden. Dat is een goeie, hè? En dan was er nog die goede, oude

Francis. Een man van goede wil. Jammer dat de Gruwelaars hem betrapten toen hij zijn neus in dingen stak waar hij niets mee te maken had.' Hij zag er werkelijk ontdaan uit.

'En dan was er nog dat meisje... hoe heette ze ook alweer...'

'Anne.'

Gus rilde bij de herinnering aan wat Spiegelmann het meisje had aangedaan.

'Arm meisje. Wat een pijn.'

'Je hebt haar vermoord!' brulde Gus.

'Dat meisje was bij de pinken, hoor. Hoe oud was ze ook alweer? Negen? Spijtig om haar te moeten vermoorden. En dan ook nog op zo'n manier. Maar goed, vrienden met een hart van goud...' Spiegelmanns stem donderde zo hard dat trommelvliezen konden gaan bloeden. 'Wie heeft een meisje bij de oorlog betrokken? Ik? Heb ik een meisje van negen jaar ertoe overgehaald mee te vechten in een oorlog waarvan zij het bestaan niet eens wist? En waarom?'

Stilte.

'Tik tak. Tik tak.'

Er knapte iets in Gus.

'Stop!'

Maar Gus was niet meer te houden. Daarom deed Pilgrind wat hij verstandig achtte: hij viel aan. De vlammen die de Baardman met zijn Wissel had opgeroepen omsingelden de Verkoper slechts enkele seconden. Witte vlammen. Net op tijd; naast de hemelse geur van de Roos van Algol hing nu ook de stank van verbrand vlees in de lucht.

Vervolgens joeg Spiegelmann met een korte handbeweging de vlammen weg. Gus bleef hem echter achtervolgen met zijn dolk. Hij duwde hem om. Spiegelmann smakte tegen de grond. De dolk doorboorde zijn buik. Eén, twee, drie keer.

Spiegelmann schreeuwde het uit.

Door Pilgrinds Wissel slingerde Gus naar achteren en brak een paar ribben. Toch stond hij meteen op.

Een straaltje bloed stroomde uit zijn mondhoek. Hij gromde als een gevangen dier en viel opnieuw aan.

Dit keer was Spiegelmann erop voorbereid. Hij was een machtige Wisselaar en was niet gewend klappen te moeten incasseren. De Roos begon van kleur te veranderen; binnen afzienbare tijd zou hij zegevieren. Hij boog voorover en stak zijn handen tussen de grove stenen op de vloer van de ondergrondse zaal en trok, alsof hij een loodzwaar tapijt wilde verplaatsen. De stenen onder Pilgrinds en Gus' voeten ontploften.

Gus wankelde, maar viel niet. Spiegelmann had het niet op hém gemunt.

Pilgrind werd gegrepen door wortels van graniet en ijzer en door stenen die plotseling monden en tanden hadden gekregen. Ze scheurden en kauwden. De pijn was zo schrijnend dat Pilgrinds volgende Wissel verdween in een vonkje.

'Gus!'

Gus stopte meteen.

Hij was woedend, maar hield in omdat hij was geschrokken van de gepijnigde schreeuw van Pilgrind.

Spiegelmann was veranderd in een lichtbron. Zijn vingers rekten uit en werden klauwen. De klauwen veranderden op hun beurt in koorden en de koorden in kettingen zo wit als ivoor, met punten zo scherp als harpoenen.

Er klonk een angstaanjagend gesis.

Gus schreeuwde.

Spiegelmann bleef maar schaterlachen.

Gus voelde dat iets warms zijn gezicht raakte. Geen luchtstroom, maar eerder druppels van een zomerse regenbui.

De harpoenen drongen door in de slappe huid van zijn schouders, van de ene naar de andere kant.

Gus' lichaam werd naar voren getrokken. Caius voelde dat hij weer op adem kwam en werd een streepje op Gus' netvlies.

'Gus!'

Spiegelmann sperde zijn mond op abnormale wijze open, hij veranderde in een gapend, zwart gat, een horizon zo uitgerekt als de oceaan, maar met vele tanden. Talloze tanden. Toen klonk er dat geluid.

Rauw. Gruwelijk.

67

E ven werd het Caius zwart voor de ogen. Een oneindige, totale duisternis. Zodra de herinnering weer concreet werd, begreep hij het. Terwijl
Spiegelmann aanstalten maakte om Gus op te slokken, had Pilgrind de vaas
waar de Roos in zat laten exploderen. De explosie was zo verpletterend dat
hij al het licht had opgezogen.

Van wat hij zag toen de duisternis verdreven was gingen zijn haren rechtovereind staan. Gus reutelde; hij zat onder het bloed, en bevond zich naast
de resten van de Verkoper. Het was een erbarmelijk tafereel. Misselijkmakend. Hij was hevig getroffen door de explosie. Het enige wat er van hem
over was, was een versnipperd lichaam. Veel van het bloed op Gus' lijf was
van de Verkoper. Spiegelmann had de getatoeëerde man met zijn lichaam
tegen de dood beschermd.

Toch leefde de Verkoper nog. Hij lachte niet meer. Zijn ogen, die glommen als levend zilver, rolden als dolle honden van de ene kant van de ruimte
naar de andere. Zijn mond klapte open en dicht, alsof hij nog steeds in Gus'
vlees wilde bijten. Er was weinig meer over van zijn pinguïnachtige lichaam.
Zijn armen waren uit zijn romp gerukt. Obsceen witte botten staken uit zijn
romp. Zijn omvangrijke buik lag open. En toch leefde hij. Nog wel.

Pilgrind snelde naar zijn vriend toe. 'Gus!'

De Baardman hielp hem overeind.

'We moeten hem afmaken,' reutelde Gus, terwijl hij zijn best deed op zijn
benen te blijven staan.

'Daar is geen tijd voor.'

'Maar dan komt hij terug.'

'Hij is stervende.'

Daar zag het inderdaad naar uit.

Gus knikte. 'En de Roos?'

'Vernietigd.'

Er speelde een glimlach om de mond van de getatoeëerde man. 'Dan is het
ons dus gelukt?'

'Niet helemaal.'

Pilgrind draaide zich om, om Gus op het altaar te wijzen.

Er lag een lijkbleek lichaam op.

'Het Wonderkind.'

Gus haalde zijn mes tevoorschijn. 'Hij is weerloos.'

'Het kan niet.'

Gus keek hem geschrokken aan. 'Dat is het Wonderkind.'

'Het kan niet.'

Het lichaam dat op het altaar lag, ademde nog niet. Het was van een mager jongetje met donkere haren en ogen die in het niets staarden. Een doodnormaal kind.

'Pilgrind...'

Pilgrinds ogen schitterden. 'Het kan niet.'

'Hoeveel wezens zijn er niet gestorven door hem?'

'Het kan niet.'

'Alles sterft uiteindelijk.'

'Een Wonderkind niet.'

Gus liep naar het lichaam. Hij waggelde, alsof hij zijn been op verscheidene plekken gebroken had. Iedere stap kostte hem ontzaglijk veel moeite. 'Laten we hem hier weghalen.'

Pilgrind knikte.

In de verte hoorden ze dat de hulptroepen van Spiegelmann toe kwamen snellen. Pilgrind greep het kind, dat nog steeds niet ademde, en hees het op zijn rug. De jongen voelde koud aan. Zijn hart klopte niet, maar Pilgrind wist dat dat snel zou gebeuren. De Baardman voelde hoe sterk het Kwaad vertegenwoordigd was in dit lichaampje. Zijn hart sloeg ervan over.

'Wat een doden...' fluisterde hij.

Het was makkelijker dan ze van tevoren gedacht hadden om rue Félix 89 te verlaten.

De Caghoulards en Gruwelaars die op weg waren naar hun stervende meester, lieten hen passeren, doodsbenauwd door de Wisselenergie die in de lucht hing. Ze bestierven het van angst voor het Wonderkind. Ze mochten dan niet precies weten wat het Wonderkind was – degenen die het wel wisten moesten vrezen voor hun leven –, maar ze merkten wel dat er iets kwaadaardigs zou gaan gebeuren. Ze maakten zich klein en beefden als jonge hondjes tijdens onweer.

Ze waren buiten, in de stortregen.

'Vuur.'

En er was vuur.

Koning IJzerdraad wachtte hen op. Hij duikelde rond het vuur dat Pilgrind door middel van plastic en nat hout had verwisseld. Hij leek nerveus. Het metaal van het figuurtje fonkelde, alsof het verwarmd werd door een levende vlam.

De jongen vormde de vlam. Hij bewoog nog niet, maar zijn hart begon al te kloppen.

'Er is een manier waarop we het kunnen doen, maar die is nogal...'

'Laten we het doen.'

Pilgrind aarzelde. 'Ik weet niet of het me lukt.'

Gus viel op zijn knieën. 'Pilgrind...' Het was de eerste keer dat Pilgrind zijn vriend op deze manier zag huilen. Hij plengde geen bittere tranen, tranen van frustratie, maar tranen van angst. 'Ik wil niet dat alles weer opnieuw begint. Ik ben bang. God, wat ben ik bang, Baardman.'

Pilgrind zuchtte. 'We moeten de jongen redden. Hem beschermen. Voor hem zorgen. We moeten ervoor zorgen dat hij opgroeit en een gewone man wordt. Een Wonderkind kan niet vermoord worden, maar als hij oud sterft en onbewust blijft van zijn krachten, zal de vloek opgeheven worden. Deze keer.'

'Wat bedoel je?'

'We gebruiken het teken. We creëren een verleden voor hem. We geven hem aan twee van onze vrienden. Als er al een Wonderkind bestaat, kan Spiegelmann er niet nog een oproepen. Dat is de regel.'

'Ik weet niet...'

Pilgrind liet hem niet uitpraten. 'Emma en Charlie. Dat is een goed stel. Zij worden zijn adoptieouders. We geven hem wat valse herinneringen, een naam, een identiteit...'

'Maar hij is niet echt op een normale manier geboren...'

'Dan verzinnen we wel een ziekte die de pijn verklaart die hij voelt. Dat kunnen we doen.'

'Dat kun jíj doen.'

Pilgrind schudde zijn hoofd. 'Ik heb je hulp nodig.'

'Jij bent de Portier van ons twee.'

'We moeten het Teken van de Roos op zijn borst zetten. Dat is de enige manier.'

Gus keek hem doordringend aan. 'Kun je dat?'

'Niet alleen.'

Gus was doodsbang. 'Weet je wat je van me vraagt, Baardman?'

Hij nam het Wonderkind onderzoekend op. De jongen had spierwitte ogen. Hij had een bleke, melkachtige huid. Hij leek wel dood. In zekere zin was hij dat ook en zou hij dat altijd blijven. Een Wonderkind was geen mens, maar wel een levend wezen. De jongen leefde op een manier die Pilgrind en Gus nooit zouden kunnen begrijpen.

'Doe het maar.'

'Gus... het gaat pijn doen.'

'Doe het.'

Pilgrind veegde zijn met bloed besmeurde baard schoon.

De stad leek in brand te staan. De energie die tijdens het gevecht was vrijgekomen bij Pilgrinds Wissel trilde zo hard als een valse stemvork. Pilgrind had het Wonderkind tijdens het gevecht alleen maar uit de handen van Spiegelmann weten te redden omdat hij de Roos waaruit de jongen was geboren had vernietigd.

Het begin van een oorlog.

Pilgrind aarzelde.

Gus ontblootte zijn tanden. 'Doe het, in 's hemelsnaam.'

De Baardman richtte zich in zijn volle indrukwekkende lengte op. Zijn ogen fonkelden. Hij raapte al zijn krachten bij elkaar voor een Wissel die hij nooit had willen produceren. Deze Wissel was vragen om problemen.

'Je zult je menselijkheid verliezen. Ik kan de illusie van je menselijkheid in stand houden, maar je zult geen mens meer zijn. Je zult... kwaad worden. Krankzinnig. Je zult het koud krijgen.'

'Maak je daar maar geen zorgen over.'

'Je zult er niet meer uitzien als een mens.'

'Dat geeft niet.'

'Hij...'

Pilgrind twijfelde nog steeds.

Gus greep hem bij de kraag van zijn jas. Hij stonk naar verbrand vlees. 'Hij is een Wonderkind. We hebben geen keus. Je hebt zelf gezegd dat er geen andere mogelijkheid is.'

Ergens in de wijk stortte iets reusachtigs in elkaar. De grond trilde onder hun voeten.

Gus spuugde op de grond. Bloed. Niet alleen dat van hem.

Het idee alleen al maakte hem misselijk.

'Ik ben niet bang voor een beetje pijn.'

Dat was niet waar, maar een leugentje om bestwil. Hij voelde zich er iets sterker door.

'Je liegt.'

'Dat doet er niet toe. Doe het!'

Tranen biggelden over het gezicht van de Baardman. 'Nee. Het is bedrog. Dit is geen kind. En dat zal het ook nooit worden.'

'We kunnen een gewoon kind van hem maken. Jij weet hoe het moet.'

'Jou ontdoen van je menselijkheid om het Wonderkind tegen te houden, is stompzinnig.'

'We doen het om het teken op zijn borst te kunnen zetten. Om iedereen te redden. Iedereen. Ik ben niet zo belangrijk.'

'Algol.'

'Doe het maar.'

'Algol betekent "duivel".'

Gus' schaterlach bracht hem van zijn stuk. 'Dat lijkt er meer op. Nu reageer je net als ik zou doen.'

Het was beklonken.

De Baardman knielde naast de jongen neer. Hij streelde zijn voorhoofd.

'Algol. De duivel uitdrijven met de duivel,' mompelde hij. 'Dat gaan we doen. Ik heb vele namen en misschien nog wel meer fouten in mijn leven gemaakt. Ik maak niet...' Hij maakte zijn zin niet af. Hij wierp een blik over zijn schouder, naar het vuur en de duisternis. 'Maak je klaar, Gus.'

Er verscheen een zilveren, glimmende naald in de handen van de Baardman. Gus hield hem nauwlettend in de gaten, terwijl hij langzaam opstond. Toen sperde hij zijn ogen wijd open. De pijn was gruwelijk. Zijn spieren trokken in spasmen samen. Zijn huid brandde.

Pilgrind. Ogen gesloten, uiterste concentratie. Zweet. En bloed.

Gus schreeuwde.

Het leek wel alsof de naald leefde. Hij kwam dichterbij. De naald scheerde langs Gus' nek. Gus ontspande zijn spieren. De naald drong zijn vlees binnen. Hij bewoog zich onder zijn huid en blies zichzelf op. Hoe meer de naald zich opblies, hoe donkerder Gus' kleur werd. Zijn huid stond strakgespannen, zijn aderen zwollen. Gus hield echter een kalme, serene uitdrukking op zijn gezicht. Toen gebeurde er iets: de glimmende naald had inmiddels de omvang van een golfballetje en Gus' lichaam begon hevig samen te trekken. Nog een keer.

Bij de derde keer leek het alsof het balletje ontplofte. Pas toen begon Gus te brullen.

Zijn huid spande zich, kwam los van zijn vlees en rekte uit. Het geluid was afschuwelijk.

Pilgrind was geconcentreerd en stond zich geen enkele beweging toe.

Gus schreeuwde het uit.

Zijn huid was veranderd in een doek waarop minuscule blauwe druppeltjes bewogen die deels uit bloed bestonden. De Wissel. Gus had nu het lichaam van een kwal. Zijn spieren en botten waren zichtbaar door zijn krampachtig samentrekkende huid. Vlees en pezen vloeiden ineen. Vlees ging over in pees en andersom.

Pas op dit moment sperde Pilgrind zijn ogen open. Hij balde een vuist en maakte een stotende beweging omhoog. Pilgrind pakte de naald uit zijn rechterhand en zette hem in de borst van de jongen. Caius Strauss slokte de zweetdoek op toen hij voor de eerste keer ademhaalde. Het Wonderkind opende zijn mond. Het kreunde. De naald schitterde en veranderde in een roodgloeiende vlammenzee. Gus schreeuwde.

Het licht doofde.

Pilgrind klapte in zijn handen. Het Wonderkind kreunde nog een keer. Het sloot de ogen, alsof het sliep. De Portier strompelde naar het ogenschijnlijk levenloze lichaam van Gus. De getatoeëerde man was geen mens meer. Hij zat onder de schubben en had scharen. Een schaaldier en een weekdier. Een schorpioen en een zeekat. Een monster. Het enige menselijke aan hem was de glinstering in zijn ogen. Een glinstering van woede en waanzin. Heel misschien van plezier.

Pilgrind huilde.

Hij streek over het gezicht van de monsterlijke zeekat. Het veranderde weer in het ruwe gelaat van Gus. Hij streek over zijn schouders en armen. Zijn schubben en scharen verdwenen. Toen over zijn armen en tatoeages. Zijn borst, benen en voeten. Nergens had hij nu schubben meer.

Huid. En vlees. Maar dat was slechts een illusie. Achter die illusie zou Gus altijd die monsterlijke zeekat blijven.

Uiteindelijk streelde Pilgrind over zijn voorhoofd. Gus hield op met schreeuwen. Hij keek naar zijn handen. Hij had een nieuw lichaam, identiek aan het vorige, maar zat gevangen. Hij raakte zijn gezicht aan. Zijn lichaam en zijn gezicht waren gevangen, om dat laatste sprankje menselijkheid te kunnen bewaren. Het laatste wat over was van Gus van Zant.

68

Het gelui van de zilveren klok sloeg op Caius in als een hamer. Hij viel met zijn benen in de lucht. De scherf gleed uit zijn vingers, viel op de grond en ontplofte. Even verspreidde de kapotte scherf in de tempel van Spiegelmann een spookachtig schijnsel, dat veel leek op dat van de Roos.

Caius stootte zijn hoofd tegen een steen. Na een paar tellen stond hij op en schudde duizelig zijn hoofd heen en weer. Hij raakte de wond op zijn borst aan, die geen pijn meer deed, maar waar nog wel bloed uit sijpelde.

'Wonda!'

Bellis greep hem bij zijn arm en probeerde hem te ondersteunen. Achter hen stond Pilgrind.

Het vertrokken gezicht van de Baardman verraadde hoeveel pijn en moeite het hem had gekost om de overvloed aan Caghoulards en Gruwelaars uit te moorden die rue Félix verdedigden.

Hij keek Caius even aan, zonder te knipperen, maar concentreerde zich vervolgens weer op Spiegelmann, die hem grijnzend van bovenaf aanstaarde. De Verkoper zat op het altaar te genieten van de uitdrukking op Pilgrinds gezicht.

Zijn witte vingers werden langer en krompen weer op een volkomen onnatuurlijke manier. Uiteindelijk waren ze zo scherp als naalden en flonkerden ze als lichtjes, klaar om toe te slaan.

'Daar ben je dan, Baardman.'

'Stond dat niet al vast?'

Spiegelmann rolde met zijn ogen. 'Niet weer dat gezeur over het lot, hè?'

'Het gaat deze keer niet over het lot, Spiegelmann.'

'Niet?'

'Nee. Deze keer heeft het lot er niets mee te maken.'

'En genade zeker ook niet, vriend?'

'Nee, genade ook niet.'

'Verlang je naar de dood, Portier?'

'De enige dood waar ik nu naar verlang, is die van jou. En denk maar niet dat je me tegen kunt houden met je spelletjes.'

Even dacht Caius een uitdrukking van twijfeling op het gezicht van de Verkoper te bespeuren.

'Geen enkel spelletje, Baardman. Alleen de Leerling die de andere Leerling verslaat.'

'Je bent gek, Spiegelmann. Altijd al geweest.'

Spiegelmann wees naar de Baardman. 'Jij hebt me gemaakt tot wie ik nu ben. Een Portier. De machtigste van allemaal.'

'O, nee.' Pilgrind schudde zijn hoofd, alsof hij zich al duizend keer over deze kwestie had gebogen en pas nu, na alles aan Mathis, de inktkunstenares, te hebben opgebiecht, het licht zag. 'O, nee, vriend. Jij bent gekozen. Ik had je moeten vermoorden destijds, maar begreep dat toen niet. De geur van dood en verderf was te sterk.'

'Dat waren nog eens tijden, hè?'

'Hou maar op met tijdrekken, Spiegelmann. Ga weg daar.'

Dat was iets wat Caius niet begreep, maar de Verkoper nogal leek te plezieren. Zijn schaterlach leek het klokgelui in de verte te smoren, dat in de tussentijd de werkelijkheid – bij elke seconde en bij elke slag – ijler leek te maken. Een effect als dat van een fata morgana. Het was alsof er een immens vuur op de fundering van rue Félix 89 woedde en de warmte stukken verduisterde en scherpe lijnen zacht maakte. Zo leek het, hoewel de temperatuur daar beneden in werkelijkheid rond het vriespunt lag. Het werd steeds kouder. Spoedig zou het vocht op de stenen muren bevriezen en de zaal in een spiegelpaleis veranderen. Maar nu nog niet.

'Een Portier en niets meer. Dat staat er in jouw fabeltjes, nietwaar?'

'Dat zijn geen fabeltjes, maar regels.'

'En regels mag je niet schenden. Zo is het toch?'

'Nee, deze regels niet.'

'Je hebt je Meester vermoord.'

'Dat was zijn wens. Dat is de regel. Eén Portier.'

'Je hebt hem vermoord!' Spiegelmanns stem was nu een octaaf hoger en schel geworden. Zijn ogen, de zilvermunten, kneep hij samen tot bloeddoorlopen spleetjes. 'Jij hebt net zoveel bloed aan je handen kleven als ik. Alleen heb jij je regeltjes waar je je achter denkt te kunnen verschuilen.'

'Je bent gek, Spiegelmann.'

'Gek? Jij wilde een Leerling en ik had de proef doorstaan.'

'Je hebt niets doorstaan.'

Spiegelmann lachte al zijn scherpe, scheve tanden bloot. Caius huiverde toen hij terugdacht aan hun omhelzing.

En toch had Spiegelmann hem de waarheid laten zien. Hij had hem laten zien dat zijn vermoedens klopten. Caius had zijn geboorte gezien. Hij was een lichaam zonder hartslag geweest, ontsproten uit de Roos van Algol. Hij was het wezen waar iedereen bang voor was. En misschien was dat wel terecht. Hij voelde een duistere, verwoestende kracht door zijn aderen stromen, ternauwernood beteugeld door het teken dat Pilgrind en Gus op zijn borst hadden gezet.

Hij had een demon vermoord. Hij had zijn woede bij elkaar geraapt en die veranderd in een soort mist. Een rode nevel die onderworpen was aan zijn kracht. Zijn verschrikkelijke kracht. Hij wist dat dit slechts een minuscuul deel was van wat er in hem schuilging.

'Kijk, Meester.'

Spiegelmann maakte een dramatische buiging. Zijn handen fladderden en dijden op buitensporige wijze uit.

Pilgrind stelde zich verdekt op, klaar om te reageren op de mogelijke aanval van zijn tegenstander.

Die kwam echter niet.

Spiegelmann was iets heel anders van plan. Hij wilde zijn oude Meester laten zien hoe hij zich in hem vergist had. Hij had hier jaren op gewacht. En hoewel het klokgelui aan de andere kant van de zee zijn slapen martelde en pijnlijk doorklonk in de rest van zijn lichaam, kon dat hem niets schelen; hij had nog genoeg energie om een Wissel te produceren.

'Kijk,' fluisterde hij.

Een vonk.

'Nee!'

De vonk veranderde in een bloem en deze op zijn beurt weer in een vuur.

'Klootzak!'

Pilgrind sprong op.

'Kijk...'

De bloem transformeerde in een vrucht en werd zo groot als een levensgrote spiegel. De spiegel liet Caius zien, met opengesperde ogen.

'Hou op, zei ik!'

Pilgrind sloeg tegen de badkuip achter Caius.

De vonkjes verdwenen. Bloed stroomde over de grond. Liters bloed vormden golven en draaikolken.

De steen ontplofte. Spiegelmann stond op het altaar en boog zijn hoofd naar de Baardman. Hij was net een marionettenpop met zijn opengesperde mond en uitdrukking van onmenselijk lijden en verbijstering.

'Ik heb altijd nog een trucje achter de hand.'

Dat had hij zeker.

Eindelijk kon Caius zien hoe Spiegelmann er werkelijk uitzag. Niet de verwisselde projectie die de Verkoper hem had laten omhelzen.

69

In werkelijkheid was Spiegelmann een iel mannetje dat bestond uit ternauwernood gereconstrueerd kraakbeen en uitpuilende spieren. Al zijn zenuwen en vezels klopten. Hij moest afschuwelijk veel pijn hebben. Hij had geen huid meer. Iedere centimeter was weggewassen, eraf getrokken of afgekrabbeld.

Hij had geen lippen meer en geen neus, slechts ogen als munten en een grijns op zijn gezicht. Een doodsgrijns. Maar Spiegelmann was niet dood. Ondanks alles haalde hij nog adem.

Hij lag op de grond, overspoeld door bloed.

Hij stak zijn hand uit.

'Caius...'

Caius wendde zich vol afschuw af.

'Nee!'

De stank van bloed steeg naar zijn hoofd.

'Dit... bloed.'

'Het is niet van hem. Niet alleen tenminste,' antwoordde Pilgrind hijgend.

'Hoe kan dat?'

'Hij heeft tegen je gelogen.' Hij wees naar de pop op het altaar. 'Dát is zijn leugen.'

'Ik heb je de waarheid laten zien,' kraakte het ontvelde wezen op de grond.

'Nee...'

'Ik heb niet tegen je gelogen.' Ieder woord deed hem ontzaglijk veel pijn, maar Spiegelmanns wil was oersterk.

'Ik zou niet eens tegen je kunnen liegen, weet je dat? Ik moest me alleen een beetje... toonbaar maken.'

Nu overstemde Pilgrinds harde lach het naderende lawaai. 'O ja? Leg dan eens aan Caius uit waar al dit bloed vandaan komt.'

'Ik moest wel.'

'Hond!'

'Niet slaan, Pilgrind.'

Pilgrind staarde verbaasd naar de magere jongen. 'Sorry?'

'Laat hem uitpraten.'

Pilgrind knarsetandde en liet zijn stok zakken.

'Zoals je wilt.'

'Dank je, jongen.'

'Bedank me maar niet,' zei Caius ijzig. 'Alles wat Pilgrind kan, kan ik ook. Dat heb jij me geleerd.'

De grijns op het gezicht van het ontvelde wezen werd breder. 'Die woorden maken me trots. Je moet nooit op het uiterlijk afgaan, Caius. Ik kan het je uitleggen.'

'Leg uit dan.'

'Ik moest leven. Voor jou. Yena Metzgeray heeft me' – een moeizaam gereutel – 'bijna vermoord.'

'Vertel waar het bloed vandaan komt,' spoorde Pilgrind aan.

'Mond dicht, Baardman.'

'Ga door, Spiegelmann.'

'Ik kon maar op één manier overleven. En dat was door... onmenselijk bloed te gebruiken waardoor... weefsel kon aangroeien.'

'Onmenselijk bloed?'

Caius begon het een beetje te begrijpen.

'Vluchtelingen, Caius,' legde Pilgrind uit. 'Terwijl jij gevangenzat, heeft Spiegelmann Jagers opdracht gegeven bloed te hamsteren, angst te zaaien bij de Vluchtelingen en hen vervolgens te grijpen en hun hun bloed afhandig te maken. Buliwyf is bijna... krankzinnig geworden toen hij probeerde hem tegen te houden.'

Caius sloeg een hand voor zijn mond.

Hij keek naar de grond.

Er lag zoveel bloed. Hoeveel waren er gestorven?

Hij sperde zijn mond open en deinsde achteruit.

'Caius...'

'Nee!'

De jongen draaide zich om en viel op de grond. Hij voelde het bloed. Liters en liters bloed. Hij schreeuwde, maar er kwam geen geluid uit zijn mond.

Hij probeerde op te staan, maar gleed uit en viel nog een keer.

Bloed op zijn handen. Op zijn armen. Op zijn gezicht.

Vluchtelingenbloed. Bloed van Lucylle.

De lucht veranderde in ijs. Het bloed bevroor.

Pilgrind snikte. Caius stond op.

Het ontvelde ding kon geen kant op door het rode ijs dat hem omringde. Hij had een angstige blik in zijn ogen. Hij voelde de haat, de zwarte energie van het Wonderkind. Hij voelde zijn honger. De aangeboren, monsterlijke honger van het Wonderkind.

'Wat is er aan de andere kant?' vroeg de jongen.

Niemand gaf antwoord.

'Pilgrind!'

'De Hidiraczee.'

'En verder?'

'De oorlog,' antwoordde het ontvelde wezen.

'De oorlog?'

'Gus is daar ook. Hij kan je helpen,' probeerde Pilgrind.

'Mij helpen? Gus?'

'Ga naar hem toe. Hij is op het strand. De zee zal je veranderen en misschien...'

Caius scheurde zijn bespatte shirt stuk, waardoor het teken zichtbaar werd. Het klopte als een bloedzuiger op zijn borst. Pilgrind beet op zijn lip toen hij het zag. Hij stond op het punt zich gewonnen te geven.

'En hoe dan? Door tegen me te liegen? Door nog meer valse herinneringen in mijn hoofd te planten? Gaat de zee me zó veranderen?'

Barsten in het plafond. Stenen vielen naar beneden. Ze raakten echter niet de grond, maar bleven tien centimeter boven het bevroren bloed hangen.

'Willen jij en Gus me helpen door nog meer smoesjes te verzinnen om iedereen in mijn omgeving uit te moorden?'

Gus luidde als een razende de klok.

Caius schreeuwde.

Dat lawaai maakte hem nog kwader, en hoe kwader hij werd, hoe hongeriger hij werd. Hij stak zijn hand omhoog en balde een vuist. Hij greep de werkelijkheid.

'Het is geen raadsel. Ik ben de Linkshandige Schim.'

En trok.

'O god...' fluisterde Pilgrind.

Caius had een Gat gemaakt.

Aan de andere kant van het Gat bevond zich het strand. In de verte stond Gus.

'Caius!' riep de getatoeëerde man. 'Stop!'

Caius sloot zijn ogen.

Hij ademde in en hoorde zijn adem veranderen in muziek. En waar de muziek haperde, zag hij herinneringen. Herinneringen van gestorven Caghoulards, van oude, maar ook van levende gevangenen. Ze klampten zich vast aan de muren, verlangden naar de vergetelheid. Alles om maar niet bij hem in de buurt te zijn.

'Wie heeft de oorlog veroorzaakt?'

Spiegelmann gaf antwoord. 'De Ceterastradivari. Ze bewegen.'

'Ceterastradivari,' mompelde Caius.

Aan de andere kant van het strand was Gus ermee gestopt als een bezetene de klok te luiden.

Hij rende nu op hen af.

'Dood vlees,' zei Caius. 'Dood vlees en bloed.'

De grond begon hevig te schokken. Het Gat was blauw met groen.

Caius tuurde in de verte.

Het Wonderkind concludeerde dat de zee oneindig was. Het water was vervuild. Er wervelden wittige slierten in: ziektekiemen. Iedere vis, zeester of zeeanemoon die in contact kwam met deze slierten, werd ziek, maar stierf niet; niets stierf in de Hidiraczee. De zieke zeedieren veranderden in kwallen met tanden, of slakken met stekels.

De zee was gruwelijk. Hij vormde de grens tussen de verschillende werelden.

Daar waar reizigers schimmen waren zonder logica en met pure wanhoop. Hoeveel Vluchtelingen waren er in dat draderige water verdronken? Net zoveel als de schimmen die zich op het strand bevonden. Er zwommen vissen in. Salamanders. Dromen. En herinneringen. Het was de zee der zeeën. Het centrum van het universum. Van de werelden. Onmogelijk te beschrijven. De Hidiraczee was pure abstractie. Geleerden noemden hem de Tuin, omdat hij een bron van leven was. De onstuimigste en weelderigste flora en fauna die iemand zich kon voorstellen.

Iedere druppel van de onmogelijke zee leefde. Iedere molecuul was doordrongen van leven en had een eigen bewustzijn. Daarom stierf er niets. De vissen, die de herinneringen bezaten van mensen die allang waren overleden, gingen nooit dood. Vissen, zeesterren, zeepaardjes, schelpen en soms ook pareloesters.

Als de dromen en herinneringen eenmaal leefden, begonnen ze rond te zwemmen en ontmoetten ze andere. Vervolgens brachten ze verhalen en herinneringen voort die geen enkel levend wezen op deze of andere werelden kende. En deze hybride wezens plantten zich ook weer voort. En zo verder. Dat was allemaal mogelijk omdat er in de zee geen dood en geen tijd bestonden. Zo kwam het dat de wezens die de wateren bevolkten uiteindelijk geen herinneringen meer bevatten van de mensen, Caniden, Vluchtelingen en dergelijke, aan wie ze hun bestaan te danken hadden.

Zag hij diep in de zee een schaduw?

Ja. De schaduw bewoog. Hij kwam dichterbij. Hij draaide om zijn as, krabde zichzelf en werd steeds groter. De schim was pikzwart en bracht de ziektekiemen voort: de getande kwallen en de wittige sliertjes. Zoals de herinneringen en dromen hybride wezens hadden voortgebracht, zo creëerde de schaduw ziektekiemen. De schaduw was duister en de duisternis besmette de zee.

Wat bewoog er nog meer in de zee der zeeën behalve vissen en ziektekiemen, terwijl de Roos van Algol een Deur tussen de verschillende werelden opende? Wat bevond zich aan de andere kant van de deur?

Veel.

70

Toen werd het donker.

'Donker.'

'Caius...'

'Zwijg.'

En Pilgrind zweeg; dat moest van het Wonderkind.

Duisternis.

Het teken bloedde. Zijn bloed was niet meer rood, maar weerzinwekkend zwart. Zijn bloed gaf hem nieuwe kracht en versterkte zijn honger.

Zijn brandende haat zorgde ervoor dat Dent de Nuit zwart blakerde en begon te rotten. Spiegelmanns gelach veranderde in zacht geruis en verstomde uiteindelijk. Te midden van de stilte hoorde Caius plotseling de warme stem van Rochelle.

Rochelle, het laatste licht.

Rochelle kende de kou en het duister. 'Doe het niet, Caius.'

'Ik moet wel.'

'Je zult het altijd koud hebben.'

'Ik heb het al koud.'

'Het zal voor altijd donker zijn,' zei ze.

'Ik heb gedood, Rochelle. Bloed kleeft aan mijn handen.'

Rochelle voelde haar haar stijf worden door de rijp en streek het uit haar gezicht. Haar ogen vonden met moeite wat ze zocht: de gebogen gestalte van de jongen in het donker.

Rochelle zette een stap naar het Wonderkind toe. Dat was moeilijk, niet alleen vanwege het duister en de verraderlijk gladde straat. De jongen straalde een geweldige kracht uit die haar bij hem weg probeerde te jagen. Een kracht die voortkwam uit zijn eenzaamheid en woede. Rochelle kende de vrieskou (waarom zou ze anders haar leven hebben gegeven voor Buliwyf?). Hoewel ze er niet dol op was, had ze er niet zoveel last van als Spiegelmann en Pilgrind, die verstijfd waren. Ook wist ze hoe eenzaamheid voelde. Dat lag in de aard van haar soort. Spoedig zou het Wonderkind in woede uitbarsten.

Rochelle liep voetje voor voetje op Caius af, hoewel ze niets zag. Ze zag niets met haar ogen, maar stelde zich de weg die ze moest afleggen voor. Ze volgde eenvoudigweg het ijs.

De golven vrieskou die Caius uitwasemde, werden steeds pijnlijker en donkerder. De kou zou haar naar hem toe leiden. Opeens smakte een afschuwelijke kracht haar tegen de grond. Rochelle gilde van schrik.

'Caius!' riep ze.

Haar stem klonk als gepiep in een sneeuwstorm.

'Ga weg, Rochelle. Ik wil jou niet ook nog vermoorden.'

'Ik ga niet weg, Caius,' antwoordde ze, terwijl ze opstond. De kou geselde haar, maar toch bleef ze staan.

Ze zette nog een stap.

'Ik wil je geen pijn doen.'

'Dat weet ik.'

'... maar als je niet weggaat...'

'Wat dan? Ga je me dan echt vermoorden, Caius?'

De vrieskou leek minder intens te worden. Caius schoot lichtstralen de duisternis in. Hij dacht na.

Rochelle zag haar kans schoon en liep dichter naar hem toe. Het werd weer donker.

'Ik ga je niet vermoorden, maar het Wonderkind wel.'

'Maar jij bent het Wonderkind.'

'Nee. Ik ben Caius Strauss. Wegwezen nu.'

'Vertrouw je me niet?'

'Ik vertrouw niemand.'

'Ik kan je helpen.'

'Ga weg. Ik ben...'

'Je bent kwaad.' Rochelle kon met geen mogelijkheid meer tegen de vrieskou in lopen. Het leek onmogelijk niet te vallen. Ze was haar evenwicht kwijt, maar bleef toch staan. Zelfs voor een Splendide waren deze omstandigheden pijnlijk. Ze begon te huilen. 'Je bent in de war, ik...'

'Ik ben niet kwaad,' zei Caius met een absurd kinderlijke stem. 'Ik ben... aan het veranderen.'

'Dat is niet waar. Je bent Caius Strauss, dat heb je zelf gezegd.'

'Dat was ik!' riep hij uit. Zijn stem sloeg over van verdriet.

Rochelle voelde zo met hem mee dat ze weer nieuwe energie had om een stap te zetten. Een stap van maar een paar centimeter, terwijl Caius kilometers ver van haar verwijderd was.

'Ik was Caius Strauss...'

'Dat ben je nog steeds.'

'Niet waar!' Een snik. De hele stad ging op en neer. 'Ik ben een moordenaar, Rochelle. Ik heb...'

'Je bent geen moordenaar.'

'Maar ik heb gedood.'

Ondanks de ijzige kou zuchtte Rochelle. 'Ik heb ook wel eens iemand gedood, maar dat kon niet anders. Ik moest wel.'

Caius zag alles in een lichtblauwe flits voorbijschieten.

Primus.

Buliwyf.

'Jij hebt Buliwyf verdedigd. De moord op Primus was een daad uit hartstocht.'

Nog een stap.

'En waarom heb jij het gedaan?'

'Ik...'

Een kier. Een beetje warmte.

Eén stap, toen twee.

Eindelijk kon Rochelle Caius zien, midden in de duisternis. Hij lag opgerold, in foetushouding, op de grond. De Splendide schrok hevig. De jongen op de grond was nog wel Caius Strauss, maar zag er doorschijnend uit. Rochelle moest denken aan een vervellende slang. Het werd nog donkerder.

Rochelle schraapte haar moed bij elkaar, zette nog een stap en bande het beeld van de slang uit haar hoofd. 'Jij hebt niemand gedood, Caius. Je wilde Spiegelmann vermoorden, maar hebt dat uiteindelijk niet gedaan.'

'Omdat ik werd tegengehouden.'

'Door iemand die van je houdt.'

De kier werd groter. Rochelle handelde snel. Het was niet licht, maar zeker niet aardedonker meer. Ze zette haar kiezen op elkaar en liep verder. Ze was nu vlak bij Caius. Nog een paar stappen en ze zou hem kunnen aanraken. Dat was wat ze wilde. Ze moest hem tegenhouden. Dat was haar plicht.

Ze hoopte echter dat het niet nodig was hem aan te raken.

Caius keek op. 'Jij...'

Vrieskou.

IJs.

Stikdonker.

Rochelle werd een paar meter teruggedreven. Naar de grond. Haar hoofd gonsde, alsof ze geraakt was door een kei.

Even voelde het alsof ze wegzweefde. Ze moest op haar lip bijten om niet flauw te vallen. Een luxe die ze zich niet kon veroorloven.

'Caius? Waarom heb je me...?'

'Je bent bang voor me,' antwoordde het Wonderkind kil.

'Dat is niet waar.'

'Je liegt!' riep Caius uit.

Rochelle sloeg haar handen voor haar oren. Zelfs Pilgrind schreeuwde. De Splendide dacht in zijn geschreeuw gelach te herkennen. En muziek.

Ze besteedde er geen aandacht aan.

'Ik ben niet bang voor je, Caius. Caius Strauss is een lieve, intelligente en attente jongen. Waarom moet ik bang voor je zijn?'

'Omdat ik Caius Strauss niet meer ben.'

Zijn antwoord leek hem te kalmeren.

'Dat ben je wel. Dat ben je nog steeds.'

Ze begon weer op hem af te lopen.

'Blijf staan, Rochelle.'

Caius sprak met twee verschillende stemmen. Met die van de magere jongen, Caius, en met die van het Wonderkind. Die laatste was walgelijk.

'Waarom wil je niet dat ik dichterbij kom?'

Een korte stilte. 'Omdat je me... wilt aanraken. Net zoals je bij Primus hebt gedaan.'

'Dat was nodig.'

'Wat heb je met hem gedaan?'

'Wil je dat echt weten?'

'Ja. Ik heb het gezien, maar ik begrijp het niet.'

'Laat me dichterbij komen, nog één stap. Dan zal ik het je uitleggen.'

'Eén stap.'

Rochelle zette één stap en zuchtte.

'Ik heb hem vermoord. Dat is de vloek van elke Splendide, Caius. Wij mogen geen levende wezens aanraken, omdat...' Haar stem trilde. Caius leek zijn adem in te houden. Een straaltje licht. Rochelle kwam haar belofte na. Hoewel het verleidelijk was naar Caius toe te lopen, bleef ze roerloos staan. 'Ik heb hem zijn verschrikkelijkste herinnering laten herbeleven. Hij is gestorven uit wanhoop.'

'En waarom wil je mij aanraken?'

Rochelle zuchtte. 'Kijk naar me.'

'Beloof je dan te blijven staan?'

'Beloofd. Dat wat Spiegelmann je heeft laten zien is...'

'Waag het eens te zeggen dat het vals is!'

Rochelle maakte een gebaar om hem tot bedaren te brengen. Ze voelde de grond onder haar voeten al bewegen. Dent de Nuit zou instorten. Alles zou bezwijken.

Rochelle beet op haar lip.

'Je bent boos,' zei de dubbele stem.

Rochelle beefde. 'Ja.'

'Jij...' jankte de stem van het Wonderkind.

'Ik?'

Rochelle barstte los.

'Je ouders zijn dood! Het waren goede mensen. Lieve mensen, die jong gestorven zijn. Pilgrind is stervende. Dent de Nuit gaat ten onder. En wie nog meer?' krijste ze. 'Wie nog meer? Al die Wisselaars die de Grote Blinde Slager heeft afgeslacht. Andere Wisselaars lijden. Weet je waarom?'

'Wisselaars sterven, of lijden door mijn schuld.'

'Ja,' antwoordde Rochelle, alsof ze hem een bestraffende tik gaf. 'Door jouw schuld. Het is de schuld van het Wonderkind! En of je wilt of niet, Caius Strauss, jij bent het Wonderkind! Je hebt je ouders vermoord, een paar van mijn beste vrienden en meer Wisselaars dan Spiegelmann ooit had durven dromen om te brengen.' De stem van de Splendide sneed door de kou en het duister. Rochelle ging tekeer als een orkaan en was niet meer te stoppen. Ze was lang niet zo kwaad geweest. 'Maar je hebt er niet zelf voor gekozen om het Wonderkind te zijn. Jij wilt net zomin het Wonderkind zijn als ik een Splendide. Het is ook niet de keus van Pilgrind, Gus of Charlie en Emma geweest. Jij wilt het Wonderkind niet zijn, maar Charlie, Emma en Gus wilden niet sterven. Niemand wilde dood, maar ze zijn het wel! En dat is jouw schuld!'

'Rochelle...'

'Hou je mond!' beval de Splendide. 'Ik weet hoe het is om met een vloek te leven, ik weet hoe het is om te verlangen naar een korte aanraking. Ik weet het. Ik begrijp jouw pijn, Caius. En ik begrijp ook dat het eenvoudig is om hier woedend over te worden. Ik weet hoe het is. Ik ben elke dag laaiend. Ik begrijp alleen niet waarom je niet stopt met moorden!'

'Ik wil niet...'

'Ha, je wilt het niet!' Rochelle lachte. Een minachtend en wreed lachje. 'Weet je zeker dat je het niet wilt? Kijk naar jezelf, Caius. Kijk maar eens goed. Je staat op het punt deze en andere werelden te vernietigen, omdat je, of je het nu leuk vindt of niet, het Wonderkind bent. En hoewel je niet weet wat dat betekent, net zomin als ik weet wat het betekent een Splendide te zijn, behalve te worden vervuld van eenzaamheid, kou en duisternis, vraag ik je hoeveel onschuldige levens je nog gaat beëindigen.'

Het duister veranderde in steen.

'Wat moet ik doen, Rochelle?'

'Geef me je hand,' fluisterde ze liefdevol.

Werd hij overtuigd door haar woorden? Of door haar glimlach? Of door het verraste gekreun van Spiegelmann, diep in de duisternis?

Dat deed er niet toe. Caius pakte de hand van de Splendide. Haar warmte ontrolde zich als een zonnestraal en verwarmde hem.

'Rochelle.'

'Zeg het eens, liever.'

'Ik moet gaan.'

Het werd weer licht.

Bevroren bloed. Het ontvelde wezen en Pilgrind. En Gus, aan de andere kant van het Gat, een paar meter bij hen vandaan.

'Caius, de zee. Ga de zee in. Misschien kan die je veranderen,' opperde de Baardman.

'Nee, dat hoop jij alleen maar.'

Pilgrind boog zijn hoofd. Dat was waar.

'Doe wat de Baardman zegt.'

Caius keek omhoog.

Gus van Zant, net voorbij de grens die de werelden van elkaar scheidde. 'Doe het.'

'Ik neem van niemand bevelen aan, Gus. Dat heb ik van jou geleerd.'

Hij stak zijn hand uit.

Gus pakte hem glimlachend vast. 'Dat is waar.'

Caius trok hem met het grootste gemak naar zich toe. Een wonderlijk wezen van vlees en tatoeages.

'Veel geluk, Caius. En bedankt.'

'Bedank me nog maar niet, Gus,' mompelde de jongen. 'Ze bewegen. Ik zie het. Ik moet naar ze toe, naar de Ceterastradivari.'

'Waar?'

'Aan de andere kant van de zee.'

Hij liep langs het Gat.

'Naar huis,' mompelde Pilgrind. 'Naar huis.'

Epiloog

Kraaien in de hemel boven Dent de Nuit. Ze zagen alles. Ze zagen de Splendide naar het vuur staren, de Caghoulards overal en nergens heen vluchten en de Gruwelaars, verloren zonder leider, door steegjes met ijzige sneeuw zwerven.

Ze luisterden.

Ze luisterden naar de smeekbede van de Splendide en naar de troostende woorden van de Baardman. Ze luisterden naar de knetterende vlammen en naar het verschrikkelijke gejank in de verte, van de grote, jagende, rode wolf.

Ze zagen Gus wat er over was van Mathis in zijn armen wiegen. Hij wiegde haar heen en weer en zong voor haar. Hij zong een oud liedje over Achilles en de schildpad. Over Deuren en Schimmen.

Verder zagen ze aan de andere kant van Dent de Nuit de Celibe, die zon op wraak. Ze zagen hoe hij het verwisselde staal verwoestte en het vlees van de zeekat, Gus' dubbelganger, aan stukken scheurde.

De zeekat sperde zijn mond open en braakte bloed. Op het moment dat de zeekat stierf, keek Gus naar Pilgrind.

De kraaien zagen Gus' verbijstering.

Ze zagen zijn pijn.

Ze zagen de Baardman toesnellen.

En hoe Gus van Zant uiteindelijk stierf.

Pas op dat ogenblik zetten ze hun doodslied in. En terwijl ze zongen, dachten ze aan de oorlog aan de andere kant van de zee.

De oorlog die spoedig grenzen zou overschrijden.

Woordenlijst

Aanvreter: een gigantisch wezen dat bestaat uit oud brood, vliegenvleugels en schimmel. Het is geen levend wezen, maar een wapen. De kus van een Aanvreter brandt vlees weg als zoutzuur.

Canide: een Lykantroop die op gruwelijke wijze ontmenselijkt is. Zijn ziel en verstand zijn weggeschroeid door een zilveren ketting om zijn nek.

Celibe: een wezen dat uit de diepten van de Zwartheid komt, een plek waar het licht is verbannen. Door zijn komst verandert de werkelijkheid ingrijpend. Zijn aanraking is folterend.

Caghoulard: een verachtelijk wezen dat geen genade kent en graag zijn slachtoffer openrijt. Wordt ook wel Zwartgekapte genoemd, vanwege de zwarte capuchon die hij draagt. Hoe meer littekens en scherven in zijn lichaam, hoe meer aanzien hij heeft. Het enige wat een Caghoulard verlangt, is een naam.

Gruwelaar: een wezen dat zoveel herinneringen heeft verbrand dat het zelfs niet meer weet wat de dood is. Daarom is een Gruwelaar niet levend, maar ook niet dood. Hij beweegt zich en doodt op bovennatuurlijk sterke wijze en heeft pauwenstaarten als ogen.

Kalibaan: een wezen waarin monsterlijkheid en schoonheid verenigd zijn. De Kalibaan ademt muziek en drijft zijn toehoorders en toeschouwers tot krankzinnigheid.

Manufact: een voorwerp dat gemuteerd is door een Wissel van het Daar. Wisselaars kunnen er verslaafd aan raken.

Vluchteling: een wezen dat afkomstig is uit een van de werelden aan de andere kant van de Hidiraczee.

Wisselaar: iemand die een Wissel kan produceren.